GUIA TUR

CIUDAD DE MEXICO 2003

CONTENIDO

GUIA TURISTICA CIUDAD DE MEXICO
Autores: Joaquín Palacios Roji García   Agustín Palacios Roji García
Información Turística: Mauricio Serrano

Derechos reservados D.R. © 2002, por GUIA ROJI, S.A. de C.V.
ISBN 970-621-201-9
GUIA TURISTICA CIUDAD DE MEXICO 2002 es editada y publicada por GUIA ROJI, S.A de C.V.,
R.F.C. GRO-841113-A88. Gob. José Morán No. 31, Colonia San Miguel Chapultepec, 11850 México, D.F.
Tels. 55-15-03-84 52-71-86-99 Fax 52-77-2307   Email: guiaroji@guiaroji.com.mx
Certificado de Licitud de Título Reg. en trámite. Certificado de Licitud de Contenido Reg. en trámite.
Reserva al uso exclusivo del Título ante el Instituto Nacional del Derecho de Autor Reg. en trámite
Editor responsable: Joaquín Palacios Roji García.   Director General: Agustín Palacios Roji García.

EDICION, IMPRESION Y DISTRIBUCION:
GUIA ROJI, S.A de C.V.

Esta Guía Roji Turística en su 1a. edición se terminó de imprimir en los talleres de GUIA ROJI
en Noviembre 2002

Impreso en México/*Printed in Mexico*

Fotografías: L. A. Stransky   Arq. Jorge Olivares

Megalópoli, ciudad de ciudades, una de las mayores del mundo, capital de la República Mexicana, la Ciudad de México es el reflejo de una nación de múltiples aristas, poliédrica, inevitable conjunción de contrastes. La ciudad de casi siete siglos de existencia, reune un orgulloso legado prehispánico, su herencia colonial y un presente de modernidad, donde las transformaciones sorprendentes han sido la regla. A la mirada de propios y extraños su **grandeza cultural y patrimonial** parece inabarcable, sin embargo, el ir conociendo y reconociendo este enorme recurso, que aquí se aloja, permite al visitante, al acucioso observador o simplemente al curioso paseante penetrar en una actividad apasionante: el disfrute y su valoración.

A través de ancestrales zonas arqueológicas, imponentes construcciones religiosas, con innumerable obras de arte, espléndidos palacios coloniales, admirables obras civiles novohispanas o bien soberbia arquitectura decimonónica y del siglo XX, famosos monumentos, bellas fuentes y jardines, vastos museos, centros culturales y universitarios de gran interés, áreas de espectáculos y centros de diversión, en general, descritos en esta guía, el amable lector tendrá la facilidad de acceder a los sitios más relevantes de la metrópoli, así también, mediante más de 20 planos, totalmente ilustrados y con información vial, muestra tales sitios y rutas sugeridas, para mejor aprovechamiento de sus visitas.

Otra manera de fascinarse de esta deslumbrante urbe es adentrarse a sus festividades populares, siendo un agasajo pleno a los sentidos; llenos de colorido, en lo gastronómico, musical, costumbrismo y cultural en general, para lo cual se ofrece un listado de las principales fiestas que se realizan en la ciudad y la periferia.

La oferta de servicios turísticos y eventos culturales es en verdad muy abundante, motivo por lo que es el primer destino turístico del País. Como decía un conocido viajero español, tras vivir aquí diez años, la Ciudad de México se come poco a poco el corazón de sus visitantes, como en un ritual azteca. Sea pues, bienvenido a esta magna urbe.

Mauricio Serrano

Esta guía ha sido diseñada para obtener una rápida consulta de alrededor de 400 lugares de interés de la extensa zona metropolitana de la Ciudad de México.

Hay 3 formas ágiles de manejarla: una lectura breve del índice por orden alfabético de los lugares narrados, que le remitirán a la página correspondiente y al número de plano con su localización, o bien, dirigirse directamente al Plano General de la Ciudad, donde se muestran subdivisiones del mismo, con el número de plano de la ruta que haya elegido y su página. Y por último a través de una sección de rutas, que ligan geográficamente varios sitios y cuyos trayectos se pueden realizar fácilmente a pie, partiendo de un lugar cercano (generalmente) a una estación del metro. Los sitios indicados en los planos y rutas les corresponden una descripción en la sección de reseña turística. Hay, sin embargo, algunos sitios dispersos que no se ligan a una ruta turística.

Para mejor orientación de los lugares de interés, se han distinguido 3 rangos, según su grado de atracción e importancia;

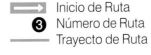

*** Muy recomendable	⟹ Inicio de Ruta
** Recomendable	❸ Número de Ruta
* Interesante	— Trayecto de Ruta

INDICE DE LUGARES DESCRITOS

A

Originalmente capital del reino de los aztecas, desde el primer tercio del siglo XIV, después sede del gobierno virreinal de la Nueva España, a partir de 1530 y residencia de los poderes federales de México durante los dos siglos de vida independiente, la Ciudad de México ha acogido la mayor concentración de población de todo el país. Todavía, hacia mediados del siglo XIX, su superficie habitada era modesta a escala humana, comprendía lo que actualmente se le llama **Centro Histórico**, término acuñado en 1980 para la ciudad antigua o aquella con construcciones anteriores a 1900. Su crecimiento acelerado a lo largo del siglo XX, ha desbordado cualquier límite previsto, absorbiendo numerosas localidades circundantes. Rebasando los linderos de la entidad política que la acoge; es sede de los poderes de la nación, el Distrito Federal y gestando la urbanización desmedida en el vecino Estado de México, a tal grado, que más de 30 municipios de la entidad, se hallan conurbadas a la metrópoli. De esta forma la concentración social, económica, política y de servicios, contituye una enorma aglomeración, donde se reflejan las principales características de la nación y la convierten en una de las más grandes metrópolis del mundo; con una población que supera los 18 millones de habitantes, que ocupan más de 1,500 km^2 de tejido urbano. El dramático proceso de concentración ha llevado a que en la gran ciudad, se produzca alrededor del 50% de los productos industriales de la República, en contraste, el sector agrícola ha disminuído en los alrededores, dependiendo casi en su totalidad del interior del país. El sector de servicios ocupa un lugar sobresaliente dentro de la economía citadina, ya que aquí la mayor parte de la población económicamente activa esta ocupada en este rubro. El comercio es sumamente intenso, concentrándose en varios centros suburbanos, principalmente el **Centro Histórico** y las cabeceras delegacionales y municipales. Algunas actúan como verdaderas ciudades dentro de otra, como la **Central de Abastos de Iztapalapa** y otros modernos núcleos de consumo, como los centros comerciales de **Santa Fe, Perisur, Plaza Satélite, Plaza Universidad**, entre muchos otros. El área urbana de la ciudad de México, dista mucho de ser homogénea, presentando importantes peculiaridades en cuanto a antecedentes históricos, características geográficas, dinámica geográfica, cultural y estructura urbana; a veces se tiene la impresión de observar distintos Méxicos, en su conjunto, sin embargo, constituye un complejo ensamblaje, de tipo policéntrico con grandes contrastes urbanísticos. Al incursionar en esta megalópolis, la transportación entre diversos sitios resulta a menudo complicada y tardada, por lo que una solución a esta problemática, fue la construcción y apertura del **Metro** el 5 de septiembre de 1969, cuyo crecimiento no ha cesado, extendiéndose en 191 kms., en 11 líneas y operando en 160 estaciones; transportando un promedio de 4.3 millones de pasajeros, dentro del Distrito Federal, hay proyectos para extenderlo hacia el Estado de México.

La zona metropolitana de la Ciudad de México se halla emplazada al sur de la **Cuenca de México**, conocida coloquialmente como Valle de México, **región hidrográfica limitada por un sistema de elevadas sierras**, que forman parte de la **Cordillera Neovolcánica Transmexicana**, también llamada **Eje Neovolcánico**, en él se pueden observar los efectos del vulcanismo reciente y también ahí se ubican las mayores elevaciones del país, de unos 900 kilómetros de longitud y orientado, transversalmente al país, de oeste a este, la cordillera por sus características geográficas constituye una barrera que limita físicamente a Norteamérica de Centroamérica, tanto en lo altimètrico, como orográfico, climático, biológico y etnográfico.

Consecuencia de las características geológicas de esta gran región fisiográfica, la topografía de la metrópoli es también resultado del vulcanismo. Siendo su paisaje dominado por formas cónicas y dómicas de los distintos tipos de volcanes y por singulares pedregales, como el de San Ángel, producto de la erupción del **volcán Xitle** hace unos 2 400 años. El vulcanismo es también el origen de la depresión endorreica de México en el periodo cuaternario, cuando un antiguo valle fue cerrado por los volcanes del sur de la cuenca, bloqueando el desagüe natural y ocasionando la formación de grandes lagos, por lo que la antigua capital azteca, **Tenochtitlan, era una ciudad anfibia**, construida sobre un islote del lago de Texcoco. La desecación fue muy intensa a lo largo de los últimos cinco siglos, prácticamente desapareciendo a finales del siglo XX.

Localizada geográficamente entre los paralelos; 19^0 15' Y 19^0 45' de latitud norte y los meridianos: 98^0 50' y 99^0 20' de longitud oeste, la altitud promedio de la ciudad es de 2 230 metros sobre el nivel del mar. Desarrollada sobre una planicie en su mayor parte, su subsuelo está cubierto de sedimentos lacustres y de acarreo, donde se han almacenado grandes acuíferos, pero debido a su intensa explotación, ha provocado el hundimiento de muchas partes de la Ciudad.

Altas sierras rodean la metrópoli, destacando la Sierra Nevada, donde se localizan el **Popocatépetl** (5 465m.), el **Iztaccíhuatl** (5 230m.), el **Tláloc** (4120m.) y el **Telapón** (4060m.) al este, al sur corre la Sierra del Chichinautzin, sobresaliendo el **Ajusco** (3940m.), el Tláloc (3690m.) y el Pelado (3620m.), al oeste se elevan las **Sierra de las Cruces** que superan los 3,300m. Y las sierras de Monte Alto y Monte Bajo, al norte del Distrito Federal, limitando con el Estado de México se alza la **Sierra de Guadalupe** con eminencias entre 2 500 y 3 000m. Hacia la Delegación Iztapalapa, centroeste, se distinguen una serie de **conos volcánicos alineados, llamada Sierra de Santa Catarina**; en el extremo noroeste de la zona metropolitana, se eleva la Sierra de Tepotzotlán (3000m.) y al extremo noreste, sobresale el **Cerro Gordo (3000m.)de singular atracción a la cultura teotihuacana**; algunas pequeñas prominencias, también de origen volcánico, sobresalen en la mancha urbana, como el Cerro del Chapulín, en Chapultepec; el **Cerro de la Estrella**, en Iztapalapa y el **Cerro del Tepeyac**, en la Villa de Guadalupe.

La ciudad de México es una de las grandes urbes del mundo, que no la cruzan grandes ríos, ni tampoco esta en un litoral marino o lacustre (lo estuvo tadavía hasta el siglo XIX), existen sin embargo algunos ríos que han sido entubados, para ceder a la carpeta asfáltica urbana, entre ellos están los ríos: Mixcoac, Churubusco, Tacubaya, Becerra, de la Piedad y del Consulado. Otras pocas corrientes solo se destacan en la época de lluvias como son; el río Magdalena, el Hondo, el Tlalnepantla, de los Remedios, el Cuautitlán y el Tepotzotlán al poniente. Varias presas edificadas en este rumbo han sido construidas para contener las impetuosas crecidas que se dan entre mayo y octubre, que es la temporada lluviosa. El clima general de la ciudad es templado y subhùmedo, hacia el noreste es semiárido y al sur y al poniente es mas fresco y húmedo que en el centro. La temperatura baja no menos de 5^0 C, en diciembre y enero, el mes mas caluroso es abril, alcanzando incluso los 30^0 C. La precipitación anual es alrededor de 760 mm. Siendo el clima tan agradable en México, ha sido suceptible de que crezcan numerosas especies vegetales, tanto de origen local, como aquellas introducidas a lo largo de los siglos, sin embargo, diversos factores condicionantes hacen mas sobresalientes determinadas especies, como por ejemplo: en las colinas y laderas montañosas de la zona sur y poniente, abundan los encinos y pinos. El eucalipto se halla muy extendido por toda la ciudad, en los parques y bosques proliferan los pinos, fresnos, álamos, jacarandas, truenos, casuarinas, araucarias, y en zonas rurales colindantes, abundan los pirules.

Los nopales y magueyes, son especies características del altiplano mexicano, y en la ciudad, y sus alrededores abundan, sobretodo en localidades como Milpa Alta, Teotihuacan y Texcoco. El ahuejote, sauce tìpicamente mexicano, crece en las áreas acuosas y canales de Xochimilco y Tláhuac, confiriendo al paisaje una peculiar belleza. Enmarcado con un escenario privilegiado, la gran ciudad, sin embargo, se asienta en una región de actividad tectónica muy intensa, cuyas más notables evidencias son el vulcanismo y la sismicidad; en cuanto a lo primero, el volcán Popocatépetl manifiesta actividad fumaròlica, distante a màs de 70 kms., no presenta peligro para los habitantes citadinos, en cuanto a lo segundo, la metrópoli se halla en una zona sísmica. En el siglo XX a sufrido varios temblores de magnitud superior a los 7 grados en la escala de Richter. Esto ha sido una lección importante, para ir adoptando una cultura para la prevención de desastres naturales, haciendo mejores construcciones y mejores medidas adoptadas en los sistemas de seguridad, lo que permite màs tranquilidad tanto en las áreas de edificios altos como en la población. Un reto latente, de gran envergadura, es la contaminación ambiental, por lo que hay campañas anticontaminantes, como el: **hoy no circula, aplicado a vehículos.**

HECHOS Y SUCESOS HISTORICOS

La existencia de la Ciudad de México es un hecho relativamente nuevo en la historia de la ocupación humana en el sur de la Cuenca de México, donde se halla emplazada. Estudios arqueológicos realizados en la segunda mitad del siglo XX rebelan datos sobre testimonios de la presencia de cazadores y recolectores hace alrededor de 22 000 años en un sitio, conocido como **Tlapacoya**, al sureste de la ciudad, que en tiempos antiguos fue playa, como parte de un extenso litoral que bordeaba el **gran lago de Texcoco Chalco**. No se trataba de habitantes primitivos sino pobladores que aprendieron a aprovechar al máximo distintos ambientes, obteniendo una amplia gama de plantas y animales que proliferaban en su entorno, como dan testimonio numerosas evidencias, restos de tres casas, fragmentos óseos de animales, artefactos lìticos manufacturados en obsidiana y en cuarzo. Para esa época, esta área, debido al clima y existencia de abundantes recursos fue propicio para su poblamiento, desarrollándose actividades como la caza, la pesca y recolección. De un tiempo que cubre de 20 000 a 7 000 años antes de Cristo, el hombre prehistórico continuó recolectando plantas, cazando animales, como; el mastodonte, mamut, bisonte, caballo, camello y otros carnívoros, siendo la pesca lacustre muy relevante debido a su riqueza. La desaparición de las grandes especies, por diversas causas y, consecuentemente la búsqueda de nuevas formas de subsistencia condujo a un proceso de vida sedentaria en las comunidades humanas asentadas en las riberas de los lagos, esto alrededor de hace 5 000 años antes de Cristo, la pesca seguía siendo relevante, se cazaban aves migratorias, como el ganso de Canadá y patos del norte y se cazaba el venado, la agricultura es incipiente a base de amaranto, la calabaza, una pequeña especie de tomate, el teosinte, pariente próximo del maíz, la cerámica aun no se desarrollaba. Al final del tercer milenio antes de Cristo, profundos cambios técnicos y económicos confieren a los grupos humanos instalados en la Cuenca de México mayor complejidad socio cultural, varias plantas cultivadas empiezan a jugar un papel muy importante en la economía de subsistencia, en especial el maíz, el amaranto y las cucurbitáceas, se desarrollan nuevas formas de expresión plástica y simbólica, a orillas del antiguo lago de Chalco se descubrió una diminuta figurilla antropomorfa de barro cocido, la más antigua que se conoce en Mesoamèrica. Hacia 2500 años antes de nuestra era, el bosque circundante a los lagos se ve reducido drásticamente, en relación a los siglos previos, aumentando las gramíneas y otras plantas herbáceas de las orillas lacustres. Existe una tendencia marcada hacia la especialización artesanal, descubrièndose la cerámica, coincidiendo con la aparición de poblados permanentes, como: **Tlapacoya, Atoto, Tlatilco y Chicoloapan.** Hay intensificación de las relaciones comerciales, regionales e interregionales. A partir de 1400 a 1300 a.C., el cultivo del maíz, alimento vital del mexicano, da orìgen por lo menos a dos periodos anuales de actividad intensa, uno para siembra y otro para la escarda de los campos, es cuando el ritmo agrario adquiere un peso determinante en la vida de las comunidades de la región.

Época Prehispánica

Periodo Preclásico.- Hacia 1200 a.C. surge la primera alta civilización de Mesoamérica, la de los **Olmecas**, estableciendo un patrón cultural mesoamericano hasta 900 a. C., su influencia en la Cuenca de México se hace notable en Tlapacoya convirtiéndose en un foco político y religioso Olmeca de gran importancia. Otro sitio: **Tlatilco**, reciben su cultura, expresada a través de su cerámica. Durante este periodo, la agricultura propició el desarrollo de amplias comunidades aldeanas alrededor de los lagos de Texcoco y Chalco, por aquellos tiempos extensos y profundos, surgiendo Zacatenco y el Arbolillo, posteriormente Xico, Xalostoc, Copilco y Ticomán, se va estableciendo una jerarquización que comprende caseríos, grandes aldeas hasta centros regionales, donde destaca **Cuicuilco**, con importante arquitectura cívico religiosa, llegó a ocupar unas 400 hectáreas, con unos 20 000 habitantes, ahí aparece la representación del dios viejo del fuego: **Huehueteótl**, este centro sería devastado por la erupción de un volcán vecino; el Xitle, que dio origen al Pedregal de San Angel, en el sur de la ciudad, hace unos 2 400 años. En la fase superior del preclásico la margen norte del lago de Texcoco aumentó considerablemente su población gestándose el desarrollo de la **Cultura Teotihuacana** que iría adquiriendo preeminencia como centro ceremonial y comercial, edificándose entre 100 a.C. y 100 d.C. la Pirámide del Sol, siendo el monumento prehispànico más grande que se había erigido en América.

Periodo Clásico.- Comprendido entre los años 250 a 900 de nuestra era, se caracteriza por el **surgimiento de grandes asentamientos** cuyos centros cívicos y ceremoniales fueron cuidadosamente planificados y orientados. En la Cuenca de México sobresale **Teotihuacán**, primer gran experimento urbano del Nuevo Mundo, dominando la región cercana a la actual Ciudad de México durante mas de 500 años, llegó a ocupar unos 20 km², con una población aproximada de 125 000 habitantes, para ser así, uno de los mas grandes centros preindustriales del mundo. De régimen teocrático, el sacerdocio controló las actividades del culto religioso y la organización de la producción y distribución de bienes. La mayoría de la población eran agricultores que vivían en la ciudad, pero trabajaban en el campo, otra parte importante de la población eran especialistas en trabajos artesanales, producción de objetos suntuarios, herramientas de obsidiana, piedras para la molienda y vasijas de cerámica para uso diario, e incluso actividades intelectuales como la economía, política y la religión. Teotihuacán desarrolló un intenso comercio a larga distancia por toda Mesoamérica, difundiendo ampliamente su cerámica y objetos de obsidiana. Su arquitectura monumental estuvo dominada por estructuras ceremoniales construidos sobre enormes basamentos piramidales, simulando los planos celestiales, las plazas frente a estos monumentos servían de sitios de congregación para el culto religioso y el intercambio. El arte teotihuacano y su arquitectura dejaron sentir su influencia en lugares tan remotos como la región maya y Guatemala, **el máximo esplendor de Teotihuacán se alcanzó hacia el año 600** para declinar, por diversas causas aun no totalmente esclarecidas, hacia el año 900. Crisol de tradiciones milenarias, Teotihuacán representará, durante una secuencia ininterrumpida de seis o siete siglos, la primera gran metrópoli de la Cuenca de México.

Periodo Posclásico.- Del año 900 a 1521 de nuestra era. Se caracteriza por una serie de **grandes movimientos migratorios**, provenientes principalmente, del norte del país, de grupos llamados **chichimecas**, penetraron a Mesoamérica y desde luego a la Cuenca de México, para originar una serie de sincretismos culturales, hacia el siglo X, **Tula**, centro de poder habitada en un principio por pueblos venidos del norte de Teotihuacán, alcanza su apogeo, tornándose en el centro urbano de mayor importancia del Altiplano Central y capital Tolteca, llegando sus dominios a la Cuenca de México. **Por dos siglos Tula desarrollaría una gran cultura y monumental arquitectura**. Hacia 1114 es fundada **Culhuacán** primera capital tolteca en la parte sur de la cuenca, lidereado por Mixcóatl. En 1156 se colapsa el imperio Tolteca, Tula es probablemente destruida por grupos chichimecas encabezados por Xólotl, quienes posteriormente penetrarían a la cuenca fundando **Tenayuca**, ahí erigieron una gran pirámide. Posteriormente Nopaltzin, hijo de Xólotl recorrería y exploraría Acolhuacán, Tenayuca se convertiría en la capital de un extenso territorio que comprendía el norte, el oriente y parte occidental de la Cuenca de México. Los chichimecas inician una nueva forma de vida caracterizado por el rápido aprendizaje de las costumbres y tradiciones que practicaban los moradores de la cuenca, asimilándose a ellos. Luchas entre los diversos grupos de la cuenca, durante el siglo XIII, culminan con la **hegemonía de Azcapotzalco**, la cual duró unos 100 años, en sus dominios se incluían buena parte de los lagos con sus islotes, a finales de ese siglo hacen incursión a la cuenca un grupo de pueblos inmigrantes conocida como las **Siete Tribus Nahuatlacas, integrada por los mexicas, tlahuicas, tepanecas, acolhuas, tlaxcaltecas, xochimilcas y chalcas**. Según la leyenda los mexicas o aztecas procedían del norte del país, de un lugar llamado Aztlán, siguieron un intinerario guiados por su dios **Huitzilopochtli**, en busca del sitio donde deberían construir su ciudad, la señal sería el hallazgo de una **águila devorando una serpiente y posada sobre un nopal**. Después de una azarosa peregrinación, los mexicas se establecieron en un islote, donde habían hallado la señal divina, y **fundaron Tenochtitlan en 1325**, dirigidos por el sacerdote Tenoch. Del fondo del lago contiguo de Texcoco, extrajeron el sedimiento para echar los cimientos de su majestuosa ciudad, bastando menos de 200 años para levantar elevados templos, grandiosas pirámides, bruñidas de estuco, calles rectas y bien trazadas. De pueblo repudiado por sus vecinos, los mexicas se convirtieron en un pueblo guerrero por excelencia, avasallando no sólo pueblos circunvecinos, sino alcanzando regiones remotas en Centroamérica. Tenochtitlan en su climax, desarrollándose en todos los ámbitos forjó alianzas con Texcoco y Tlacopan en 1431, consolidando su poder e influencia al edificar el **gran imperio Azteca**. Los últimos vestigios del esplendor cultural de Mesoamérica, ese imperio mexica, desaparecieron abruptamente con la captura del emperador **Moctezuma** a manos de los españoles, capitaneados por **Hernán Cortés**, que buscaban oro, gloria y almas, cayendo también la gran Tenochtitlan en 1521.

Época Colonial

Durante la conquista española, en 1521, Tenochtitlan fue totalmente destruida, razón por la cual Hernán Cortés fundó en **Coyoacán** un primer ayuntamiento. Poco después él decidió que se reconstruyera la urbe novohispana, sobre las ruinas de la ciudad indígena, ordenó al agrimensor Alonso García Bravo, la traza de la nueva ciudad, siendo ayudado por Bernardino Vázquez de Tapia, y auxiliado por dos indígenas. El 15 de octubre de 1522 el emperador Carlos V de España, nombra a Hernán Cortés capitán general y gobernador. En esta época se inicia la imposición de nuevas formas de vida a los mexicanos; la religión, la organización política y social, la economía, lengua y cultura impactan dramáticamente al pueblo conquistado; sin embargo, muchas costumbres sobrevivieron y fueron variando, al contacto con la nueva sociedad dominante. **A lo largo de los siguientes tres siglos se gestaría una nueva identidad nacional**. Dentro de este proceso de aculturación, la labor misionera y evangelizadora jugó un papel importantísimo, en 1523 llegan los primeros franciscanos Juan de Aora, Juan de Tecto y Pedro de Gante, iniciaron sus actividades en Texcoco, aprendieron la lengua náhuatl y lograron alfabetizar la población local. Sucesivamente llegarían las grandes órdenes religiosas; en 1524, los **franciscanos**, en 1526, los **dominicos** y en 1533 los **agustinos**. Hacia 1530, el emperador Carlos V declara a la Ciudad de México, capital de la Nueva España, sede de la residencia del virrey, gobierno y audiencia, también se erige el arzobispado de México. En 1535 es nombrado primer virrey de la Nueva España a Antonio de Mendoza, sentando las bases de la organización virreinal e instala la Casa de Moneda. El primer obispo del virreinato, Juan de Zumárraga gestiona el establecimiento de una primera imprenta en 1539, sería la primera en el continente. El obispado de México, es elevado al rango de arzobispado en 1546. Se inaugura la Universidad de México en 1553. Hacia 1555 una gran inundación causa enormes destrozos, por lo que el virrey Luis de Velasco, manda construir un albarradón para contener las aguas dulces del Lago de México, de las salobres del Lago de Texcoco. Se funda en 1566 por Bernardino Alvarez el primer hospital para dementes de San Hipólito. **Llega la Compañía de Jesús a México, en 1571**, por esas fechas se funda el tribunal del Santo Oficio de la Inquisición, tristemente célebre. En 1573 Pedro Moya de Contreras es elegido arzobispo de México y coloca la primera piedra, de la actual Catedral Metropolitana, así mismo, los jesuitas empiezan a construir el gran Colegio de San Pedro y San Pablo. Llegan, hacia 1574, los primeros frailes mercedarios, fundando un colegio en la ciudad. Durante 1576 y 1577 ocurre una terrible epidemia de cocolixtle, causando una gran mortandad de cientos de miles de indígenas en la ciudad y el reino. En 1580 los jesuitas fundan un colegio para el estudio del náhuatl y el otomí en **Tepotzotlán**. Mientras la ciudad padece una gran inundación, tres años después, un terremoto sacude al sur del país, por ese entonces los jesuitas fundan el Colegio de San Ildefonso. Llegan, hacia 1585 los primeros miembros de la orden carmelita. El año de 1592 es creado el Juzgado General de Indios, institución destinada a su protección legal. Luis de Velasco hijo, virrey manda crear La Alameda, en 1595, paseo para los habitantes de la ciudad. Durante los siglos XVII y primera mitad del XVIII se consolida el gobierno español en la Nueva España, la burocracia se amplió, se desarrolló la economía, surgen las haciendas y numerosos ranchos alrededor de la capital. Desaparecen la encomienda y el repartimiento de indios, introduciéndose el trabajo asalariado.

Iniciando el siglo XVII, se funda el convento de Santa Inés. Hacia 1604, se asientan en México la orden Hospitalaria de San Juan de Dios, fundando el hospital y templo del mismo nombre, enfrente de la Alameda. Ese mismo año, lluvias torrenciales inundan gravemente a la ciudad, dos años después, se empieza la construcción del acueducto de Chapultepec a México. Al año siguiente, **1607, ocurre otra inundación severa**, razón que obliga a las obras del desagüe de Huehuetoca, dirigidas por el célebre ingeniero Enrico Martínez. Hacia 1611 ocurre un eclipse solar, causando un gran temor entre los habitantes, poco después un violento sismo sacudió a la ciudad. En 1620 se termina el acueducto de la Tlaxpana, para introducir agua potable a la ciudad, desde Santa Fe. Al año siguiente también se culmina el acueducto de Chapultepec. **En 1624 ocurre un motín popular**, a causa de conflictos entre el virrey marqués de Gelves y el arzobispo Juan Pérez de la Serna, ocasionando el saqueo e incendio del palacio de gobierno. **La capital virreinal sufre una terrible inundación en 1629, cobrando más de 30 000 muertos**, entre ahogados y víctimas de derrumbes, hubo una gran escasez de alimentos y hambre, **la inundación se prolongó por cuatro años, provocando pestes**. Pocos años después de haberse desaguado la ciudad, un terremoto destruye las obras de desagüe realizadas por Enrico Martínez, decidiéndose a abrir un enorme tajo en Nochistongo. En la década de los 40 del siglo XVII, nacen dos luminarias de la intelectualidad novohispana, **Carlos de Sigüenza y Góngora, humanista, poeta, historiador y pensador,** así como **Sor Juana Inés de la Cruz, poetiza, filósofa y pensadora**, quien vivió en el convento de San Jerónimo. En 1649 se realiza un auto de fe de la Inquisición, congregando a más de 50,000 personas. En 1656, se inaugura la nueva catedral. **Una erupción del Popocatépetl atemoriza a las poblaciones de las localidades circundantes, en 1665**. En 1673 llega la orden de los betlemitas, dedicándose a las actividades hospitalarias. Durante 1692, debido a que el anterior año se perdieron las cosechas en el Altiplano Central, **se alzaron los indígenas de la capital e incendiaron el palacio del virrey**, las casas del cabildo y otras construcciones, don Carlos Sigüenza y Góngora logra salvar los archivos del cabildo. Muere Sor Juana Inés de la Cruz, por cólera, en el convento de San Jerónimo el 17 de abril de 1695, ese mismo año se comienza a construir la Basílica de Guadalupe. Al año siguiente ocurre otro motín en la Plaza Mayor, interviniendo gente pobre, estudiantes y algunos clérigos. Entre 1697 y 1701 gobierna el virrey José Sarmiento y Valladares, conde de Moctezuma y de Tula, descendiente del emperador mexica, quien manda reedificar el real palacio. Por esas fechas ocurre otra inundación, ocasionando graves daños, se manifiestan, también, brotes de descontento por escasez de alimentos y carestía de granos, se toman varias medidas para garantizar el abasto. Muere Carlos de Sigüenza y Góngora en 1700, ese mismo año, se realizan grandes fiestas en la ciudad por la coronación de San Juan de Dios, además se decreta, por real cédula, la pena de muerte a asaltantes.

A principios del siglo XVIII, toma posesión el 33° virrey Juan de Ortega Montañez, arzobispo de México, quien da apoyo a negros y mestizos, a él le sucedería el virrey, segundo duque de Alburquerque, caracterizado por gobernar con gran ostentación y dispendio. Alrededor de 1710 brota una epidemia de viruela y tabardillo, durando un año. Hacia 1722 se publica La Gazeta de México, primer periódico de la Nueva España, bajo la dirección de Juan Ignacio de Castorena y Ursúa. Dos años después, se funda el convento de monjas de Corpus Christi, el primero en que se permite el ingreso a mujeres indígenas. Entre 1727 y 1728 hay un brote de epidemia de sarampión, pocos meses después se comienzan a construir los edificios de la Casa de Moneda y de la Aduana. Durante 1734 a 1738, el virrey Juan Antonio de Vizarrón y Eguiarreta, arzobispo de México y presidente de la Real Audiencia, lleva a cabo obras piadosas y apoya económicamente a España, en la guerra con Austria, en ese período se reúnen los maestros de arquitectura Pedro de Arrieta, Miguel Custodio Durán y otros para delimitar la zona urbana, las dimensiones de los llamados barrios y fijar el valor de los predios urbanos según su ubicación, realizan un plano de la ciudad, pintado al óleo, también Jerónimo de Balbás termina la magna obra del Retablo de los Reyes de la Catedral de México. En estos tiempos otra terrible epidemia de matlazáhuatl y de viruela azota a México y la ciudad. **Entre 1746 y 1755 gobierna el virrey Francisco de Güemez y Horcasitas, primer conde de Revillagigedo destacando por su impecable administración**. En 1767 la Compañía de Jesús es expulsada de la Nueva España, son conducidos a Veracruz y embarcados a Italia. Asciende como virrey Antonio María de Bucareli en 1771, durante su gestión se construye el paseo que lleva su nombre. Don Pedro Romero de Terreros, primer conde de Regla, acaudalado empresario, funda el Monte Pío de Animas en 1774, posteriormente conocido como **Monte de Piedad**. En 1777 se expiden diversas ordenanzas que limitan las funciones del clero. También se establece el Tribunal de Minería, cinco años después se publican las ordenanzas por los cuales la ciudad queda dividida en ocho cuarteles mayores y 32 menores. **Hacia 1781 se funda la Real Academia de San Carlos, para el estudio de las bellas artes**. Durante 1785, el virrey Bernardo de Gálvez manda a construir las calzadas de

Vallejo, Tlalpan y la Piedad, la ciudad queda inscrita en la Intendencia de México, a este virrey le sucedería **Juan Vicente de Güemez Pacheco 2º conde de Revillagigedo, en cuya gestión se realizaron amplias obras de aseo y remodelación de la Plaza Mayor, e inaugura en 1790 el primer alumbrado público**. Hacia 1794, sube al trono el 53º virrey Miguel de la Grúa y Talamanca, marqués de Branciforte, corrupto y ambicioso, quien se dedica a vender puestos públicos. Se inicia en 1797 la construcción de la Escuela de Minas, bajo la dirección del arquitecto y escultor valenciano Manuel Tolsá. Muere, en 1799, José Antonio Alzate insigne científico mexicano. Hacia 1800 existe una escasez de alimentos y se produce una epidemia de tabardillo. **Llega a Acapulco, en 1803 el ilustre científico y viajero prusiano, Alejandro Von Humboldt**. Ese mismo año, es develada la estatua ecuestre de Carlos IV, conocida como El Caballito, obra de Manuel Tolsa, también asciende al trono del virreinato José de Iturrigaray, quien gobernaría hasta 1808.

Él México Independiente

Frente al vacío de poder suscitado en el imperio español, por la invasión napoleónica y la virtual prisión del rey Carlos IV y de su hijo y sucesor Fernando VII, el Ayuntamiento de la Ciudad de México declaró el 19 de julio de 1808, ante el virrey Iturrigaray que, a falta de soberanos, la soberanía residía en todo el reino de la Nueva España, convocando a una junta representativa, gestándose los primeros intentos pacíficos de la Independencia. Destacando Francisco Primo de Verdad como su impulsor, él junto con otros independentistas son encarcelados, posteriormente él aparecería muerto. **Al estallar el movimiento insurgente, el 15 de septiembre de 1810, en Dolores, Guanajuato**; la Ciudad de México permaneció espectante de la lucha armada, sin que su territorio fuera escenario de combates, sólo en sus cercanías; el 30 de octubre de 1810, Hidalgo avanzó hasta el Monte de las Cruces. No fue sino hasta el 27 de septiembre de 1821, con la entrada triunfal del Ejército Trigarante, comandados por **Vicente Guerrero y Agustín de Iturbide**, que la ciudad fue escenario de la consumación de la Independencia. Juan de O'Donujú, 63º virrey, reconocería la nación independiente en los Tratados de Córdoba. Iturbide es, poco después, nombrado presidente de la Junta Provisional Gubernativa. Al año siguiente, **una guarnición militar de la ciudad, proclama emperador a Agustín de Iturbide**, siendo coronado el 21 de julio de 1822. Guatemala y Centroamérica se unen al imperio, éste sería efímero, abdicando Iturbide el 19 de marzo de 1823 y disolviéndose el mismo. **El 4 de octubre de 1824 se promulga una nueva constitución. El 18 de noviembre de ese mismo año se elige la Ciudad de México sede oficial de los poderes de la nación, fundándose también el Distrito Federal, como territorio que acoge la ciudad capital**. La sucesiva historia de México y su capital, a lo largo del siglo XIX, se desarrolla, en gran medida, alrededor de tres personajes: **Antonio López de Santa Anna, Benito Juárez y Porfirio Díaz**, Santa Anna, caudillo militar sin ideología definida, ocuparía siete veces la presidencia de la República, en un periodo de 22 años, durante la primera mitad del siglo XIX, como muestra de la inestabilidad política de la naciente nación, en la que no fue benigno hacer las mejoras urbanas o magnificencias arquitectónicas. De 1821 a 1845, la población de la capital se duplicó, sin embargo, las condiciones económicas eran precarias, el país estuvo casi en la banca rota, sobreviviendo a base de empréstitos del exterior. La ciudad conservaba prácticamente la misma extensión y distribución del siglo XVIII, la población en 1838 es de unos 200 000 habitantes. Por ese tiempo, debido a causas económicas y ambiciones imperialistas del rey de Francia, Luis Felipe, se declara la guerra a Francia, en la llamada Guerra de los Pasteles, motivo en parte por los reclamos de un pastelero francés de Tacubaya; el conflicto dura 11 meses. En 1843 son aprobados los estatutos que dan nueva vida a la Academia de San Carlos, se demuele el céntrico merca-do del Parián, en la Plaza de la Constitución, se planea erigir un monumento a la Indepen-dencia, construyéndose solamente su zócalo, de ahí el nombre popular de la plaza. **El expansionismo colonizador de los Estados Unidos, origina su invasión a México, en 1846 y 1847**, después de numerosas batallas en el norte del país, el ejército de Estados Unidos toma el Castillo de Chapultepec, el 13 de septiembre de 1847 y ocupa la Ciudad de México al día siguiente, ante el rechazo y repudio de la población civil. **Se firma el 2 de febrero de 1848 la paz, por medio de los Tratados de Guadalupe Hidalgo, perdiendo la nación más de la mitad de su territorio.**

En septiembre de 1850, la ciudad sufre una vez más una gran inundación, poco des-pués los arcos del acueducto de Tlaxpana, empiezan a ser demolidos para ampliar la actual avenida Hidalgo. Sube nuevamente Santa Anna a la presidencia, es nombrado alteza serenísima, en 1853. El Himno Nacional es cantado por primera vez en el Teatro Santa Anna, en septiembre de 1854, se inicia también la revolución de Ayutla, Santa Anna es depuesto y desterrado. Poco después es designado presidente a Ignacio Comonfort, quien otorga en 1856, a Manuel Escandón una concesión para construir el primer ferrocarril en México. El 5 de febrero de 1857, se promulga la Constitución Política de los Estados Unidos Mexicanos, las autoridades eclesiásticas de la ciudad se oponen a ella, ese año se inaugura el ferrocarril México Villa de Guadalupe. Al año siguiente se inicia la Guerra de Reforma. **En 1859, Benito Juárez es reconocido presidente de la república, decreta las leyes de Reforma, donde se establece la separación entre la Iglesia y el Estado, así como la nacionalización de los bienes eclesiásticos**. La ciudad se encuentra bajo el dominio de dirigentes conservadores, sin embargo, Juárez entra a la capital y es electo presidente en 1861, expulsa del país a eclesiásticos y se lleva a cabo la exclaustración de la mayoría de los conventos y secularización de hospitales y establecimientos de beneficencia, decide también suspender pagos por adeudos a extranjeros. Como consecuencia Francia, Inglaterra y España rompen relaciones con México, el cual es invadido por tropas francesas en 1862, **la ciudad es ocupada en junio de 1863 por el ejército francés**. Pocos meses después, se impone una monarquía como forma de gobierno, siendo su **soberano Maximiliano, que es declarado emperador, naciendo el segundo imperio**, de corta duración, pues sería derrotado en 1867; con el fusilamiento de Maximiliano en Querétaro, y restaurándose la República. Por esas fechas la ciudad tendría una superficie de 15 kilómetros cuadrados. Hacia 1869 es introducido el gas hidrógeno en el alumbrado público, mejorando sustancialmente a los sistemas anteriores. En 1871 es reelecto Benito Juárez y en 1873 el nuevo presidente Lerdo de Tejada, inaugura el ferrocarril a Veracruz. Durante 1876 Porfirio Díaz lanza el Plan de Tuxtepec, atacando a Lerdo de Tejada, entra a la ciudad triunfante. El 2 de abril de 1877 inicia Porfirio Díaz una época en la historia, con su primer periodo presidencial, el anhelo de estabilidad política, bonanza económica, paz y progreso se cumpliría durante su dictadura, aunque los beneficios sustanciales recayeron en las clases sociales altas. En 1879 se inaugura el servicio telefónico, estableciéndose comunicación entre la capital y Tlalpan. Hacia 1880 se empieza a formar la colonia Guerrero, en la colindancia norte de la ciudad, se calcula una población para la urbe de 241 000 habitantes. Empiezan a ampliarse las concesiones a inversionistas norteamericanos, para construir sistemas ferrocarrileros. En 1882 crece la ciudad hacia el poniente, además queda comunicada por ferrocarril con Toluca, el alumbrado eléctrico empieza a difundirse. En 1887, se inaugura el monumento a Cuauhtémoc, sobre la creciente Paseo de la Reforma. **Hacia 1900, se inauguran los tranvías eléctricos**, circulando por varias importantes avenidas de la ciudad. A principios del siglo XX, notables obras arquitectónicas son levantadas, para el servicio público como: el Edificio Central de Correos y El Palacio de Comunicaciones.

Siglo XX

Durante el siglo XX, en el ámbito nacional, surge el Estado mexicano moderno, la población crece aceleradamente, se deja de ser un país predominantemente rural y se desarrolla una infraestructura industrial propia. En sus inicios, **1910, se gesta la Revolución Mexicana**, primer gran movimiento revolucionario social, en el siglo XX. Obviamente su impacto se dejó notar en la gran Ciudad, previo a este período, la capital celebraba fastuosamente, con gran pompa e inauguraciones de grandes monumentos y edificios: el Centenario de la Independencia. **El 15 de septiembre de 1910 se inaugura el Monumento a la Independencia, poco después, también, la Universidad Nacional de México**, entre otros acontecimientos. Se ofrece un magno banquete en Palacio Nacional, al Cuerpo Diplomático e invitados extranjeros. Mientras sucedía esto, se agudizaba la crisis económica y social en el resto del país. Para el 20 de noviembre de 1910 se llama a la insurrección en todo México, iniciándose la Revolución. **Tras más de 30 años en el poder, Porfirio Díaz renuncia el 25 de mayo de 1911**, un nuevo gobierno provisional lo sustituye. Por medio de elecciones asciende a la presidencia de la República, **Francisco I. Madero** en noviembre de ese año, su popularidad decayó rápidamente, provocando la inestabilidad de su régimen. La revuelta de militares porfiristas, en febrero de 1913, en la llamada **Decena Trágica**, ocasionó hechos sangrientos en la ciudad, sobre todo en la periferia de La Ciudadela, tomando preso y asesinando a Madero. Usurpó la presidencia el despótico y sanguinario comandante militar Victoriano Huerta, implantando el terror por la ciudad; en 1914 sería derrocado, por los movimientos armados de **Obregón, Zapata y Carranza**, éste se perfilaba como presidente de la República, pero ante la oposición de **Francisco Villa y Emiliano Zapata**, tuvo que refugiarse en Veracruz. Luego de un año de lucha regresó triunfante a México en 1915, convocó a un **Congreso Constituyente reunido en Querétaro, que promulgó la Constitución de 1917**, de carácter avanzado: enseñanza laica y gratuita, nacionalización de la propiedad de las tierras y aguas y legislación del trabajo. Se lograría de esta forma concluir la lucha de facciones y sentar las bases de un estado revolucionario. Sin embargo, el período de 1917 a 1920, se caracterizó por la continuación de luchas intestinas, los principales líderes de la Revolución fueron asesinados.

En 1920, tomaría el poder presidencial, otro caudillo revolucionario, Alvaro Obregón, a partir del cual la capital comenzó a diversificar, ampliar y fortalecer varias funciones. El aparato administrativo del Estado, conforme avanzaba la pacificación, se incrementaba las comunicaciones, la cultura y la educación; se funda la Secretaría de Educación Pública, y en su sede, **José Vasconcelos**, secretario visionario, encarga al pintor **Diego Rivera** plasmar en los muros interiores del edificio, murales alusivos a la nacionalidad y la gesta revolucionaria. Así mismo, **en 1922, José Clemente Orozco pintaría los frescos de la Escuela Nacional Preparatoria**. En ambos casos se simboliza la actitud crítica y vanguardista del nuevo régimen, descalificando a las viejas estructuras sociales. Hacia 1924, asume la presidencia el general Plutarco Elías Calles, continuando la orientación política de su antecesor y extremando las medidas antirreligiosas, provocando con ello la reacción de los sectores conservadores de la Iglesia Católica. En 1926 se le aumenta un piso al Palacio Nacional, entre diversas obras citadinas emprendidas por Calles. **El 17 de julio de 1928 es asesinado en la Bombilla, en San Angel, Alvaro Obregón, ocasionando conmoción entre la población capitalina**. En 1929 es creado el Departamento Central del Distrito Federal, desapareciendo el gobierno del Distrito y las municipalidades de México, Tacubaya, Tacuba y Mixcoac, para integrarse a la Ciudad de México.

Después de 1928, los presidentes que se sucedieron hasta 1934 siguieron una política inspirada por Calles, lo que le valió el apelativo del período del **maximato**. A partir de 1934, los períodos presidenciales serían de seis años, hasta la actualidad. El 29 de septiembre de 1934 es inaugurado el Palacio de las Bellas Artes, el máximo recinto cultural en nuestro país, luego de más de 30 años de obras e interrupciones provocadas por conflictos y la inestabilidad política y económica del país. El **18 de marzo de 1938, por decreto presidencial, son expropiadas las empresas petroleras**, el pueblo se vuelca con sus pequeñas pertenencias, al zócalo capitalino, para reunir los pagos por indemnizaciones que correspondían a las compañías petroleras expropiadas, por ese tiempo, se crea el Instituto Nacional de Antropología e Historia. A mediados de los años 40, se gesta un gran proceso de industrialización del país, estando a la cabeza la Ciudad de México. **En 1950 se realiza la primera transmisión televisiva en el país**, a través de la estación XHTV canal 4, el 7 de agosto de ese año, se inicia la edificación de la Ciudad Universitaria, en el Pedregal de San Angel, magna obra de ingeniería, también se empieza a construir la Torre Latinoamericana, que llegaría ha convertirse en la estructura más elevada de la capital y del país. **En 1954 se inaugura la Ciudad Universitaria**. Para 1955, hay elecciones para diputados federales, votan en México por primera vez las mujeres, gracias a una reforma establecida en la Constitución de la República. En 1956, movimientos de huelga estudiantiles en el Politécnico y en la Escuela Normal demandan la democratización y la mejoría de la enseñanza. Un **sismo intenso, de 7 grados, cimbra la Ciudad de México, el 28 de julio de 1957, ocasionando graves daños y la caída del Ángel de la Independencia**. En 1958, un gran grupo de trabajadores ferrocarrileros ocupa el Zócalo, por demandas laborales. **Durante 1960, el gobierno mexicano nacionaliza la industria eléctrica**, para ese año la población de la ciudad ascendía a 5 251 755 habitantes, **la década de los 60, el área de la Ciudad de México creció aceleradamente, desbordando los límites del Distrito Federal**. Penetró en el Estado de México, primero en los municipios de Naucalpan, Ecatepec y Tlalnepantla y luego sucesivamente en los más de 30 municìpios conurbados. En 1964 se inaugura la Unidad Nonoalco Tlatelolco y el Museo Nacional de Antropología e Historia, también se prolonga hacia el norte el original Paseo de la Reforma. **En 1968 ocurren movimientos estudiantiles populares por la ciudad provocando el 2 de octubre represión y matanza de estudiantes en Tlatelolco**, poco después el 12 de octubre se inauguran los XIX Juegos Olímpicos, en el Estadio Olímpico de Ciudad Universitaria. El 4 de septiembre de 1969, es inaugurado el Sistema de Transporte Colectivo (Metro). La IX Copa del Mundo de Fútbol se inaugura el 31 de mayo de 1970, en el Estadio Azteca. **Una nueva represión y matanza contra estudiantes sucede en junio de 1971**. Por primera vez viene el Papa Juan Pablo II a México, en enero de 1979. **El 19 de septiembre de 1985, se registra un terremoto, ocasionando la peor catástrofe en la historia de la ciudad**. Se efectúa en julio de 1986 la XIII Copa del Mundo de Fútbol. El 1º de enero de 1994, entra en vigor en el país el Tratado de Libre Comercio con Estados Unidos y Canadá. En enero de 1999 se lleva a cabo una cuarta visita pastoral del Papa Juan Pablo II a México, en abril del mismo año, un paro estudiantil ve afectadas las actividades normales de la Universidad Nacional Autónoma de México, la más importante del país. En el año 2000, por primera vez en 70 años, un presidente de México emerge de un partido de oposición (diferente al PRI). El 18 de diciembre una erupción del Popocatépetl asombra a la población de la Ciudad y los alrededores del volcán, luego de constantes fumarolas, no habiendo víctimas.

Quizá los primeros exponentes artísticos de los antiguos mexicanos en la región, fueron las vasijas y figurillas en barro, modeladas según la **técnica del pastillaje, por los habitantes de Tlatilco**, durante el preclásico inferior, esto es, hace más o menos 1200 años antes de Cristo. Durante el período clásico en **Teotihuacan, se desarrolló de manera esplendorosa la arquitectura, la escultura y la pintura, sobresaliendo la Pirámide del Sol** que sin duda, por su volumen y la belleza de sus líneas es la más importante de México, así como la **Pirámide de la Luna**. En la escultura destaca la **Pirámide de Quetzalcóatl** cuya recamada decoración en altorelieves de impresionante belleza, exhiben tremendas cabezas de serpiente emplumada; el Quetzalcóatl que tanto representaron posteriormente los toltecas. Por otro lado las **pinturas murales teotihuacanas**, son maravillosamente representadas en los frescos que aparecen en Tetitla, en Zacuala y en el mismo centro ceremonial. Cuando los conquistadores españoles llegaron al centro del país, encontraron a la cultura azteca, que representaba, entre otras características, la cultura de mayor florecimiento en su arte, en esos momentos, que mostraba su gran poder receptivo de influencias de otras culturas mesoamericanas desarrolladas, al mismo tiempo que alcanzaba su máxima expansión político militar. Su centro más importante lo constituyó **Tenochtitlan**, sobre la que se construyó los cimientos de la actual Ciudad de México. El edificio más importante era el **Templo Mayor, estructura de planta rectangular dividida en varios cuerpos, con taludes, alfardas y escalinatas** y en cuyo recinto se hallaban varios templos, cercano a él se levantaban el palacio de Moctezuma y el de Axayácatl. De **gran belleza y calidad es la cerámica azteca**, con una amplia variedad de formas y decoración en negro con representaciones geométricas y complicados dibujos que evolucionan hacia formas realistas. La escultura es también de un enorme impacto plástico, sobresalen: la **Coatlicue, la Coyolxauhqui y el Calendario Azteca o Piedra del Sol**. Con la conquista española, el mismo Hernán Cortés ordenó destruir sistemáticamente toda construcción: templos, palacios o casas y cualquier vestigio azteca, para evitar cualquier tipo de resurgimiento. Empezaría un proceso largo y acelerado de la transposición de la cultura hispana, sobre las civilizaciones del México antiguo. Uno de estos procesos fue la **evangelización y la conquista espiritual del nuevo mundo**, las órdenes religiosas llegadas al país: los franciscanos, los dominicos, los agustinos y jesuitas primeramente, aportaron sus propios paradigmas artísticos, tanto en la arquitectura, la pintura, como la escultura. Ellos levantaron enormes **conventos como el de San Francisco, Santo Domingo, San Agustín, el Colegio de San Pedro y San Pablo**, entre otros. La arquitectura del siglo XVI presentaba generalmente caracteres medievales, algunos edificios monásticos tenían elementos góticos y a veces influencias mudéjares. Las primitivas iglesias fueron simples cobertizos o bien edificios no definitivos de planta basilical, de una sola nave en una mezcla de estilos, románico, gótico y renacentista. La primera catedral tenía influencia de éstos estilos, la actual presenta en su parte posterior portadas herrerianas. Los templos empezaron a poseer retablos de madera dorada, cubiertos de esculturas y pinturas de caballete, buen ejemplo de este período es el retablo principal del **Templo de San Bernardino de Siena**, en Xochimilco. A esta implantación de arquitectura religiosa, se encuentra los orígenes de la pintura en el virreinato y recae en el primer artífice europeo, Rodrigo de Cifuentes en llegar al país y donde pintó enorme cantidad de retratos de personajes e imágenes de santos, así como retablos. Es la **pintura mural la más importante en la Nueva España, en el siglo XVI**, buena muestra de esto, se puede apreciar en los **conventos de Acolman y Culhuacan y en el Hospital de Jesús**. El arte novohispano en sí, florece desde el siglo XVI en todos sus ámbitos, un influyente estilo tomaría preponderancia a principios del siglo XVII, **el barroco**, del cual brotan formas grandiosas, masas arquitectónicas monumentales, relieves de sorprendente fantasía quebrantan las normas de lo clásico, los decorados se tornan libres y atrevidos. Este estilo encontraría en la Nueva España un terreno muy fértil para su evolución, sobre todo en la arquitectura y la escultura decorativa. El barroco heredado de España ofrece al principio relativa sobriedad, donde se vislumbra con claridad los órdenes arquitectónicos, luego le sucedería uno más rico, caprichoso y fantástico, acentuando la decoración y el ornamento y por último un barroco exuberante o mejor conocido como **churrigueresco**, que cubre todo el espacio con pilastras, estípites, nichos, relieves de argamasa o de yeso, y diversos elementos religiosos o heráldicos. Al periodo colonial mexicano frecuentemente se le ha asociado con este estilo. En la ciudad se encuentra buenos ejemplos en el **Centro Histórico, San Angel, Coyoacán, Xochimilco, Azcapotzalco** y en el Estado de México en **Tepotzotlán y Texcoco**. En el virreinato destacan grandes maestros de la pintura, entre ellos; **Simón Pereyns**, siglo XVI, **Baltasar de Echave Orio**, siglo XVI, **José Juárez**, siglo XVII, **Cristóbal de Villalpando**, siglo XVII, **José de Alcíbar**, siglo XVIII, **Juan Correa**, siglo XVIII, **Miguel de Herrera**, Siglo XVIII y **Miguel Cabrera**, siglo XVIII. Hacia

1785 se abre la Real Academia de San Carlos, para sus cursos se invitaron a maestros europeos, vinieron entre ellos destacados artistas españoles, como el grabador de medallas **Jerónimo Antonio Gil**, el pintor **Rafael Ximeno y Planes** y el excelso escultor y arquitecto **Manuel Tolsá**, quien prácticamente instauró el **neoclásico** en México, sus ejemplos más representativos son el **Palacio de Minería**, **La estatua del Caballito** y la culminación de la **Catedral Metropolitana**. El neoclásico sustituyó al barroco, de manera casi brutal, remplazando fachadas, retablos y decoraciones. Hacia 1838 llegó de España el arquitecto **Lorenzo de la Hidalga**, implantando una nueva corriente: el **eclecticismo**. En la pintura del siglo XIX, descollan **José María Velasco** y **Juan Cordero**, de corte académico. Durante el porfiriato el **afrancesamiento** se dejó ver prácticamente en todas las bellas artes. A principios del siglo XX una nueva tendencia, italianizante se deja notar en las grandes construcciones, como; **El Teatro Nacional, Palacio de Comunicaciones y Palacio de Correos**. A raíz de la Revolución Mexicana, el nacionalismo toma gran auge, siendo sus mejores exponentes, en los años de 1920; **Diego Rivera, José Clemente Orozco** y **David Alfaro Siquieros**, quienes plasmaron sus obras en los extensos muros de los edificios públicos de la ciudad. Pocos años después, otro gran artista **Rufino Tamayo** daría un nuevo brío a la plástica mexicana. Dentro de la arquitectura cabe destacar a **Luis Barragán**, arquitecto de gran capacidad creadora, principalmente a mediados del siglo XX. En la escultura urbana sobresale en la actualidad **Sebastián**, cuya obra se destaca por diversos rumbos de la gran ciudad.

NECESIDADES DEL VIAJERO

OBSERVACIONES IMPORTANTES

Todo visitante extranjero que ingrese a México requiere de un pasaporte actualizado, con o sin visa, dependiendo del país de procedencia. Al cruzar las aduanas mexicanas no se permite introducir: embutidos, lácteos, frutas, ni flores. En México se utiliza el **Sistema Métrico Decimal**. El sistema eléctrico es de **120 voltios** y el ciclaje es de 60, de otra manera se requiere de un adaptador, los enchufes están diseñados para clavijas de patas planas, se necesita un adaptador para aquellos aparatos europeos de clavijas de patas redondas. La unidad monetaria es el **peso mexicano**, que equivale aproximadamente a 10 centavos de dólar americano, tiene monedas fraccionarias de 5, 10, 20 y 50 centavos y monedas múltiples de 2, 5, 10 y 20 pesos, así como billetes de 5, 10, 20, 50, 100 y 500 pesos. Todos los bancos y casas de cambio, y casi siempre también los hoteles, restaurantes y tiendas departamentales, cambian dólares en efectivo y cheques de viajero. En cambio, no es tan común con las monedas europeas o asiáticas. Las tarjetas que más circulan son Visa, Eurocard/Mastercard y American Express. En muchos bancos se puede obtener dinero en efectivo con las tarjetas de crédito. **La Ciudad de México se encuentra situada a -6 horas del Meridiano de Greenwich**, operan dos horarios durante el año, el horario de verano, se le resta una hora del horario normal, transcurre de abril a octubre.

TRANSPORTES FORÁNEOS

La Ciudad de México cuenta con grandes terminales de transporte; Una aérea y cuatro de líneas de autobuses. Todas ellas fácilmente accesibles por los diversos transportes urbanos y sobre todo por la **red del Sistema de Transporte Colectivo (Metro).**

Aeropuerto Internacional Benito Juárez, Av. Aeropuerto Civil. 🚇 Terminal Aérea.

Terminal de Autobuses del Norte, Av. de los 100 metros 4907. 🚇 Autobuses del Norte.

Terminal de Autobuses del Sur, Av. Taxqueña 1320. 🚇 Taxqueña.

Terminal de Autobuses de Oriente (TAPO), Calz. Ignacio Zaragoza 200. 🚇 San Lázaro.

Terminal de Autobuses del Poniente, Av. Río Tacubaya 102. 🚇 Observatorio.

HOTELES

Hay varias categorías, de 1 a 5 estrellas y de Gran Turismo, la calificación está dada por la Secretaría de Turismo. Generalmente aquellos de 3 estrellas o más gozan de todas las comodidades: baño propio, televisión por cable, restaurante y bar, etc. La zona céntrica de la ciudad concentra la mayor parte de estos servicios, habiendo otros sectores como; la

Zona Rosa, Paseo de la Reforma (Chapultepec), Perisur e incluso en el Aeropuerto Internacional, en estos sectores los hoteles son generalmente de lujo o de 4 y 5 estrellas. En ésta categoría de hoteles, el personal de servicio y maleteros están acostumbrados a recibir una propina de un dólar o lo equivalente.

RESTAURANTES

A partir de la rica y variada cocina mexicana, que prácticamente se puede hallar en cualquier parte de la ciudad, sobre todo en los mercados y tianguis, la gastronomía internacional se puede encontrar principalmente en la zona céntrica de la ciudad, la Zona Rosa, Av. Insurgentes Sur, Coyoacán, San Angel y las plazas comerciales grandes. Se recomienda al visitante extranjero extremar precauciones al comer alimentos muy condimentados o con mucho chile, ya que suele ser muy pesado, debido a lo poco habituado a éste tipo de dieta. Las bebidas típicas son por excelencia; el pulque y el tequila. La primera no fácilmente conseguible, sólo en lugares apropiados, las pulquerías, en barrios o colonias populares, el tequila ha adquirido una gran comercialización, pudiéndose conseguir en cualquier restaurante bar. En México la comida se sirve entre las 13 y 16 horas, la cena después de las 20 horas. Es muy común encontrar servicio de restaurante hasta muy entrada la noche. Las propinas que suelen darse a meseros, varían de acuerdo a la calidad de su servicio, de 10 a un 15% de la cuenta.

HORARIOS DE SERVICIOS Y COMERCIO

Generalmente los museos, conventos, sitios arqueológicos o demás centros culturales, están abiertos de martes a domingos, a partir de 9 ó 10 a.m. a 5 o 6 p.m., los lunes permanecen cerrados. Los museos más pequeños cierran al mediodía, de 13.30 a 15 horas, salen a comer. Los comercios regularmente trabajan de lunes a sábado, de 10 a.m. a 7 u 8 p.m., en los centros comerciales grandes, abren todos los días. Los cines y teatros operan todos los días, incluso hay muchos cines con horario matutino, no el caso en teatros.

TRANSPORTE URBANO

La gran capital cuenta con una amplísima red de transportes urbanos, siendo el **Sistema de Transporte Colectivo (Metro), el medio más usado, más eficaz y más económico, quizá el más barato del mundo**. Nueve líneas subterráneas y dos superficiales, con 15 terminales, 154 estaciones y 178 kilómetros de extensión. La 9° en el mundo por su extensión, enlaza sitios distantes, coordinándose también, con numerosas líneas de autobuses urbanos y suburbanos, así como miles de pequeños autobuses, llamados microbuses, cuyas tarifas varían de acuerdo a la distancia de su traslado. Los taxis también proliferan, variando sus tarifas de acuerdo al traslado, no se da propinas a taxistas.

TELÉFONOS Y SERVICIOS DE AUXILIO

LOCATEL
Servicio de búsqueda de personas desaparecidas y múltiples apoyos: 56-58-11-11

Servicio de Emergencia de la *Policía Judicial*: 061

Cruz Roja: 55-57-57-57

Secretaría de Turismo; Av. Presidente Mazaryk 172 Col. Polanco

American British Cowdray *Hospital* (llamado ABC) Sur 136 esq. Observatorio, Col. América Tel. 5277-50-00

FIESTAS CÍVICAS

Estas se festejan tanto en la Ciudad de México como en casi todo el resto del país y obedecen al propósito de conmemorar acontecimientos de gran relevancia cívica. Las actividades laborales, normalmente se suspenden tanto en bancos como la mayoría de los negocios y oficinas del gobierno. Las fechas más importantes son:

Fecha	*Festividad*
Enero 1°	Año Nuevo; Intercambio de felicitaciones y buenos deseos para el año que comienza.
Febrero 5	Día de la Constitución; Se conmemora la Constitución de 1917, bajo la cual se rige el pueblo de México.
Marzo 21	Natalicio del Presidente Benito Juárez, honores al Benemérito de las Américas y discursos políticos.
Mayo 1°	Día del Trabajo; Conmemoración de los Mártires de Chicago, marchas de trabajadores por las calles céntricas.
Mayo 5	Batalla de Puebla; Se conmemora la victoria de los mexicanos sobre los franceses en Puebla, en 1862. Se toma protesta a los conscriptos del Servicio Militar Nacional en el Zócalo.
Septiembre 15	Ceremonia del Grito de Independencia; Participación de grandes multitudes congregadas en el Zócalo capitalino, centros delegacionales y municipales, a las once de la noche para dar **El Grito**, bajo los tañidos de una campana que simboliza El Grito de Dolores, proclamado por Hidalgo, el 15 de Septiembre de 1810.
Septiembre 16	Día de la Independencia; Desfile militar.
Noviembre 20	Día de la Revolución; Se celebra el aniversario del inicio de la Revolución de 1910. Desfile en el Centro Histórico de deportistas, en una demostración de disciplina colectiva, presidida por el Presidente de la República.

FIESTAS TRADICIONALES

México es un país de tradiciones, manifestado en la alegría y la religiosidad de su gente, impregnadas del más puro sentimiento popular, en su mayoría tienen un carácter religioso, ya sea celebrando el Santo Patrono o conmemorando las fechas importantes del calendario litúrgico. Las siguientes son festejadas en toda la Ciudad y sus alrededores. Las actividades laborales se suspenden parcialmente, aunque la mayoría de los bancos y oficinas del gobierno permanecen cerrados.

Fecha	*Festividad*
Semana Santa: Jueves y Viernes Santo, celebración móvil, en marzo o abril.	Procesiones, destaca la puesta en escena de **La Pasión en Iztapalapa.**
Sábado Santo, en marzo o abril Así como Sábado de gloria.	Día de la Quema de Judas. Figuras de papel maché representando a Judas, son quemados con cohetes. Muy pintorescos en la Plaza de Santo Domingo.
Noviembre 1 y 2	Día de Todos Santos y Día de Muertos; se acude a los panteones, **puesta de ofrendas a los difuntos queridos**, sitio muy especial Mixquic, Tláhuac.

Diciembre 12	Día de la Virgen de Guadalupe; peregrinaciones hacia la **Basílica de Guadalupe**.
Diciembre 24 y 25	Navidad. Los festejos generalmente inician el 16 de diciembre con las **Posadas**, festejos animosos por las noches.
Diciembre 31	Fin de Año y Día de Gracias; felicitaciones.

FIESTAS A LOS SERES QUERIDOS

Regularmente todos los comercios y Oficinas gubernamentales trabajan.

Fecha	*Festividad*
Enero 6	Día de Reyes: Se cena **Rosca de Reyes**, obsequios a los niños.
Febrero 14	Día de la Amistad: **Intercambio de regalos, entre amigos y novios.**

Fecha	*Festividad*
Abril 30	Día del Niño: Festivales infantiles, obsequios a los niños.
Mayo 3	Día de la Santa Cruz: Día del constructor civil o del albañil.
Mayo 10	Día de las Madres: **Obsequios a las mamás.**
Mayo 15	Día del Maestro: Se festeja y reconoce su labor docente.
Tercer Domingo de Junio.	Día del Padre: **Obsequios a los papás**.

OTROS TIPOS DE FESTIVIDADES CÍVICAS

Las actividades laborales no se paralizan.

Fecha	*Festividad*
Febrero 24	Día de la Bandera; se iza la bandera a toda asta.
Marzo 18	Aniversario de la Expropiación Petrolera; ocurrida en 1938.
Septiembre 1°	Día del Informe Presidencial; Informe de labores del primer mandatario estado de la administración pública.
Octubre 12	Día de la Raza, descubrimiento de América por Colón; la fusión de culturas.

www.guiaroji.com.mx

Fecha	Festividad	Lugar	Actividades
Enero 6	Fiesta de los Reyes	Los Reyes, La Paz	Feria
Enero 20	Fiesta de San Sebastián	Xoco	Feria, Juegos Pirotécnicos y Danzantes
Enero 20	Fiesta de San Sebastián Mártir	Tepetlaoxtoc	Feria, Juegos Pirotécnicos y Danzantes
Enero 22	Fiesta de San Vicente Mártir	Chicoloapan	Feria, Juegos Pirotécnicos y Música
Febrero 2	Fiesta de la Candelaria	Candelaria de los Patos	Procesiones y Verbena Popular
Febrero (día movil)	Carnaval de Coyotepec	Coyotepec	Juegos Pirotécnicos, Música y Disfraces
Febrero-Marzo	Festival del Centro Histórico	Centro Histórico	Eventos Culturales y Gastronómicos
Febrero-Marzo	Feria del Libro de Minería	Centro Histórico	Exposición y Venta de Libros
Marzo o Abril	Feria de las Flores	Xochimilco	Exposición y Venta de Flores
Marzo o Abril	Procesión del Silencio	Colonia Roma	Procesión en Viernes Santo
Marzo o Abril	Quema de los Judas	Plaza Sto. Domingo, Centro	Verbenas en Sábado de Gloria
Marzo o Abril	Feria Internacional del Caballo	Texcoco	Eventos Ecuestres, Charreadas, Corridas de Toros
Marzo o Abril	Representación de la Pasión	Iztapalapa	Procesión de Viernes Santo
Marzo o Abril	Viacrucis	Papalotla	Procesión en Viernes Santo
Abril 3	Aniversario de Fundación	Cd. Nezahualcóyotl	Varios Eventos
Mayo 3	Fiestas en Tecámac	Tecámac	Varios Eventos
Mayo 1	Fiesta de San Felipe	Tezoyuca	Varios Eventos
Mayo 3	Fiesta de la Santa Cruz	Tepexpan	Feria, Juegos Pirotécnicos y Danzantes
Mayo (día móvil)	Fiesta del Señor de la Misericordia	Tlalnepantla	Feria, Juegos Pirotécnicos y Verbenas
Mayo 3	Fiesta de los Apóstoles Felipe y Santiago	Azcapotzalco	Feria, Juegos Pirotécnicos y Procesiones
Mayo 3	Señor de los Milagros	Tlapacoya	Varios Eventos
Mayo 8	Fiesta de San Miguel	Melchor Ocampo	Juegos Pirotécnicos, Danzantes y Música
Mayo 20	Fiesta de San Bernardino	Xochimilco	Juegos Pirotécnicos y Bailes
Junio	Feria Metropolitana del Libro	Ciudad de México	Exposición y Venta de Libros
Junio	Jueves de Corpus	Catedral y Basílica	Venta de Mulitas, Vendimia
Junio 13	Fiesta de Sn Antonio de Padua	Tultitlán	Varios Eventos
Junio 13	Fiesta de Sn Antonio de Padua	Texcoco	Feria y Juegos Pirotécnicos
Junio 13	Fiesta de Sn Antonio de Padua	Teoloyucan	Feria y Danzas de Pastores
Junio 13	Fiesta de Sn Antonio de Padua	Huixquilucan	Feria, Juegos Pirotécnicos y Danzantes
Junio 24	Fiesta de San Juan Bautista	Temamatla	Feria, Juegos Pirotécnicos y Danzantes
Junio 24	Fiesta de San Juan Bautista	Coyoacán	Feria, Juegos Pirotécnicos y Música
Julio 27	Fiesta de la Virgen del Perpetuo Socorro	Col. Anáhuac	Varios Eventos
Junio 29	Fiesta de San Pedro	Cuajimalpa	Feria, Juegos Pirotécnicos y Música
Junio 29	Fiesta de San Pedro	Nicolás Romero	Feria, Juegos Pirotécnicos y Música

Junio 29	Fiesta de San Pedro y San Pablo	Tepotzotlán	Feria, Juegos Pirotécnicos y Música
Julio 14	Fiesta de San Buenaventura	Cuautitlán	Feria, Juegos Pirotécnicos y Procesiones
Julio	Fiesta del Divino Redentor	Teotihuacán	Tercer Domingo: Feria y Juegos Pirotécnicos
Julio 16	Fiesta de la Virgen del Carmen	San Angel	Feria, Juegos Pirotécnicos y Bailes
Julio 22	Fiesta de la Magdalena	Magdalena Contreras	Feria y Juegos Pirotécnicos
Julio 25	Fiesta de Santiago Apóstol	Tlatelolco	Danzas Indígenas
Julio 25	Fiesta de Santiago	Chalco	Juegos Pirotécnicos y Procesiones
Julio 25	Fiesta de San Cristóbal	Ecatepec	Feria, Juegos Pirotécnicos y Música
Julio 26	Feria de Santa Ana	Santa Anita Ixtacalco	Varios Eventos
Julio 28	Fiestas Tradicionales	Tlalpan	Feria y Bailes
Agosto 2	Fiesta de Santa María de los Angeles	Col. Guerrero	Feria
Agosto 4	Fiesta de Santo Domingo de Guzmán	Chimalhuacán	Varios Eventos
Agosto 10	Fiesta de San Lorenzo	San Lorenzo Río Tenco	Varios Eventos
Agosto 11	Feria de la Tuna	San Martín de las Pirámides	Juegos Pirotécnicos, Música y Bailes
Agosto 15	Fiesta de la Asunción de la Virgen	Milpa Alta	Feria, Juegos Pirotécnicos y Bailes
Agosto 24	Fiesta de San Bartolomé Apóstol	San Bartolo Atepehuacán	Feria, Juegos Pirotécnicos y Música
Septiembre 8	Fiesta de la Virgen de los Remedios	Naucalpan de Juárez	Feria, Juegos Pirotécnicos y Peregrinaciones
Septiembre 8	Fiesta de la Natividad de María	Tultepec	Feria, Juegos Pirotécnicos y Música
Septiembre 10	Fiesta de San Nicolás	Acolman	Feria, Juegos Pirotécnicos y Danza
Septiembre 29	Fiesta del Carnaval de San Miguel	Chiconcuac	Feria, Juegos Pirotécnicos y Bailes
Septiembre 30	Fiesta de San Jerónimo	San Jerónimo Miacatlán	Danzas y Cantos Indígenas
Octubre 4-19	Feria Nacional del Mole	San Pedro Atocpan	Gastronomía
Octubre 4	Fiesta de Sn Francisco de Asís	Atizapan de Zaragoza	Feria y Juegos Pirotécnicos
Octubre 4	Fiesta de Sn Francisco de Asís	Coacalco	Feria, Bailes y Eventos Artísticos
Noviembre 1 y 2	Conmemoración de Todos Santos y Fieles Difuntos	Mixquic	Ofrendas, Velación y Concurso de Calaveras
Noviembre 22	Fiesta de Santa Cecilia	Plaza Garibaldi, Centro Histórico	Festival Musical y Juegos Pirotécnicos
Noviembre 22	Feria de Santa Cecilia	Tepetlapa	Festival Musical
Noviembre 30	Fiesta de San Andrés Apóstol	Chiautla	Juegos Pirotécnicos y Danzas
Noviembre 30	Fiesta de San Andrés	Jaltenco	Feria, Música y Danzas

*Se mencionan algunas de las más importantes festividades, dado el gran número de ellas, que celebran en la zona metropolitana, pues solamente en el Distrito Federal se organizan más de 280 fiestas tradicionales.

www.guiaroji.com.mx

* **ACADEMIA DE SAN CARLOS**   Pl. 2   Loc. 3-C
Centro Histórico

Edificio de fachada neorrenacentista, sede por más de 200 años de una de las instituciones académicas más prestigiadas de la vida artística del país. Anteriormente, funcionó ahí, el **Hospital del Amor de Dios**, fundado en el siglo XVI por el primer arzobispo de México, fray Juan de Zumárraga, donde se atendía a pacientes que habían contraído alguna enfermedad venérea, conocido como de **las bubas**, hinchazones que caracterizaban la enfermedad. Hacia 1783 el hospital resultó insuficiente, debido a la gran cantidad de pacientes, por lo que fueron trasladados a otro hospital, permaneciendo el edificio desocupado hasta 1791, año en que fué rentado por la recien creada; **Academia de las Nobles Artes de San Carlos de la Nueva España,** fundada en 1781, e inaugurada oficialmente el 4 de noviembre de 1785, en las actuales instalaciones del Museo de las Culturas. Durante el siglo XIX, la academia rindió sus mejores frutos, siendo algunos de sus maestros; Manuel Tolsá, Rafael Ximeno y Planes, Javier Cavallari, Jerónimo Antonio Gil, entre muchos otros y alumnos destacados como José María Velasco, Diego Rivera e innumerable cantidad de célebres arquitectos. El edificio consta principalmente de 3 plantas, las cuales han sido reconstruidas, para adaptarse a las necesidades docentes, principalmente a mediados del siglo XIX. La fachada principal data de 1864, obra de Javier Cavallari, los muros están almohadillados en ambos niveles, sobresalen medallones en altorrelieve que representan a Carlos III, Carlos IV, Gerónimo Antonio Gil y Fernando José Mangino, fundadores de la Academia y otros 2 medallones con las réplicas de Rafael y Miguel Angel, además una escultura de San Jorge de Donatello, en un nicho al extremo izquierdo. En el interior se halla un amplio patio, con arquerías en 2 niveles, cubierta de un gran plafón, diseño del arq. Antonio Rivas Mercado. Ahí se exhiben reproducciones en yeso de algunas obras escultóricas de la antigüedad clásica y del renacimiento.
Academia 22, Centro Histórico. 🚇 Zócalo

ACUEDUCTO DE CHAPULTEPEC   Pl. 9   Loc. 1-A
Col. Juárez

Se conservan 20 arcos, de roca volcánica, de unos 4 metros de altura. Fueron un tramo de una extensa arquería del acueducto demolido en 1895, que traía las aguas gordas, para uso doméstico, de los manantiales de Chapultepec a la Ciudad de México. Medía la conducción 3 965 metros y **constaba de 904 arcos**, culminando en el actual Salto del Agua, fuente de donde se surtían los aguadores, personajes ubicuos de la Ciudad durante el siglo XIX, que llamaron la atención a propios y extraños, por la destreza al cargar grandes cántaros con agua y distribuirlos a lo largo y ancho de la ciudad. La construcción del acueducto se remonta al siglo XVIII, cuando el virrey Bucareli se empeñó en aprovechar el antiguo acueducto prehispánico, para sobre sus cimientos reconstruirlo y finalizarlo en marzo de 1779. Dejó de operar a finales del siglo XIX por agotamiento de los manantiales, cuyos vestigios se pueden aún observar en el costado sureste del cerro del Chapulín, en los llamados Baños de Moctezuma, en Chapultepec.
Av. Chapultepec, entre Varsovia y Praga, Col Juárez. 🚇 Sevilla

Acueducto de Chapultepec

** **ACUEDUCTO DE EL SITIO**   Pl. 19   Loc. 1-A
Tepotzotlán, Edo. de México

Bella obra civil construida por los jesuitas en el siglo XVIII (1706-1767), **consta de 4 niveles de arquería de mampostería**, el nivel inferior funciona como túnel, atravesado por la corriente de agua de la profunda cañada, por donde cruza el acueducto, una segunda arquería con sólo dos, con altura de unos 15 metros, el siguiente nivel tiene siete arcos y la última serie son nueve. El aspecto es majestuoso desde todas las perspectivas, sobre todo desde el fondo del barranco, donde asciende la colosal estructura hasta unos sesenta metros, culminando en la cañería que conducía el agua hacia el famoso convento de Tepotzotlán. La perfección de la manufactura de los machones de la arquería y lo imponente de la obra, la hacen **uno de los más maravillosos acueductos novohispanos**, situado a poco más de 20 kilómetros al oeste de Tepotzotlán.

* **ACUEDUCTO DE GUADALUPE**　　　　　　　　　　　　**Pl. 16　Loc. 2-C**
Delegación Gustavo A. Madero

Notable obra hidráulica novohispana del siglo XVIII, tuvo como finalidad conducir las aguas del río Tlalnepantla a la Villa de Guadalupe, cruzando por varios pueblos como; Tenayuca, Ticomán, Zacatenco, Santa Isabel Tola entre otros. Originalmente partía del antiguo pueblo de Santa María, aproximadamente a un kilómetro de la cabecera de Tlalnepantla, las aguas eran conducidas a través del **acueducto de 2 278 arcos**, con machones gruesos y baja altura, en una longitud de 10 736 metros. Algunos tramos en buen o mal estado de conservación, se observan a lo largo de la Av. Acueducto de Guadalupe, que va bordeando la ladera sur de la Sierra de Guadalupe. Esta magnífica obra, dotada de reposaderas, fuentes, puentes, pozas y surtidores, fue construida entre 1743 y 1751, contribuyendo destacadamente el oidor don Domingo de Trespalacios Escandón. Una **espléndida construcción barroca con labrados en cantera** y una breve reseña epigráfica, ricamente decorada, dan cuenta de la obra civil, puede ser apreciada en la intersección de la Calzada de Ticomán y Av. Acueducto de Guadalupe.
Ⓜ Indios Verdes

** **ACUEDUCTO DE LOS REMEDIOS**　　　　　　　　　　**Pl. 19　Loc. 3-A**
Naucalpan, Edo. de México

Imponente construcción civil, obra hidráulica mandada a levantar hacia 1760 por orden del virrey Joaquín de Monserrat, para dotar de agua al **Santuario de los Remedios**. Una hermosa arquería salva una cañada. **Más de 40 arcos con una altura de 20 metros en su parte media** y una longitud de 460 metros sobresalen del caserío y avenidas contiguas. **Dos torres de 20 m. de altura, en espirales ascendentes**, en los extremos de la cañería sirven como sifones de aire, en el interior de ellas hay escaleras en caracol. La obra totalmente en desuso, no deja de ser monumental, es digno de visitarse.　Av. de los Arcos y Av. Principal, Naucalpan.

** **ALAMEDA CENTRAL**　　　　　　　　　　　　　　　**Pl. 6　Loc. 2-C**
Centro Histórico

Es el jardín público y lugar de esparcimiento más antiguo de la capital. Sitio de descanso y pulmón dentro del bullicioso, acalorado y congestionado Centro. Paseo popular, escenario de las más diversas actividades: **verbenas, conciertos, pantomimas, comercio de libros**, etc. Merolicos y vendedores ambulantes que ofrecen gran variedad de productos y artesanías al transeúnte le caracterizan a lo largo del año, sobre todo, los domingos y durante las celebraciones navideñas. Arboledas, jardineras y prados le dan un aspecto muy agradable, varios andadores la cruzan y rodean, hermosas fuentes la refrescan e invitan a observar las bellas obras escultóricas de estilo clásico y renacentista que adornan las glorietas y costados del andador sur. Creado a solicitud del virrey don Luis de Velasco hijo, en 1592, para darle belleza a la ciudad y que fuera lugar de recreo para sus habitantes, área en la que existieron suelos pantanosos e insalubres como parte de la desecación del antiguo lago. La disposición original comprendía la mitad de la actual, hacia el poniente limitaba con el **quemadero,** destinado a castigar a los culpables del tribunal del Santo Oficio de la inquisición y al oriente con la plazuela del antiguo convento de Santa Isabel, ya desaparecido, de tal forma que era de planta cuadrada. Durante más de dos siglos estuvo restringido el acceso a la población pobre o aquella que no anduviera debidamente vestida. Una muralla

Alameda Central

perimetral de piedra y entradas en sus esquinas la limitaron hasta mediados del siglo XIX. Digno de destacar es el **Hemiciclo a Juárez**, conjunto escultorico y monumental, en el borde sur así como las 16 bellas e interesantes esculturas en bronce y mármol, realizadas principalmente en la segunda mitad del siglo XIX, por artistas franceses y mexicanos.

Rodeado de las avenidas Hidalgo y Juárez. 🚇 Hidalgo y Bellas Artes, Centro Histórico

---

* ANFITEATRO SIMÓN BOLIVAR   **Pl. 2 Loc. 2-B**
Centro Histórico

Edificio neocolonial anexo al **Antiguo Colegio de San Ildefonso,** posteriormente **Escuela Nacional Preparatoria**. Obra iniciada en 1902 por el arquitecto Samuel Chávez y culminada por Manuel Torres Torija, e inaugurada en 1910, durante las fiestas del centenario de la Independencia nacional. La ornamentación de la fachada y del interior en un estilo neochurrigueresco, pretendía continuar el barroquismo expuesto en el antiguo Colegio de San Ildefonso (S. XVIII). En el vestíbulo, una serie de **Murales al Fresco** realizados por Fernando Leal entre 1930 y 1942 tratan la gesta libertaria de los países sudamericanos; en la obra: **La Epopeya Bolivariana,** el pintor muestra pasajes de la vida y obra del libertador. En otros tableros aparecen retratos de otros libertadores americanos: Francisco Miranda (venezolano), José de San Martín, donde se ve conduciendo a sus tropas para liberar Perú y Chile; José Artigas padre de la independencia uruguaya y Francisco Morazán destacado militar y político hondureño. En el salón de actos, al cual se accede por escalinatas laterales, se puede apreciar la **Primera Obra Mural de Diego Rivera** donde el pintor aprovechó la parte obovedada y muros laterales del fondo del salón, para que en 1922 y 1923, pintara **La Creación,** espléndida obra cargada de imaginería simbólica, figuras femeninas magnificadas y colores relucientes, donde el autor se propuso expresar el orígen del espíritu, las virtudes, las artes y las ciencias a partir de una energía primordial, por lo que la observación, detenida, empieza de arriba en el centro, hacia abajo y a los lados. En el salón aludido, regularmente se presentan conciertos de música clásica, interpretada por artistas reconocidos, nacionales y extranjeros. Al antiguo Colegio de San Ildefonso se puede acceder por un patio lateral a la derecha, donde hay un corredor que conduce al gran patio, corazón de ésta magnífica obra novohispana.

Justo Sierra 16, Centro Histórico. 🚇 Zócalo

---

* ANTIGUA ADUANA DE SANTO DOMINGO   **Pl. 2 Loc. 2-A**
Centro Histórico

Portentosa construcción colonial, cuya fachada frontal va de calle a calle. Consta de tres niveles, revestida de cantera y de tezontle rojo y negro. Antigua sede del **Real Tribunal del Consulado y la Aduana,** que tenía como finalidad controlar las operaciones mercantiles y las alcabalas que representaban la mayor fuente de ingreso para la Nueva España. El edificio fue construido con inusitada rapidez, entre 1730 y 1731, siendo su arquitecto Luis Díez Navarro. La fachada muestra en sus tres niveles; sucesivas ventanas y puertas con rejas de hierro forjado, rematan la fachada, almenas con dados tablerados y prismas. En el interior se hallan dos grandes patios con arquerías, una imponente escalera custodiada por leones en su arranque separa ambos patios, que se bifurca hasta el segundo piso. En el cubo de las escaleras el pintor muralista **David Alfaro Siqueiros** inició en 1946 y terminó con largas interrupciones, en 1971, el mural **Patricios y Patricidas,** obra que representa la lucha de clases, el artista aprovechó el ámbito arquitectónico para experimentar efectos de perspectiva y composición, para Siqueiros el punto de fuga es el espectador en movimiento. Actualmente estas instalaciones alojan **parte de la Secretaría de Educación Pública,** el entorno colonial realza, aún más, la majestuosidad de este edificio, notablemente restaurado en 1992.

República de Brasil 31, Centro Histórico. 🚇 Zócalo

---

* ANTIGUA CASA DE MONEDA   **Pl. 2 Loc. 3-B**
Centro Histórico

Magnífico edificio de fachada construída de tezontle y cantera, entre 1731 y 1734, con el propósito de alojar la maquinaria para acuñar las monedas circulares con cordoncillo al canto. Siendo una de las primeras casas de moneda en América, fue ampliado en varias ocasiones para surtir la gran demanda de moneda, tanto interna como externa. Renombrados arquitectos tomaron parte en su levantamiento, don Nicolás Peinado realizó los primeros planos; Luis Díez Navarro; practicamente le dió forma, entre 1772 y 1780, el ingeniero Miguel Constanzó y Lorenzo Rodriguez; hicieron modificaciones y ampliaciones. Tres niveles con amplios espacios y un gran patio rodeado de arquerías y ventanales destacan, la portada es digna de admirarse, donde el primer nivel muestra un gran portón de madera de magnífico labrado. En el segundo nivel hay elementos barrocos, luciendo un balcón central con barandal de hierro, rematado por un marco mixtilíneo. La parte superior exhibe el escudo nacional republicano flanqueado por pilastras adosadas, terminando en un frontón recto neoclásico. En el patio se aprecia, en el costado sur, otra muestra de estilo neoclásico, una gran entrada flanqueada por dos columnas dóricas, rematada por un frontón roto, donde se aloja un emblema en ojo de buey, con la imágen de Felipe V, obra de Miguel Constanzó. En el vestíbulo del edificio, entrando por la puerta principal, **Rufino Tamayo** pintó en 1938 el mural llamado **Revolución**, representación realista de la lucha armada de 1910. Actualmente se aloja aquí el **Museo Nacional de las Culturas**, donde anteriormente existieron sucesivos museos, en 1865 Maximiliano de Habsburgo decretó que se estableciera el **Museo Público de Historia Natural, Arqueológico y de Historia**, transformado en 1910 y hacia 1940, parte de sus colecciones dió orígen al **Museo Nacional de Antropología**, trasladado en 1964 a Chapultepec.

Moneda 13, Centro Histórico. 🚇 Zócalo

ANTIGUA HACIENDA DE GOICOECHEA　　　　Pl. 12　Loc. 3-A
San Angel

Espléndida construcción residencial, localizada en una de las zonas más bellas de la ciudad. Anteriormente funcionó como lugar de descanso y recreo, a principios del siglo XX, con el nombre de **San Angel Inn**, acondicionado actualmente como restaurante. La **Hacienda de Goicoechea** se fue integrando por tierras adquiridas a los indígenas locales, desde el siglo XVIII, anteriormente se le llamó **Hacienda de Santa Ana**, hasta que en 1776 fue comprada por don Ramón Goicoechea, de ahí su nombre. A mediados del siglo XIX innumerables personajes de la vida política, social y cultural del país la visitaron, destacando Antonio López de Santa Anna, presidente en aquel entonces, que venía a participar en las peleas de gallos, jugar albures, etc. y el poeta José Zorrilla que solía pasar algunas temporadas como huésped. El aspecto señorial y colonial de su fachada e interiores siempre fue un atractivo para propios y extraños, despertando codicia, pasando por multitud de dueños que le han impreso sus estilos y prestancia. El acceso impresiona por su magnífica fachada colonial, donde un mirador amplio cubre parte del segundo nivel, la cúpula de la capilla, enaltece su arquitectura, un bellísimo patio interior, cubierto de jardinería, hace la presencia mucho más grata. En estancias y salones se conservan muebles, objetos y adornos coloniales. Esto es lo que queda de la hacienda, lo demás fue fraccionado por un antiguo propietario, para dar lugar a la colonia San Angel Inn. Palmas 50, San Angel Inn.

ANTIGUA JOYERÍA LA ESMERALDA　　　　Pl. 4　Loc. 1-C
Centro Histórico

Suntuosa construcción en el más refinado estilo ecléctico francés de la etapa porfiriana. Obra del arquitecto Eleuterio Méndez y el ingeniero Francisco Serrano, quiénes la construyeron en 1892 para alojar la joyería La Esmeralda, una de las más prestigiadas de la época, agencia de la relojería Hauser Zivy y Compañía, cuyas iniciales se pueden apreciar en los monogramas de la fachada. Existe una elegante mansarda con lucarnas ovales y un vistoso reloj con peculiar juego de campanas. Un hermoso balcón de hierro forjado le da ostentación a la portada principal, en forma ochavada. La estructura interior es metálica, conformada por columnas, ménsulas y trabes ornamentadas y doradas. Actualmente alberga diversos locales comerciales.
Madero e Isabel la Católica, Centro Histórico. 🚇 Allende

* ANTIGUO COLEGIO DE CRISTO　　　　Pl. 2　Loc. 2-A
Centro Histórico

Bella ornamentación de la portada la distingue de su fachada colonial revestida de tezontle y cantera. Fundado en 1612 por don Cristóbal Vargas Valadéz para ayudar a estudiantes pobres huérfanas y criollas, funcionó como colegio hasta 1777, debido a problemas económicos de la institución, sus últimos cuatro alumnos fueron enviados a los colegios exjesuitas de San Ildefonso y de San Pedro y San Pablo. La presente construcción data de **1754**, cuando las religiosas del convento de la Enseñanza, habitantes de enfrente, la modificaron. Consta de dos pisos con la bella portada central, de dos cuerpos. La riqueza del labrado es cautivante, aquí el barroco churrigueresco adquiere una lucidez que sobresale dentro de la arquitectura civil colonial. Las estípites, el escudo heráldico y un Cristo en altorrelieve en el remate son realmente asombrosos. Se accede al interior a través de una no menos bella entrada con arco mixtilíneo. Un pequeño patio, que invita al reposo, da acceso a múltiples salones y a las escaleras que conducen al segundo nivel, ambos niveles constan de arquería sobre pilastras tableradas. Actualmente se albergan el **Museo de la Caricatura**, en la planta baja y el **Salón de la Plástica Mexicana** en la alta. Exposiciones permanentes y temporales se presentan con regularidad en ambas instituciones.
Donceles 99, Centro Histórico. 🚇 Zócalo

ANTIGUO COLEGIO DE NIÑAS　　　　Pl. 4　Loc. 2-B
Centro Histórico

Llamado originalmente **Colegio de Santa María de la Caridad.** Fundado en 1532 por frailes franciscanos y el primer arzobispo de México fray Juan de Zumárraga, con el fin de educar niñas pobres y mestizas, posteriormente recogía niñas huérfanas y abandonadas. Se conservan lo que fue su templo, muy modificado y vestigios de lo que eran las instalaciones educativas. La iglesia presenta dos portadas muy similares, de las cuales solo por una hay acceso. Pilastras estípites pareadas de fuste corto y labrada con elementos fitomorfos, flanquean los portones. Las estípites soportan bajorrelieves enmarcados que representan; los de la portada derecha a San Pedro y San Pablo y los de la izquierda con Santa Ana y San Joaquín, quienes llevan de la mano a Jesús y María niños. Ambas portadas están rematadas con relieves, en una; San Juan bautizando a Jesús y en otra; Isabel y María encintas. Estas obras atribuidas al artista José Eduardo Herrera en 1741. En el interior todo lo original fue transformado, los retablos, sobre todo el principal, de estilo neoclásico, son obra del arquitecto Lorenzo de la Hidalga. Una capilla lateral, del lado derecho, está dedicada a **Nuestra Señora de Lourdes**, apreciada por la comunidad francesa de México. Al lado derecho del templo, moderna construcción que aloja actualmente al **Club de Banqueros**, fue ocupado antiguamente por aulas y habitaciones, durante el porfiriato, en 1909, ahí fue inaugurado el **Teatro Colón**, célebre por sus atractivas funciones, donde se presentaron famosos personajes de la época como: María Conesa, Prudencia Griffell, Lupe Rivas Cacho, entre otras. En los años treintas estuvo el **Cine Imperial**, luego nuevamente teatro, para definitivamente quedar en la situación actual, totalmente modificado respecto al original.
Bolívar y Venustiano Carranza, Centro Histórico. 🚇 San Juan de Letrán

* ANTIGUO COLEGIO DE SAN PEDRO Y SAN PABLO
Centro Histórico   Pl. 2 Loc. 2-C

Fue la primera institución educativa fundada por los jesuitas en la Nueva España. Llamado el **Colegio Máximo de San Pedro y San Pablo**, e inaugurado el 1° de noviembre de 1574, logró un gran prestigio sobre todo en la mitad del siglo XVIII, grandes talentos se formaron aquí, como el científico novohispano don Carlos de Sigüenza y Góngora, Francisco Javier Clavijero, Diego de Abad y Francisco Javier Alegre, entre otros. Hacia 1767 los jesuitas fueron expulsados del virreinato, sucediéndose todo tipo de funciones y usos al enorme inmueble. Fue sede del **Primer Congreso de la República** poco despues de consumada la Independencia, aquí mismo Agustín de Iturbide fue coronado emperador, lo mismo que Guadalupe Victoria que fue declarado primer presidente del México independiente. Se conserva muy modificada, la **Iglesia de San Pedro y San Pablo**, cuya construcción data de entre 1576 y 1603, obra a cargo del arquitecto jesuita Diego López de Arbaiza, la fachada es sobria en el interior, la planta es de cruz latina cubierta por bóvedas de pañuelo, el antiguo presbiterio exhibe la pintura mural; **El Arbol de la Ciencia**, del genial pintor jaliciense Roberto Montenegro, en el crucero se pueden apreciar hermosos vitrales diseñados por el mismo Montenegro y ejecutados por Villaseñor; **El Jarabe Tapatío y La Vendedora de Pericos**. Integradas a la antigua iglesia, que actualmente aloja al **Museo de la Luz**, se encuentra parte del gran colegio, entrando por la calle de San Ildefonso. Se recomienda observar la bella **Portada de Estilo Barroco Churrigueresco** trasladada de su posición original, en la antigua sede de la Universidad Nacional. y que se encuentra rematada por el escudo universitario (de la UNAM) en la entrada de las instalaciones. Calle del Carmen y San Ildefonso, Centro Histórico. 🚇 Zócalo

*** ANTIGUO COLEGIO DE SAN ILDEFONSO
Centro Histórico   Pl. 2 Loc. 2-B

Portentosa edificación colonial una de las más notables obras civiles del virreinato. Su

extensa fachada cubierta de tezontle y la gran altura de los muros son impresionantes. En el interior se rebela la monumentalidad de este antiguo colegio, fundado por los jesuitas el 29 de julio de 1588. El esplendor y la creciente población estudiantil obligó a varias ampliaciones, siendo la mayor, entre 1739 y 1749, dirigidos por el jesuita Cristóbal de Escobar y Llamas. Hacia 1767, los jesuitas son expulsados de la Nueva España y las instalaciones alojaron a un regimiento militar. Cien años despues, en 1867, el presidente Juárez; decreta la creación de la **Escuela Nacional Preparatoria** siendo esta sede, iniciando cursos al año siguiente bajo la dirección de Gabino Barreda. **Cuna del Muralismo Mexicano**, los muros que dan hacia su **Gran Patio** fueron aprovechados por **José Clemente Orozco** para pintar sus extraordinarios frescos, de 1922 a 1925, alusivos a la lucha de clases, la revolución, la crítica a la sociedad corrupta y decadente, así como los nuevos ideales, otros grandes maestros, como; Ramón Alva de la Canal, Fermín Revueltas, Fernando Leal y Jean Charlot, plasmaron su obra de gran calidad técnica, en zaguanes, pasillos, cubos de las escaleras de este inmenso recinto. En el llamado **Patio Chico**, David Alfaro **Siqueiros pintó sus primeros murales**, entre 1922 y 1924. Y en el edificio anexo, el **Anfiteatro Simón Bolívar**, Diego Rivera pintó **La Creación**, en 1922, marcando el inicio del **Movimiento Muralista Mexicano**. Muy recomendable de conocer es el salón **El Generalito**, en el lado norte del patio grande, donde yace la **Sillería del Coro del Antiguo Convento de San Agustín** obra maestra de la alta ebanistería novohispana de finales del siglo XVII cuyo autor fue Salvador Ocampo. Las portadas del exterior son dignas de admirarse, la del **Colegio Chico**, es la más antigua y bella, elaborada entre 1712 y 1718, en estilo barroco. Justo Sierra 16 y Calle San Ildefonso, Centro Histórico. 🚇 Zócalo

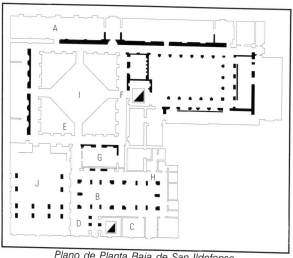

Plano de Planta Baja de San Ildefonso

SERVICIOS

A   El Generalito
B   Patio de Acceso
C   Taquilla
D   Módulo de informes
E   Punto de encuentro
F   Andador Principal
G   Tienda
H   Audioguía
I   Gran Patio
J   Anfiteatro Simón Bolívar

* **ANTIGUO CONVENTO DE SAN AGUSTIN**   Pl. 4 Loc. 2-C
Centro Histórico

Construcción imponente, rícamente decorada en su fachada. Durante cuatro siglos fue el **Convento de San Agustín.** Hacia 1541 el virrey don Antonio de Mendoza colocó la primera piedra donde la orden de los agustinos establecerían su primera iglesia, que a decir de las crónicas de aquel entonces llegó a ser muy ostentosa. El 11 de diciembre de 1676 un gran incendio la consumió por completo, pocos años despues, en 1692 se bendijo la nueva iglesia, conservandose parte de esa obra, en la **Bellísima Portada**, donde San Agustín cobija y proteje a los monjes de su orden, en un bajorrelieve magníficamente trabajado en cantera. En 1861 son exclaustrados los frailes agustinos, quedando el templo parcialmente abandonado. En noviembre de 1867 el presidente Juárez decreta la ubicación en este sitio de la **Biblioteca Nacional**, para lo cual se contrata a los arquitectos Vicente Heredia y Eleuterio Méndez para realizar las transformaciones necesarias para albergarla. Se demolieron campanarios y la linterna de la cúpula, nuevas fachadas sustituyeron a las anteriores, el atrio cambió a jardín, en fín, adquiriendo el aspecto que hoy se puede observar. El 2 de abril de 1884 fue inaugurada la biblioteca, de la cual se puede apreciar 20 bustos de eminencias de la cultura nacional, ubicados en el exterior y 16 estatuas, de gran talla, de personajes ilustres de la cultura universal en el interior, el acervo bibliográfico, actualmente yace en el Centro Cultural Universitario. En la parte posterior del que fuera templo se halla la **Iglesia de San Agustín**, en lo que fue la **Capilla del Noviciado del Convento**, con portada externa e interna barrocas, por el vestíbulo se puede acceder a uno de los claustros del antiguo convento, esta rodeado con 2 niveles de arquerías.
Isabel la Católica y República de Uruguay, Centro Histórico. 🚇 San Juan de Letrán

* **ANTIGUO CONVENTO DE SANTIAGO TLATELOLCO**   Pl. 1 Loc. 1-B
Tlatelolco

Arquitectura colonial de aspecto severo e imponente, luce majestuosa dentro del escenario de la **Plaza de las Tres Culturas**, lugar de rica y épica historia, último bastión en el que los mexicas defendieron su independencia, el 13 de agosto de 1521. Pocos años despues de la caída de Tenochtitlan y Tlatelolco, en 1529, empezaron a llegar cierto número de religiosos franciscanos en misión doctrinaria, en 1537 a solicitud del padre fray García de Cisneros se fundó el **Colegio de Santa Cruz** para indios, trayéndolos de diversos pueblos hasta completar 100. Distinguidos maestros y alumnos pasaron por sus aulas, entre los primeros sobresalieron: fray Andrés de Olmos, fray Bernardino de Sahagún y fray Juan Bautista, distinguiéndose ademas discípulos indígenas tales como; Antonio Valeriano, Diego Adriano y don Martín de la Cruz. Hacia 1609 es inaugurado el actual **Templo de Santiago Tlatelolco** proyectado por fray Juan Bautista, dirigiendo la obra su discípulo fray Juan de Torquemada., Muy grande y espacioso, cubierto su fachada de Tezontle, ostenta dos esbeltas torres, quedándose una sin concluir. La fachada principal da hacia el poniente, mostrando una portada de 3 cuerpos, destacando las sucesivas pares de pilastras, de arriba a bajo de los 3 órdenes clásicos. Macizos contrafuertes le dan robustez a la construcción, en el interior, ya muy modificado, hay vitrales de diseño moderno que permiten filtrar la luz a la gran nave, que anteriormente era sombrío, se conserva parte del antiguo retablo, del siglo XVI, donde se muestra una imágen de **Santiago Apostol por encima de los indígenas**. Al lado derecho del templo se encuentra parte del colegio, muy transformado, con un bello claustro, que en 1660 fray Juan de la Torre lo reedificó, restaurándolo y que poco despues renació bajo la advocación de **San Buenaventura y San Juan Capistrano**. Teniendo muchas altibajas el convento dejó de funcionar en 1861, transforman-dose en cuartel, prisión militar y últimamente sede de dependencias de la **Secretaría de Relaciones Exteriores**. Plaza de las Tres Culturas, Tlatelolco. 🚇 Tlatelolco

ANTIGUO CONVENTO Y TEMPLO DE SAN MATIAS   Pl. 18 Loc. 2-C
Iztacalco

Dentro de la gran urbe y floreciendo entre un caserío sencillo y muy popular se encuentra lo que fuera **Convento de San Matías**, fundado por frailes franciscanos en 1564. La actual construcción dista mucho de ser la original, transformada en múltiples ocasiones, muestra predominantemente elementos del siglo XVIII. Un agradable atrio preside el acceso a la **Iglesia de San Matías**, compuesta de una sola torre, de un cuerpo, una nave sencilla central rematada por una vistosa cúpula, una cúpula de la capilla lateral exhibe curiosos atlantes en su cimborrio. La portada del templo es de estilo barroco estípite, en 2 cuerpos, al costado derecho se encuentran los portales, con 5 arcos de medio punto. El interior de la iglesia ha sido muy alterado exhibiendo un sencillo decorado moderno, agradable. Todavía se conserva un antiguo claustro de 2 niveles, con arquerías. En el pasado el convento tuvo regularmente dos religiosos, pues la comunidad era pequeña y quizá no debieran atender a más de 300 fieles, la inmensa mayoría indígena. Durante el siglo XIX los alrededores del convento eran muy recorridas, por sus verdes chinampas y extensos campos cubiertos de flores, a escasos metros pasaba el **Canal Nacional o de la Viga**, siendo este lugar un agitado puerto fluvial, sobre todo el domingo de Minerva en el mes de agosto, tenía verificativo la procesión del corpus.
Plaza Miguel Hidalgo, Iztacalco.

* **ANTIGUO HOSPITAL DE SAN HIPOLITO**   Pl. 6 Loc. 1-B
Centro Histórico

Edificio Colonial recubierto de tezontle y cantera, albergó el **Hospital de San Hipólito**, considerado el primero que hubo para dementes en América. Su fundación se remonta a 1566, cuando el celo caritativo de Bernardino Alvarez se dió a la tarea de recibir enfermos, ancianos y sobre todo dementes, obteniendo por parte de las autoridades la licencia para la fundación del mismo en 1567. Chozas provisionales de adobe fueron sus orígenes, transformándose sucesivamente hasta la maciza obra que hoy se observa, construcción que remonta hacia 1777, cuando el virrey Bucareli la inauguró. Una amplia fachada de muros de tezontle con puertas y ventanas, y accesorios para diversos comercios, disimulan lo que se encuentra en el interior, donde un gran claustro, con una impresionante fuente central, da cuenta de lo que fue este enorme hospital, que se prolongaba hasta la Plaza de San Fernando. Elogiado por propios y extraños, lo consideraban a la altura de los mejores de Europa, en el siglo de las luces. En 1820 suspendió sus actividades desarrollándose diversas y numerosas funciones posteriormente: cuartel, hospital militar, hospital municipal, entre otras. Actualmente es ocupado, en el área del patio, por alegre hostería, donde las parejas románticas son muy asiduas a asistir al caer la tarde, tomando el café bajo la tenue luz de foquitos o quinqués. Puente de Alvarado 4, Col. Guerrero. 🚇 Hidalgo

** ANTIGUO PALACIO DEL ARZOBISPADO   Pl. 2 Loc. 3-B
Centro Histórico

Edificio de fachada sobria y elegante, resalta su portada de estilo barroco churrigueresco, con pilastras estípites pareadas, inmediatamente arriba; tres ventanas enmarcadas en cantera dan a un balcón corrido con barandal, dándole un aspecto señorial al que fuera **Palacio del Arzobispado**, cuyos orígenes parten en 1530, cuando fray don Juan de Zumárraga, primer arzobispo de la Nueva España, adquirió un solar para erigir la nueva sede arzobispal. Hacia 1554 era ya una casa elevada con elegantes jambas y en cuya azotea tenía en los extremos dos torres, fue sólido desde su primitiva construcción. Años antes, aquí el arzobispo había tenido el célebre encuentro con **Juan Diego**, en donde le mostró el **Ayate con la Imagen de la Virgen de Guadalupe** según diferentes versiones. Entre 1730 y 1743, el palacio tuvo varias modificaciones, cambiando su fachada anterior, por la que hoy se muestra. En 1861, con motivo de la desamortización de los bienes del clero, el inmueble fue vendido, y el arzobispado se trasladó a la actual calle de Venezuela. Desde entonces ha albergado distintas dependencias gubernamentales, entre otras, oficinas de la Secretaría de Hacienda, que actualmente la ocupa a través del **Museo de la Secretaría de Hacienda**, que exhibe su rico acervo patrimonial : pintura, escultura, mobiliario, objetos y arte decorativos de los siglos XVII al XX, en sus cómodos interiores, un **Museo de Sitio**, al costado poniente de un magnífico patio, es accesible a todo público. Ahí se expone parte del basamento de la **Pirámide de Tezcatlipoca** y varias piezas de la cultura mexica.
Moneda 4, Centro Histórico. 🚇 Zócalo

** ANTIGUO PALACIO DE LA INQUISICIÓN   Pl. 2 Loc. 1-A
Centro Histórico

Soberbia edificación novohispana, una de las obras magnas del prestigiado arquitecto Pedro de Arrieta, quien la ejecutó entre 1732 y 1736. Una espléndida portada, en la parte ochavada del edificio y su monumental patio, la hacen inigualable dentro de la arquitectura colonial mexicana. Trístemente célebre por ser sede de 1571 a 1820, del **Tribunal del Santo Oficio de la Inquisiciòn**, institución que tenía la misión de castigar los delitos contra la fe. Aunque tambien su función comprendió la de policía política y persecutor de la superchería, la apostasía y la brujería. En un principio las construcciones que se destinaron al tribunal tuvieron un aspecto de fortaleza; salas de audiencia, juzgado, salas de tortura y la tenebrosa **Carcel de la Perpetua**; mostraban la severidad hacia los detractores de la moral e instituciones religiosas de la colonia. En tiempos posteriores hubo ampliaciones y transformaciones que dieron orígen a la actual. La apreciación artística del inmueble hace olvidar esos oscuros años. El acceso se hace a través de una amplia entrada flanqueada por columnas pareadas de fuste liso, y capitel compuesto, trabajado en cantera, pronto se llega al **Patio Principal** donde es digno de apreciar las esquinas, donde los arcos se unen sin tener un aparente apoyo, o sea **Arcos Volados**, asombrando al espectador, mirándose cerca se trata de arcos cruzados, cuyos apoyos se encuentran en los pilares adosados a la pared. Otros tres patios de menor tamaño se encuentran aledañamente. A partir de 1854 fue sede de la **Escuela Nacional de Medicina**, a lo largo de casi 100 años, hasta que fue trasladada a Ciudad Universitaria. El inmueble es parte del patrimonio de la UNAM y acoge actualmente en varias de sus salas al interesantísimo **Museo de la Medicina Mexicana**, comprendiendo la historia de la medicina en nuestro país. República de Brasil N° 33, Centro Histórico. 🚇 Zócalo

** ANTIGUO TEMPLO DE LA ENCARNACIÓN   Pl. 2 Loc. 2-A
Centro Histórico

Bello ejemplo de convento novohispano, del siglo XVII, donde destacan 2 magníficos altorrelieves en mármol: **La Anunciación de la Virgen y El Martirio de San Lorenzo**, por un lado y por otro la majestuosa torre del campanario, cubierta de azulejo en vistosos acabados en un exquisito cupulín. Antiguamente fundado en 1594 por religiosas de la Concepción, la actual construcción fue levantada entre 1639 y 1648, año en que fue dedicada. Obra costeada por don Alvaro de Lorenzana, el proyecto correó a cargo del jesuita Luis Benítez. El convento era muy extenso, de tres pisos y con varios patios, el principal edificado a finales del siglo XVIII, por el arquitecto neoclásico Miguel Constanzó, hoy es uno de los grandes patios de la **Secretaría de Educación** y alberga en sus muros parte de la obra plástica de **Diego Rivera**. En el interior de la nave del antiguo templo, actualmente oficinas burocráticas, se destaca el **mural Iberoamérica**, bella obra plástica del pintor Roberto Montenegro, que la ejecutó en 1924, donde representa una alegoría de la unión de los pueblos latinoamericanos. Este sitio fue por muchos años la **Biblioteca Iberoamericana**, y apartir de 1993 está cumpliendo funciones múltiples.
Luis González Obregón 18, Centro Histórico. 🚇 Zócalo

ÁRBOL DE LA NOCHE TRISTE
Popotla

Pl. 17 Loc. 4-D

Sitio Histórico, donde el cronista Bernal Díaz del Castillo, entre otros, asegura, que el conquistador Hernán Cortés lloró su derrota después de haber caído ante la lucha bravía de los guerreros mexicas, el 1º de julio de 1520. **Un fragmento del antiguo ahuehuete** es testigo de este hecho, cuya relevancia se ha perpetuado por siglos. El historiador Solís refiere que Cortés descansó sobre una piedra bajo el árbol, mientras que sus capitanes arreglaban la marcha de retirada por el camino a Tacuba, los compañeros de Cortés estaban tristes y meditabundos frente a la dolorosa derrota. El ahuehuete se había conservado lozano hasta mayo de 1872, en que un incendio lo consumió casi por completo, salvándose una parte del tronco, del por sí ya viejo árbol, algunos individuos fueron consignados al juez, para averiguar quién era el autor del incendio, sin podérseles comprobar nada, quedaron en libertad. Actualmente una reja metálica trata de protejer lo poco que queda del ahuehuete más famoso de la conquista de Tenochtitlan.

Calz. México Tacuba y Mar Blanco, Popotla. Ⓜ Popotla

* ARCO ATRIAL DE SAN CRISTÓBAL NEXQUIPAYAC
Atenco, Estado de México

Pl. 20 Loc. 2-D

Muestra interesante del **trabajo en argamasa** ejecutado por artesanos y escultores texcocanos a mediados del siglo XVIII. Un triple arco atrial sostenidos con cuatro gruesas pilas, de fuste liso, dan lugar a una exquisita obra, donde el ornato a base de dibujos con motivos fitomorfos decoran las enjutas de los arcos y pilastras adosados al cuerpo principal, la parte central es un arco trilobulado, en cuya parte superior se presenta un nicho con la escultura de San Cristóbal rematado con una pequeña cruz. El triple arco, da acceso a la **Iglesia de San Cristóbal**, que exhibe una vistosa portada de dos cuerpos con remate, ostenta columnas gruesas y prominentes, y un ornato de hojas exhuberantes en el arco de la entrada.

Nexquipayac, Atenco, Edo. de México.

* ARCO ATRIAL DE SAN TORIBIO PAPALOTLA
Papalotla, Estado de México

Pl. 20 Loc. 2-D

Exquisita obra del **Arte Barroco Mudéjar**, conocida como **Las Arcadas Reales de Papalotla**. Dan acceso al atrio de la iglesia, están totalmente revestidas con relieves de argamasa, delicados arabescos vegetales, óculos, consolas y pináculos con formas figuradas, le dan una sorprendente vitalidad a la portada atrial, donde dos arcos de medio punto flanquean a un arco central trilobado. Las siluetas del remate; leones rampantes y personajes (quizá monjes) son únicos. La superficie que conforma la unión de las enjutas está tapizada con una decoración compuesta por flores, hojas, granadas y racimos de uvas. El friso está constituido por monogramas, querubines y vegetales. La construcción data de 1733, y sería profusamente imitada por otras arcadas atriales de pueblos vecinos de la región de Texcoco. La **Iglesia de San Toribio** es de grandes dimensiones, y presenta una interesante portada, de tres cuerpos superpuestos, delimitados lateralmente por pilastras lisas y organizadas alrededor de un arco conopial, de una portada primitiva, con un óculo mixtilíneo y un nicho que alberga una escultura de San Toribio.

Av. Independencia, Papalotla. Edo. de México.

* ARCOS ATRIALES DE SANTA MARÍA CUANALÁN
Cuanalán, Acolman, Estado de México

Pl. 20 Loc. 1-D

Bello conjunto de arcos atriales, una portada principal de 3 arcos y otra portada lateral, de un arco, dan acceso al **Templo de Santa María Cuanalán**. **La arcada atrial principal** consta; de un arco de corte pentagonal al centro y dos arcos trilobados soportados por pilas rectangulares lo flanquean, con columnas salomónicas empotradas, un cuerpo de molduras sirve como entablamento de las columnas salomónicas, Un gran remate constituido de pináculos, molduras, pilastras y superficies ricamente decoradas en argamasa y coronadas por un nicho con un escultura de la Virgen María, causan admiración. **El arco lateral**, trilobado, se halla flanqueado por dos pilastrones moldurados, culminados en pináculos. Las enjutas del arco, así como el remate, se hallan profusamente decorados en argamasa, dando el especial estilo del barroco texcocano. Estos arcos fueron construidos a mediados del siglo XVIII y tienen peculiaridades que los hacen diferenciarse de aquellos de Papalotla y Tulantongo.

Av. 16 de Septiembre, Cuanalán, Acolman. Edo. de México.

ARCHIVO GENERAL DE LA NACIÓN
Penitenciaría

Pl. 18 Loc. 1-C

Custodia el acervo más valioso del abundante patrimonio documental de México, más de 25,000 metros lineales de documentos, proceden tanto de instituciones gubernamentales como entidades privadas. Integrado por más de 300 grupos de documentos que incluyen; manuscritos, impresos, videos, películas y cintas sonoras entre otras. Se guardan ejemplares desde la conquista, hasta nuestros días. Institución creada el 27 de marzo de 1790 a iniciativa del virrey, segundo conde de Revillagigedo , Juan Vicente Güemes Pacheco y Padilla. Este enorme acervo se alberga en lo que fuera la **Penitenciaría de Lecumberri,** edificio e instalaciones construido a instancias del que fuera presidente de la república Porfirio Díaz, las obras se emprendieron entre 1885 a 1900, según proyecto del ingeniero Antonio Torres Torija. De estilo ecléctico, la construcción tiene 2 niveles y una amplia fachada, con paredes almohadilladas en cantera. Tiene una planta en forma de estrella en los vértices se levantan torreones octagonales rematados con almenas que permitían la adecuada vigilancia en los tiempos que operó la prisión. Por sus antiguas celdas cayeron personajes célebres en la vida política y artística del país, como; David Alfaro Siqueiros, José Revueltas, Demetrio Vallejo, Valentín Campa y Heberto Castillo, por mencionar algunos. En esta sede regularmente se realizan exposiciones de carácter histórico, donde se exhiben generalmente interesantes documentos, relevantes en la historia del país.

Av. Eduardo Molina, esq. Eje 1 Norte, Col. Penitenciaría. Ⓜ Morelos

ARENA COLISEO   Pl. 5 Loc. 2-D
Centro Histórico

Principal sede de las funciones boxísticas de la gran ciudad, famosos son los combates que se realizan los sábados por las noches, donde los mejores exponentes de la capital y del interior del país muestran su poderío y bravura ante el espectador, siempre exigente, de la capital. Asentada en el populoso barrio de la Lagunilla, la Arena Coliseo fue inaugurada el 2 de abril de 1943, da cabida a más de 6,500 espectadores. Aquí nacería el célebre **Torneo de Aficionado de los Guantes de Oro**, donde tantas glorias del boxeo mexicano surgirían. Por sus encordados han desfilado boxeadores de la talla de el **Ratón Macías**, José Medel, Rubén Olivares y **Mantequilla Nápoles**, entre otros ídolos deportivos.

Perú 77, Centro Histórico. Ⓜ Zócalo y Allende

ARENA MÉXICO   Pl. 1 Loc. 4-A
Col. Doctores

Amplísimo centro de espectáculos, donde funciones de box y lucha se suceden con regularidad, ademas de circos, fiestas en pistas de hielo y presentaciones artísticas masivas. Inaugurada en 1956, en la céntrica colonia de los Doctores. Aquí se retiró del boxeo, el popular ídolo, **Raúl Ratón Macías**, en 1959.

Dr. Lavista y Dr. Lucio, Col. Doctores. Ⓜ Cuauhtémoc

AUDITORIO NACIONAL   Pl. 8 Loc. 2-B
Bosque de Chapultepec

Enorme centro de espectáculos, enclavado en el Bosque de Chapultepec, sobre el Paseo de la Reforma, construido inicialmente bajo la administración del presidente Miguel Alemán, para dotar a la ciudad de un centro de vastas proporciones, para la celebración, bajo techo, de grandes acontecimientos. Sus dimenciones son de un frente de 100 m. por 140 m. de fondo, originalmente tuvo capacidad para 18,000 espectadores. Inaugurado el 25 de junio de 1952, fue realmente terminado hasta 1955. En 1958 se le habilitó un órgano monumental, considerado entonces el tercero más grande del mundo. Durante 1968, en los XX Juegos Olímpicos, fue sede de las competencias de gimnasia, donde destacó la checoslovaca Vera Caslavska. Con otros tres teatros anexos: **Del Bosque, Orientación y Granero** y otras dependencias, constituye la **Unidad Artística y Cultural del Bosque.** En 1990 y 1991, se llevó a cabo una reconstrucción del inmueble, a cargo de los arquitectos Teodoro González de León y Abraham Zabludovsky, dentro de las acciones emprendidas, se reacondicionó su gran sala, que ahora dispone de un aforo de 9,900 butacas, así como la creación de un vestíbulo semicubierto, que le da acceso al recinto. Obras de arte de gran tamaño y valor la decoran, destacando; **Escenario 750** escultura monumental de Vicente Rojo, **La Luna** de Juan Soriano, y el telón, dedicado a la obra de **Las Sandías de Rufino Tamayo.** Cuenta con servicios de estacionamiento, un novedoso sistema electrónico de audio y video permite la mejor apreciación de los espectáculos musicales multitudinarios, que con frecuencia se presentan.

Paseo de la Reforma, Bosque de Chapultepec. Ⓜ Auditorio

* BAÑOS DE NEZAHUALCOYOTL   Pl. 20 Loc. 2-D
Texcoco, Estado de México

Muestra de uno de los sistemas hidráulicos más sofisticados que se conocen en el México prehispánico. Un **Estanque Abierto**, debidamente acondicionado, con forma circular y un diámetro de unos 5 metros, sirvió como baño, al tlatoani Nezahualcóyotl, estrechos escalones facilitan el descenso al foso, a la orilla hay una pequeña rana esculpida, Más adelante otro orificio circular, ubicada en una plataforma, servía como baño de las doncellas y mujeres del rey, se puede apreciar a un lado; un asiento de piedra, cuyo respaldo lucía el escudo del rey constructor. El agua llegaba hasta aquí, proveniente de los manantiales distantes, en las partes más altas, al oriente. Un acueducto conducía el agua y tenía que salvar una profunda cañada, que corría de norte a sur, por lo que Nezahualcóyotl, ordenó que se sepultara parte de la hondonada con toneladas de roca y tierra, uniendo el cerro de los manantiales con el cerro del Texcotzingo, donde se hallan los baños, mediante el acueducto, que también irrigaba los **Jardines de Texcotzingo**, creados bajo el mandato del mismo rey.

A 6 Kms. al oriente de Texcoco, Edo. de México.

* BARRIO DE TEPITO
Pl. 1 Loc. 2-D
Centro Histórico y Col. Morelos

Célebre barrio popular, el más costumbrista y pintoresco del centro de la ciudad. Famoso por ser un **Gran Complejo de Pequeños Comercios Callejeros**, donde se puede conseguir todo tipo de mercancias, incluyendo **La Fayuca**, productos importados de dudosa entrada al país. Durante muchos años ha sido **Cuna de Campeones del Boxeo**, ganándose la fama en muchas ocasiones de **Barrio Bravo**. El orígen de su nombre tiene diferentes versiones, entre ellas, la de naturaleza náhuatl; Teocali tepitón, que significa pequeño templo, ermita o capilla. Poco después de la conquista hubo un templo pequeño, que los nativos llamaron **Teocultepitón**, que los españoles no pronunciaban bien, llamándole **Tepito**. Los misioneros construyeron una ermita sobre el antiguo templo, bajo la advocación de San Antonio, antecedente de la actual **parroquia franciscana de San Francisco**. Alrededor del templo se ha desarrollado durante el siglo XX, el populoso barrio, cuyo corazón se ha desplazado a su **Gran Mercado de Cuatro Cuerpos**, uno de ellos ocupa casi toda la manzana de Heróes de Granaditas, Aztecas y Costa Rica, los restantes se hallan sobre las calles de Toltecas, Matamoros y Bartolomé de las Casas. En ellos encontrará todo tipo de objetos, antigüedades, herramientas, electrónica, artículos de segunda mano, ropa y la tradicional fayuca. A Tepito le caracterizan sus grandes vecindades; habitados en su mayor parte por familias numerosas, dedicadas al comercio, artesanías y oficios varios. Se recomienda pasear por **La Vecindad de Dos Salidas y Siete Patios**, y la **Casa del Obrero Mundial, La Campana,** el **Centro de Estudios Tepiteños** y la **Galería José María Velasco**, donde regularmente exponen valores plásticos de la cultura tepiteña. El caminar por las calles del barrio, significa en sí una experiencia memorable, donde descubrirá las ricas peculiaridades de sus habitantes.

Por Héroes de Granaditas y Jesús Carranza, Col. Morelos. 🚇 Tepito.

*** BASILICA DE GUADALUPE
Pl. 16 Loc. 3-C
La Villa Gustavo A. Madero

El Santuario Más Importante de México, mística residencia de la **Virgen de Guadalupe**, lugar que acoge a millones de fieles y peregrinos anualmente. Según la tradición, el 12 de diciembre de 1531, se le apareció **La Virgen Morena** al campesino indígena **Juan Diego**, en este lugar, pidiéndole que se le levantara aquí un santuario a su advocación. Cada 12 de diciembre, una multitud asombrosa se congrega fervorozamente en este magno recinto, festejando y celebrando a la llamada **Emperatriz de América**. Una extensa área, precedida por una enorme explanada **La Plaza de las Américas**, da asiento a los recintos religiosos, monumentos y jardines que invocan, rememoran y cultivan la imágen guadalupana. **La Antigua**

Antigua Basílica de Guadalupe

Basílica se llergue en la parte central, en estilo barroco, fue levantada a principios del siglo XVIII, bajo las órdenes del insigne arquitecto Pedro de Arrieta, consta de tres naves, quince bóvedas, cuatro torres de tres cuerpos cada una, se halla coronada por una gran cúpula revestida de azulejo amarillo, su interior consta de 3 altares. Actualmente se halla desalojada, pues sus oficios religiosos se realizan en **La Nueva Basílica de Guadalupe**, donde se ubica el **Ayate Sagrado con la Virgen**, su arquitectura es moderna, con planta circular, carente de naves, lo que permite una amplia visibilidad a los congregados, que pueden ascender a 20,000 asistentes, el proyecto estuvo a cargo de los arquitectos Pedro Ramírez Vázquez y fray Gabriel Chávez de la Mora, entre otros. Sus obras se realizaron entre 1974 y 1976. En los alrededores se pueden admirar otros interesantes recintos, como; **La Capilla del Pocito**, joya del barroco mexicano, **El Convento de las Capuchinas**, al costado oriente de la basílica, **La Capilla del Cerrito**, ahí se apareció la Virgen, **La Parroquia Vieja de los Indios, El Panteón del Tepeyac** y pasear por la rampa que asciende al **Cerro del Tepeyac**, para observar el **Jardín de las Rosas**.

Villa de Guadalupe. 🚇 La Villa-Basílica

BOSQUE DE TLALPAN
Pl. 14 Loc. 2-A
Delegación Tlalpan

Extensa Zona Verde, al sur de la ciudad, tiene una superficie aproximada de 300 hectáreas. Resulta muy gratificante el contar muy cerca de la gran urbe, este plácido lugar, cubierto de frondosos árboles y sitios para el reposo, donde puede disfrutarse de un día de campo, visitar el **Zoológico**, o adquirir artesanías. Para los practicantes de la carrera campo a traviesa es ideal. Millones de paseantes lo visitan anualmente por su confortabilidad y cuidado.

Acceso por Camino a Santa Teresa, cerca de Av. Insurgentes Sur. Tlalpan

***CANALES Y CHINAMPAS DE XOCHIMILCO
Pl. 15 Loc. 3-C
Delegación Xochimilco

El Paseo Más Típico y Pintoresco de la Gran Urbe. Conocido internacionalmente como

Los Jardines Flotantes, lugar donde los fines de semana miles de paseantes disfrutan de las fiestas que brotan espontáneamente en las coloridas barcazas, llamadas **Trajineras**, que transitan por varios kilómetros de **Canales** que rodean a las **Chinampas**, que son depósitos flotantes de tierra, sostenidos por una armazón de ramas y por las raíces de los **Ahuejotes**, árboles típicos de la región y que bordean a los canales. En las Chinampas se cultivan flores, hortalizas y verduras, en los canales abundan las plantas acuáticas; nenúfares, lirios y pequeñas ramas desprendidas de la rica vegetación aledaña. Hay nueve grandes canales: Apatlaco, Apampilco, Amelaco, Atlitic, Cuauhtémoc o Nacional, Cuemanco, Oztotenco, Tezhuilo y Toltenco. Además hay siete lagunas importantes; El Toro, La Virgen, Tlílac, Tliculli, Tezhuízotl, Caltongo y Xaltocan, en todos estos cuerpos acuáticos comunicados entre sí, hay otras decenas de kilómetros de canales estrechos, difícilmente transitables. Para abordar cualquiera de las más de 2,000 trajineras disponibles al paseante, puede acceder a los 7 embarcaderos, siendo el de **Nativitas** el más céntrico y conocido de Xochimilco, cuyo nombre náhuatl significa: en los campos de flores. Todavía a finales del siglo XIX, Xochimilco se comunicaba con la vieja ciudad de México mediante canales sobre todo **El Canal Nacional**, donde abundantes canoas transportaban gran cantidad de productos de las fértiles chinampas. Es muy recomendable realizar festejos y fiestas, la alegría se ve acompañada de la música folclórica de grupos de mariachi, norteños, jarochos, etc, que viajan en otros botes, comida típica y bebida pueden adquirirse, también, en trajineras que se desplazan habilitadas como loncherías. El bullicio festivo realmente es encantador e inigualable, especialmente todos los domingos y en Semana Santa.

Varios Accesos. Xochimilco. Estación Tren Ligero Embarcadero

Paseo por Xochimilco

* CAPILLA DE LA COFRADÍA DE INDIOS　　　　　　　Pl. 20　Loc. 2-D
Texcoco, Edo. de México

Situada en el atrio del **Convento de Texcoco**. Su estructura es sencilla, pero destaca hermosamente su rica portada trabajada en argamasa. Un arco mixtilíneo, sin archivolta, se halla sostenido por pilastras, cuyo entablamento aloja un nicho vacío, donde columnas salomónicas la flanquean, un óculo de perfil mixtilíneo remata la portada. La riqueza decorativa, mezcla representaciones animadas por angelillos, querubines y guirnaldas, exuberante ornato a base de motivos vegetales enmarcan la entrada a la capilla. Este es otro buen ejemplo de la peculiar e imaginativa obra indígena que produjo el barroco popular texcocano.

Constitución y Morelos, Texcoco, Edo. de México.

* CAPILLA DE LA COFRADÍA DEL SANTO SACRAMENTO　　　Pl. 20　Loc. 2-D
Texcoco, Edo. de México

Histórica construcción novohispana, aquí el fraile Pedro de Gante fundó la primera escuela para indios en América, de **Artes y Oficios** y enseñó castellano, en 1523. La presente capilla probablemente se levantó sobre los restos de una anterior, en el siglo XVIII. Es de planta rectangular, su nave consta de dos tramos cubiertos por cúpulas planas sobre pechinas. La portada destaca de un muro liso, compuesto de dos cuerpos y un remate. Un arco rebajado está flanqueado por estípites pareadas, en el primer cuerpo, en el segundo nivel hay un óculo mixtilíneo enmarcado por columnas salomónicas pareadas, cuyo entablamento sostiene un nicho, con columnas rodeándole. La capilla formaba **parte del complejo conventual de Texcoco**, por lo que se halla en su atrio.

Av. Constitución y Av. Morelos, Texcoco, Edo. de México.

CAPILLA DE LA CONCEPCIÓN TLAXCOAQUE　　　　　Pl. 1　Loc. 4-C
Centro Histórico

Curiosa iglesita aislada de otras construcciones, enmedio de la Plaza Tlaxcoaque, su orígen se remonta a la segunda mitad del siglo XVII, cuando se levantó dedicada a la **Preciosa Sangre**

de Cristo, ubicada en un antiguo barrio indígena. Hacia 1677 una vecina cercana obsequió una imágen de la **Purísima Concepción**, a la capilla, una vez fallecida la donante los fieles empezaron siendo devotos de la imágen religiosa, cuyo nombre se arraigó a la de la capilla, subsistiendo hasta la actualidad. Ella se halla en el polo opuesto de la Catedral Metropolitana, sobre la avenida Veinte de Noviembre. De un estilo barroco sobrio, su atractivo es la **Portada**, con un solo cuerpo, con un par de pilastras triplemente resaltadas, lo que le da aspecto dinámico, flanquean a la entrada con un arco mixtilíneo, dos pequeños ángeles, de caras indígenas, rematan la portada. Hay una sola torre con cupulín cubierto de azulejos. Se destaca una cúpula de ocho gajos, con linterna, rematada por cupulín con la cruz. El interior es una nave reducida, techada con bóveda de pañuelo, sobre el presbiterio se alza la cúpula sobre cuatro pechinas, además, se pueden distinguir algunos angelitos labrados en cantera. El portón es original, del siglo XVIII. La construcción en general es de piedra tezontle, de formas irregulares.

Plaza Tlaxcoaque, extremo sur de la Av. 20 de Noviembre, Centro Histórico. 🚇 Pino Suárez

* CAPILLA DE LA INMACULADA CONCEPCIÓN LA CONCHITA   Pl. 11 Loc. 4-B
Coyoacán

En medio de un agradable parque se levanta esta espléndida construcción de estilo barroco exuberante, edificada a mediados del siglo XVIII, tiene una sola nave, cúpula vistosa, dos torres con campanarios de un cuerpo. Con cuatro vanos y, anexada la sacristía. La fachada es muy singular, rícamente ornamentada con motivos geométricos, casi mudéjar, sobre todo al frente. La portada, de dos cuerpos, presenta en el primero; entrada con arco mixtilíneo, flanqueado por estípites, que junto con las enjutas también presentan un rico decorado en argamasa, en la parte superior se encuentra un nicho grande, enmarcado por estípites y un entablamento. Remata la fachada con un pretil con roleos. Se aprecian ventanas abocinadas con marco mixtilíneo, que corresponden al coro. El interior alberga un magnífico retablo barroco finamente trabajado y dorado, con pinturas insertadas. Sobre los muros se encuentran lienzos de muy buena factura, entre ellos destaca: San Juan Nepomuceno, obra de Francisco Antonio Vallejo, fechada en 1765. Algunos historiadores consideran que en este sitio estuvo la segunda iglesia de Coyoacán, obviamente anterior a la presente capilla.

Plaza de la Conchita, Coyoacán.

* CAPILLA DE LA PURÍSIMA CONCEPCIÓN SALTO DEL AGUA   Pl. 4 Loc. 4-A
Centro Histórico

Rica joya arquitectónica, de estilo barroco, aunque de pequeñas proporciones, muestra una fachada ricamente ornamentada y un interior igualmente exquisito. Su construcción se inició en 1750, bajo la dirección de Francisco Navarijo, apadrinado por don José Gorráez, hijo del mariscal de Castilla. Al principio estuvo bajo la jurisdicción de la **Parroquia de la Santa Veracruz**, pero a partir de 1772 el arzobispo Francisco de Lorenzana la elevó a la categoría de parroquia independiente. Es curiosa su ubicación, pues se halla en media avenida Izazaga, hace varias décadas estaba esquinada pero al ensancharse la arteria vial quedó aquí. Al fijar atentamente la mirada, a pesar del bullicio del entorno, se notará la belleza singular de su fachada, en cantera chiluca con tezontle, en las esquinas se aprecian pilastras ostentando nichos. La portada es de dos cuerpos, el primero con entrada de arco mixtilíneo moldurado y enjutas ornamentadas con motivos vegetales y humanos, flanqueada con pilastras de fuste con estrías móviles, rematadas con un entablamento con friso decorado con vegetales y dos pequeños ángeles. El segundo cuerpo, presenta la ventana del coro de marco abocinado mixtilíneo. Se puede apreciar ricos detalles por doquier, como los remates con bajorrelieves del sol y la luna, simbolizando a Jesús y la Virgen, respectivamente. Es notable la cúpula con linterna, rematado con cupulín y la cruz. En el interior, es de una sola nave, se observan nichos con esculturas, sobresaliendo al centro, en el ábside una gran peana sobre la cual se halla una imágen de la **Purísima Concepción**, acompañada de un gran resplandor a sus espaldas, A pesar de que el nombre verdadero de ésta pequeña iglesia es de la **Purísima Concepción**, la mayor parte de la gente la conoce como la **Iglesia del Salto del Agua**, aludiendo a la fuente del mismo nombre que está enfrente.

José María Izazaga y Eje Central Lázaro Cárdenas, Centro Histórico. 🚇 Salto del Agua

* CAPILLA DE SAN ANTONIO PANZACOLA   Pl.12 Loc. 3-D
Delegación Coyoacán

Agradable presencia de esta capilla del siglo XVIII, en una de las modernas avenida del sur de la ciudad, en el siglo XIX fue objeto de múltiples visitas por parte de los pintores de paisaje que veían en ella, y en el puente del mismo nombre a unos pasos, un sitio romántico para plasmarlas en sus lienzos. Bellos cuadros de José María Velasco o Landesio dan muestra de ello. Esta pequeña ermita se construyó bajo la advocación de San Antonio de Padua, imágen que se aprecia en el nicho de la portada, y sobre el arco de la entrada hay un relieve con San Sebastián Mártir. La fachada exhibe 2 torres pequeñas, y en su ábside redondo, vista desde el oriente, parece una torre medieval. El puente anexo, que cruza el río Magdalena, es un bello ejemplo de la construcción del siglo XVII. Cerca de aquí, en **El Altillo** se encontraba un antiguo obraje de lana, llamado **Panzacola**, donde reos trabajaban para ganarse el alimento, controlados por el dueño del mismo, según algunos cronistas, venían a orar a esta capilla.

Av. Universidad y Francisco Sosa, Coyoacán. 🚇 Miguel Angel de Quevedo

CAPILLA DE SAN BERNABÉ   Pl. 18 Loc. 3-A
San Bernabé Ocotepec, Delegación Magdalena Contreras

Interesante construcción religiosa, en su mayor parte muestra lo construido durante el siglo XVIII, sin embargo se conservan vestigios de su estructura original, fundada en 1535 por mexicas dirigidos por los misioneros españoles. Un peculiar **anillo de juego de pelota** está empotrado en uno de los muros. La portada de la iglesia es sencilla, con entrada de arco de medio punto y flanqueada por pilastras, una torre de dos cuerpos rematada con cupulin, le da un aspecto sereno. Hacia el interior se puede apreciar el retablo principal de estilo barroco anástilo, fase postrera de ésta importante tendencia artística del virreinato. Una imagen de San Bernabé se destaca por encima del altar. La **Cruz Atrial Latina** que orna el atrio del templo estuvo originalmente en la cúspide del cerro Metlzinco, a corta distancia del pueblo, trasladado en 1973, como parte de la remodelación de este apacible lugar.

Cima del Cerro de San Bernabé, por Av. Guerrero. Pueblo San Bernabé Ocotepec.

CAPILLA DE SAN JOAQUÍN EN HACIENDA MOLINO DE FLORES   Pl. 20 Loc. 2-D
Texcoco, Edo. de México

Visitando el casco de la **Antigua Hacienda de Molino de Flores** en el parque nacional del mismo nombre, se llega a una de las plazuelas donde se sorprenderá al encontrar esta iglesia de pequeñas dimensiones (21 x 10m.), cuya fachada resulta un deleite a la vista del curioso paseante, la portada neobarroca es muy llamativa por el ornato resaltante, trabajado en argamasa, una destellante ventana coral se exhibe en segundo nivel. Las 2 torres del campanario son muy originales, engrosando la parte superior de la capilla. La fachada en general rememora a otras joyas similares del arte popular barroco de la región de Texcoco. Construida entre 1880 y 1890, para el uso religioso de los patrones de la exhacienda; el dueño Don Miguel de Cervantes y Estanillo, marqués de Salvatierra, la mandó levantar retomando la tradicional arquitectura texcocana.

A menos de 5 km. al oeste de Texcoco, Edo. de México.

CAPILLA DE SAN MATEO CHIPILTEPEC   Pl. 20 Loc. 1-D
Chipiltepec, Acolman, Edo. de México

Pequeña pero espléndida muestra del arte barroco texcocano, una portada rícamente decorada en argamasa, con motivos vegetales, deslumbra frente a la sencilla fachada. Una cúpula de media naranja con linterna, también ornamentada con argamasa, corona este bonito recinto. San Mateo Chipiltepec, Acolman, Edo. de México

CAPILLA DE SAN SALVADOR NEXTENGO   Pl. 17 Loc. 2-B
Delegación Azcapotzalco

Edificación de los padres dominicos que la fundaron en 1562, conservándose aún secciones de esa fecha. En el siglo XVII tuvo modificaciones relevantes y en el siglo XX, obras de reparación. En el exterior destaca su espléndida espadaña con su campanario, hacia el interior se conserva una **Escultura de Jesús Nazareno**, de 2 metros de altura, manufacturada en España y también retablos del siglo XVIII y numerosos exvotos populares. El altar ha sido restaurado con oro laminado, se aprecian sobre la nave vitrales con imágenes de las vírgenes del Rosario, de Talpa y del Apóstol Santiago.

Camino a Nextengo, esquina con Centenario, Barrio Nextengo. Azcapotzalco
Azcapotzalco. 🚇 Refinería

* CAPILLA DEL CERRITO, VILLA DE GUADALUPE   Pl. 16 Loc. 3-C
Villa de Guadalupe, Gustavo A. Madero

Ascendiendo al **Cerro del Tepeyac**, por cualquiera de las dos rampas que llevan a su cima, se encuentra emplazada ésta hermosa capilla, obra del arquitecto Francisco Guerrero y Torres, a finales del siglo XVIII. Sitio señalado como el de la **primera aparición de la Virgen a Juan Diego**, se colocaron inicialmente un mogote de piedras y una cruz de madera. La iglesia es de amplia portada, de dos cuerpos estilo barroco, se accede al interior bajo un arco mixtilíneo, exquisitos retablos y altares se hallan ahí. Dignas de admirar son también, las pinturas murales sobre el milagro de la Virgen de Guadalupe, de Fernando Leal. En el exterior de la capilla, una terraza con balaustrada perimetral, permite divisar un agradable panorama de la ciudad y naturalmente del conjunto de los recintos religiosos, monumentos y jardines de la Basílica de Guadalupe. Según la tradición, en los alrededores de la capilla, Juan Diego recogió rosas, que llevaría al obispo fray Juan de Zumárraga, como muestra de las apariciones de la Virgen de Guadalupe. A la izquierda del recinto se ubica el **Panteón del Tepeyac**, donde reposan los restos mortales de distinguidos y célebres personajes de la vida política, cultural y pública de México, su acceso es restringido.

Villa de Guadalupe. 🚇 La Villa-Basílica

* CAPILLA DEL POCITO   Pl. 16 Loc. 3-D
Villa de Guadalupe

Obra maestra de la arquitectura barroca mexicana, la más bella joya de arte del conjunto arquitectónico de la Villa de Guadalupe, hermosa capilla de vistosas cúpulas y linternillas revestidas de azulejo poblano de color blanco y azul, en zigzag. Obra del insigne arquitecto, don Francisco Antonio de Guerrero y Torres, construida entre 1779 y 1791, con los aportes monetarios de limosnas del pueblo y la contribución del arzobispo de México don Alonso Níñez de Haro y Peralta.

Su nombre le viene porque en el lugar donde se construyó hubo un pozo, se dice, con aguas milagrosas. El estilo barroco de su planta, no solamente de su decoración, es de las pocas que existen en México, a partir de un óvalo central, están dispuestas cuatro capillas dedicadas a las apariciones de la Virgen de Guadalupe, dos secciones más están ocupadas por el altar mayor y otra cubre el antiguo pozo. La fachada asombra por la exquisita combinación de los muros de tezontle, los marcos trabajados en cantera, así como la espléndida decoración de las portadas, la principal, muestra dos cuerpos con columnas de capitel corintio, flanqueando nichos con esculturas de San Guillermo Abad, San Felipe de Jesús, San Joaquín y Santa Ana, estas dos últimas en el segundo cuerpo, donde yace en la parte central una ventana abocinada en estrella, con la imagen de la Virgen de Guadalupe, asimismo, se puede apreciar en la parte superior de la entrada el escudo de armas de la Villa. Al interior se halla un púlpito, tallado en madera, sostenido por un atlante con la figura de Juan Diego y obras pictóricas de Miguel Cabrera, relativas a las apariciones de la Virgen. Por aquí pasó José María Morelos, el 22 de diciembre de 1815, cuando iba rumbo al suplicio. Villa de Guadalupe. 🚇 La Villa-Basílica

* CAPILLA DEL ROSARIO, AZCAPOTZALCO Pl. 17 Loc. 1-C
Azcapotzalco

Tesoro Arquitectónico, Pictórico y Escultórico del Siglo XVIII: la más importante construcción virreinal en la Delegación Azcapotzalco. Situado en la parte noreste del **Antiguo Convento de Azcapotzalco.** El exterior de la construcción, no refleja la riqueza escultórica y pictórica interna. La fachada presenta una portada en estilo barroco sobrio, su parte superior muestra una espadaña, de buena factura. Al interior, la capilla de planta en cruz latina, exhibe los **Bellos Retablos de los siglos XVII y XVIII.** El más antiguo dedicado a Santa Ana, posee pinturas de Juan Correa, sobre la vida de la Virgen. En el retablo central, de 1779, dedicado a la Virgen del Rosario destacan bellas esculturas estofadas, siendo una exquisita muestra del arte barroco exuberante. También se pueden observar en él pinturas de Pedro Ramírez. Otro retablo dedicado a la Vírgen de Guadalupe: contiene casi exclusivamente pinturas. En la parte norte de la capilla, se encuentra un camerín, cubierto con cúpula octagonal y linternilla. En el arco del sotocoro se puede leer la fecha de terminación de esta magnífica obra arquitectónica: 20 de enero de 1720. También es muy recomendable visitar el lado sur donde se encuentra, el **Templo de los Santos Apóstoles Felipe y Santiago,** que tambien fuera parte del antiguo convento dominico.
Av. Azcapotzalco, esq. Tepanecos, Azcapotzalco. 🚇 Camarones

* CAPILLA DEL ROSARIO, XOCHIMILCO Pl. 15 Loc. 3-B
Xochimilco

Magnífico ejemplo del estilo mudéjar aplicado al revestimiento de construcciones religiosas católicas. Donde la proliferación de azulejos le da un aspecto oriental a esta capilla, construida en 1768. Elaborados trabajos con argamasa acentúan la belleza de esta pequeña edificación, cuyo interior presenta un lambrín de azulejo, un retablo de estilo neoclásico con pinturas la solemniza. El exterior es lo más cautivante: una torre, la cúpula y un cupulin recubiertos de azulejo, azul y amarillo. Algunos elementos en hierro forjado complementan la ornamentación.
Morelos y Madero, Xochimilco. Tren ligero, estación Embarcadero

Capilla del Rosario, Xochimilco

* CÁRCAMO DE CHAPULTEPEC Pl. 8 Loc. 3-B
2a. Sección del Bosque de Chapultepec

Majestuosa obra escultórica y pictórica del reconocido pintor Diego Rivera, ejecutada entre 1949 y 1952. En ella el artista asumió el reto plástico más interesante de su vida., Una soberbia integración entre la pintura, la escultura y la arquitectura, en un **homenaje a la riqueza vital del agua y al trabajo del hombre por abastecerse de ella**. El complejo artístico se divide en 3 partes: un pabellón con una cúpula semiesférica, erigida en memoria de los obreros muertos durante la ejecución de la magna obra de captación de las aguas de los manantiales de las lagunas de Lerma, en el Valle de Toluca y su conducción a la Cuenca de México, para el abastecimiento de agua potable de la Ciudad de México, acueducto con una longitud de 62 Kilómetros, obra a cargo de los ingenieros Eduardo Molina (1942-1951) y Guillermo Terrés Prieto (1942-1946). El pabellón es obra del arquitecto Ricardo Rivas. La parte interna consta del **Cárcamo Distribuidor de las Aguas del Lerma,** donde el artista concretó los frescos, **El Agua, Origen de la Vida en la Tierra,** en el fondo del estanque se describen microorganismos generadores de vida más compleja, en un proceso evolutivo que lleva a la formación de las especies vertebradas, entre ellas el hombre. Individuos de raza negra y mongoloide, se distinguen, y fusionan para dar origen a otras razas. En la boca de un túnel que accede al estanque, se observan figuras de trabajadores, en alusión a los constructores anónimos. Otra parte, exhibe ingenieros dirigiendo y planeando las obras de distribución de agua, cerca de la boca del túnel emergen dos manos monumentales, que en su buceo toman el agua que entregan a la ciudad. La otra notable obra plástica está en la **Fuente con Tlaloc**, dios de la lluvia, extensa policromía de piedras diferentes y azulejos fragmentados, integrando un gran mosaico en relieve, con la impactante imagen del dios prehispánico. Al oriente del **Cárcamo,** se puede apreciar 4 estructuras truncocónicas que sirven como respiraderos a contenedores de agua del **Sistema Lerma**.

Calz. Neri Vela, 2a. Secc. del Bosque de Chapultepec. 🚇 Constituyentes

CASA AMARILLA   Pl. 8 Loc. 4-C
Tacubaya

Alberga a oficinas de la Delegación Miguel Hidalgo. Es parte de una antigua mansión construida en el siglo XVIII, al poniente del **Parque Lira.** Sirvió de residencia temporal a la **Güera Rodríguez,** célebre personaje de la vida galante, en la época de la Independencia Nacional. El nombre de **Casa Amarilla,** se debe a que aquí vivió el **Marqués de las Amarillas,** don Agustín Ahumada y Villalón, quién llegó a la Nueva España en 1755, muriendo pocos años después de habitarla. Muy cerca, se halla una bella construcción religiosa, llamada anteriormente **Capilla de Nuestra Señora de Guadalupe,** levantada en 1903, hoy opera como biblioteca pública. La Casa Amarilla fue ocupada anteriormente por un **Convento de los Padres Pasionistas,** después fueron instalaciones del **Internado del Tribunal para Menores,** antes de ser delegación sirvió como **Archivo General de la Nación,** actualmente su fachada, muy modificada, poco muestra de su aspecto original.

CASA BLANCA   Pl. 12 Loc. 3-A
San Angel

Residencia colonial de fachada sencilla, cuyo orígen se remonta al siglo XVII, quizá la construcción particular más antigua que existe en San Angel. Ocupada en el período novohispano por los Condes de Oploca. Aún se puede ver, ya muy deteriorado, el escudo de armas, arriba del zaguán. La casa es amplia y muy extensa, sobre todo sus grandes recámaras. Su antigua huerta era, después de la del **Convento del Carmen,** la más grande de San Angel, superando los 50 000m². De ella han emanado diversas leyendas, conocidas por los antiguos vecinos del lugar. A mediados del siglo XIX, la habitó el juez don José del Villar y Bocanegra, conocido personaje de la localidad. Alguna vez también se le conoció como **La Casa de los Niños de China.** Durante la invasión norteamericana, de 1847, la ocupó un destacamento militar en su paso hacia la toma de la capital mexicana. Posteriormente fuerzas intervencionistas francesas la tomaron como cuartel en 1863. Actualmente su uso es habitacional, teniendo varios propietarios a lo largo del siglo XX.

Hidalgo 43, San Angel, Delegación Alvaro Obregón.

* CASA BOKER   Pl. 4 Loc. 2-C
Centro Histórico

Ostentoso edificio comercial y de oficinas, muestra excelente de las primeras construcciones de estructura de hierro realizadas en la ciudad, terminada en 1898, bajo la dirección del ingeniero Gonzalo Garita y proyectado por los arquitectos Lemos y Cordes de Nueva York. El edificio fue concluido en dieciseis meses, los cimientos colocados en esta obra fueron los primeros que se hicieron en México con la técnica denominada de Chicago, consistente en formar un emparrillado de viguetas, ahogado en cemento, entre las viguetas de los techos se colaron bovedillas de concreto, armados con alambre. La construcción fue hecha exprofeso para albergar la **compañía ferretera**, del emigrante alemán Robert Boker. La fachada considerada en un estilo tendiente al art nouveau, consta de tres niveles, con dos torreones, tres portadas; 2 laterales y una central dan acceso al bello inmueble, que sufrió un incendio en 1975. Un magnífico cornisón se destaca en el tercer piso soportada por grandes roleos a manera de zapatas que se apoyan en el friso y ménsulas más pequeñas bajo ésta; en la moldura externa se exhiben cabezas de león, rematado por una serie larga de veneras y flores de lis. La portada principal está compuesta por dos grandes columnas de granito, que soportan un balcón limitado por una balaustrada. El último nivel está coronado por un torreón circular, adornado con columnillas con capitel jónico y entre estas hay ventanas con arcos de medio punto, otro torreón de planta cuadrada se ubica en el extremo izquierdo del edificio, sobre 16 de Septiembre. Anteriormente, durante el siglo XIX, estuvo **La Gran Sociedad** establecimiento que constaba de hotel, restaurante y café, que se alojaba en una antigua construcción del siglo XVII. Aquí fue asesinado, el controvertido político Juan de Dios Cañedo, crimen que causó conmoción en la sociedad decimonónica.

Isabel la Católica y 16 de Septiembre, Centro Hitórico. 🚇 Allende y San Juan de Letrán

* CASA CHATA   Pl. 14 Loc. 3-D
Tlalpan

Exquisita muestra de residencia campestre durante la colonia, sus orígenes se remontan al siglo XVIII cuando fue **Casa de Campo de los Inquisidores de Santo Domingo.** Debe su nombre a la esquina cortada en chaflán, donde se halla la bella portada que le dá acceso. Esta se encuentra labrada en piedra de cantera rosa con pilastras y enmarcamiento almohadillado, en la parte superior; dos roleos ascendentes simulan frontón roto, donde se muestra una cruz y un soporte trabajado en relieve, el remate es sinuoso. El portón de madera, que alguna vez perteneció al Colegio de Jesuitas de San Pablo, de la Ciudad de México, es una magnífica obra de ebanistería, tiene el póstigo al centro. Entrando se halla el patio principal, con arquería en uno de sus lados. Hay un segundo patio, con jardineras y bancas de mampostería, decoradas con figuras, que representan a los dueños de la finca, acompañados de sus sirvientes, se destaca una bella fuente construida con piedra roja. En 1932 se le declaró **monumento colonial**. Actualmente alberga un centro de investigaciones históricas y se editan diversas publicaciones. Matamoros e Hidalgo, Tlalpan.

CASA DE ALVARADO   Pl. 12 Loc. 3-D
Coyoacán

Espléndida residencia colonial cuyos orígenes se remontan a principios del siglo XVIII. Hecho que lleva a pensar que el conquistador español Pedro de Alvarado no la habitó, como se hizo creer en algún tiempo. La casa tiene zaguán, un bonito patio con arquería, amplias estancias distribuidas en dos pisos y un bello jardín, que contiene múltiples ejemplares de araucarias, magnolias, glicinias, entre otras. La fachada muestra decorado de argamasa de figuras romboidales, contra un fondo aplanado de color bermellón. De 1977 a 1980, fue sede de la prestigiosa Enciclopedia de México.
Francisco Sosa 383, Barrio de Santa Catarina, Coyoacán. ▥ Viveros

Casa de Alvarado

* CASA DE DON JOSÉ DE LA BORDA   Pl. 4 Loc. 1-B
Centro Histórico

Conjunto de inmuebles que se hallan integrados en una extensa fachada de estilo barroco, donde destaca una **Magnífica balconería de hierro forjado** a lo largo de todo el nivel superior. La gran residencia fue mandada a construir por el minero, magnate español José de la Borda, considerado como uno de los más prósperos y acaudalados burgueses del siglo XVIII, quien mandó, también construir **La Parroquia de Santa Prisca en Taxco.** Él se proponía adquirir toda la manzana, donde estaba su residencia para construir un palacio, emulando a lo hecho por Cortés, dos siglos antes, además su intención era tener un balcón perimetral, que se cumplió en parte, para rodear la manzana, sin salir de su mansión. La fachada conserva una serie de vanos y balcones originales, cuyas jambas se prolongan hasta las cornisas, decoradas con rombos y elipses. La planta baja aloja locales comerciales, hacia el interior hay un pasaje que alberga otros tantos comercios y despachos. A principios del siglo XX, parte del segundo nivel alojó al **Salón Rojo, lugar pionero en la exhibición cinematográfica de México**. En el exterior, en la parte de la esquina, en la tercera planta, se observa una bella hornacina con una escultura de la Virgen de Guadalupe, flanqueada por pilastras con estrías móviles.
Madero y Bolívar, Centro Histórico. ▥ Allende

* CASA DE DON PEDRO ROMERO DE TERREROS   Pl. 4   Loc. 3-C
Centro Histórico

Edificación colonial construida a mediados del siglo XVIII. Fue habitada hacia 1768 por el riquísimo minero y hacendado don Pedro Romero de Terreros, conde de Regla, tambien filántropo fue fundador del **Monte de Piedad**. La residencia fue conocida como la **Casa de Plata**, debido a que el conde almacenaba muchísimas barras de plata, así como gran cantidad de objetos, vajillas, utensilios y ornato trabajados en ese metal. Él era dueño de las minas de Real del Monte, en el estado de Hidalgo. La construcción muestra una fachada de muros revestidos de tezontle, marcos y jambas de cantera, frisos decorados al estilo barroco, sobresale un amplio balcón de tres puertas, con barandal de hierro forjado.
República de El Salvador 59, Centro Histórico. ▥ Isabel la Católica

* CASA DE HERNÁN CORTÉS   Pl. 11 Loc. 3-B
Coyoacán

Una vez destruida la Gran Tenochtitlan, en el proceso de conquista, Coyoacán fue residencia de los castellanos. Mientras se reedificaba México, en este lugar se instaló el **Primer Ayuntamiento de la capital.** Conocida como la **Casa de Hernán Cortés,** no se tiene total certeza de que aquí halla vivido, siendo probable, según otras fuentes, que hubiera sido en la Plaza de la Conchita. Lo que actualmente son oficinas de la **Delegación Coyoacán**, es una reconstrucción hecha entre 1755 y 1757 por Manuel de Finiola. Otras remodelaciones en el siglo XIX, le dieron su aspecto actual. La fachada está compuesta por puertas y ventanas enmarcadas con piedra chiluca, el pretil se presenta en arcos invertidos, rematados con almenas. La entrada principal esta flanqueada por pilastras y friso labrado, en un estilo barroco austero. De acuerdo a algunos cronistas, aquí fue atormentado el último emperador azteca, Cuauhtémoc, a quien los conquistadores españoles le quemaron los pies, para que revelara el sitio donde se escondía el tesoro de Moctezuma. También se asegura, que aquí el propio Hernán Cortés ahorcó con sus propias manos a su esposa española Catalina Juárez, en la Noche de Todos los Santos, del año 1522, en un arranque de enojo por problemas menores. Plaza Hidalgo, Coyoacán.

** CASA DE LA BOLA   Pl. 8 Loc. 4-C
Tacubaya

Casa Museo de extraordinaria riqueza, legado de don Antonio Haghenbeck y de la Lama, su último propietario. La gran mansión, de la época colonial, **contiene un riquísima colección de muebles, tapices, espejos, candiles, relojes, cuadros, vajillas, armaduras, cortinajes e innumerables objetos de arte**, que son expuestos en once salones, todo ello, conservando la posición que su antiguo propietario dispuso se hiciera. Los orígenes de la residencia se remontan al siglo XVI, cuando el predio fue habitado por Juan Juárez, hermano de Catalina, esposa de Hernán Cortés, posteriormente fue ocupado por el Inquisidor Apostólico del Santo Oficio; Francisco Bazán y Albornoz, una sucesión de propietarios le fueron dando forma. La actual construcción data de finales del siglo XVIII, el político José Gómez de la Cortina, Conde de la Cortina, también la adquirió, para que en 1849, la comprara don José María Rincón Gallardo, Marqués de Guadalupe, estuvo en poder de su familia y descendientes, hasta que, en 1942, don Antonio Haghenbeck la comprara en $95,000 en efectivo. Él la convirtió en su lugar de residencia, la restauró, consolidó su estructura y le agregó algunos elementos, como la terraza trasera, a la que le agregó la fachada que trajo de su anterior residencia (en Av. Juárez). Don Antonio se dió a la tarea de hacerse de la gran colección de objetos, en sus largas travesías por el viejo mundo. El visitante quedará asombrado, de la riqueza que guarda el palacete, cuya entrada, es sobria, a través de un zaguán, se llega a un espléndido patio rodeado de columnas, unas escalinatas dan acceso a la planta alta, donde a través de sucesivos salones se va recorriendo este magnífico **Museo de Artes Decorativas y Aplicadas,** para terminar su visita, se recomienda el paseo por su exhuberante jardín, donde se levanta una hermosa fuente de mármol con su grupo escultural de estilo neoclásico. Parque Lira 136 Tacubaya. 🚇 Tacubaya

CASA DE LA MARQUESA DE ULUAPA   Pl. 4 Loc. 2-D
Centro Histórico

Atribuída a la marquesa de Uluapa, la residencia fue edificada en el siglo XVIII por la Archicofradía de la Caridad, quienes la vendieron posteriormente al mayorazgo, que fundaron Hernando de Huila y su esposa Jerónima de Sandoval. La casa ostenta en su portada; una profusa ornamentación trabajada en cantera, a base de elementos geométricos, molduras curvas, roleos y figuras fitomorfas, un curioso mascarón remata el conjunto. En su interior se encuentran **bellos azulejos que muestran figuras de personajes de la vida diaria**: la servidumbre, vendedor de pollos, un jardinero y un negrito sirviente. Para visitar la casa se requiere permiso de los moradores.
Cinco de Febrero 18, Centro Histórico. 🚇 Zócalo

* CASA DE LAS CAMPANAS (PRIMERA IMPRENTA)   Pl. 2 Loc. 3-B
Centro Histórico

Construcción colonial, de sencillo aspecto, presumiblemente del siglo XVII, ha sido muy modificada a lo largo de los siglos, hasta que en 1990, la Universidad Autónoma Metropolitana, la adquirió para instalar un Centro de Educación Contínua, habilitándola para esos fines, dotándola de salas de exhibición y conferencias. Debe su nombre, a que aquí **fundieron las campanas de la Catedral Metropolitana.** Llamada también la **Casa de la Primera Imprenta** ya que se creía, que aquí, se había instalado la prensa pionera en toda América, en 1539, a gestión realizada por el primer virrey Antonio de Mendoza y el obispo fray Juan de Zumárraga. Sin embargo, novedosos datos argumentan que fue realmente en la calle de Relox 6, hoy República de Argentina, donde se le instaló primeramente, operada por el tipógrafo italiano Giovanni Paoli, Juan Pablos como se le conoció posteriormente en la Nueva España. En 1985, universitarios de la UNAM construyeron una réplica de la famosa prensa, hecha de madera de mixtli, y que es expuesta en la planta baja del edificio. Moneda y Lic. Verdad, Centro Histórico. 🚇 Zócalo

** CASA DE LOS AZULEJOS   Pl. 4 Loc. 1-4
Centro Histórico

Espléndida residencia palaciega de estilo barroco exuberante, llamada así por los azulejos que cubren sus fachadas. Algunas versiones conjeturan sobre su aspecto peculiar, en su decoración externa, sustituyendo al tradicional tezontle por los azulejos, lo que representaba una novedad dentro de la arquitectura urbana de su época. La casa perteneció a los Condes del Valle de Orizaba, una de las versiones cuenta que uno de los condes, reprendió a su hijo, acusándole de irresponsable y parrandero, vaticinándole, que él nunca haría una casa de azulejos, como desafío a sus bajas ambiciones, regenerándose después el hijo y asumiendo el reto de su padre, revistió de azulejos todo el inmueble. Otra versión menciona, que la quinta heredera del título vivía en Puebla, enviudó y se trasladó a México, trayendo como parte de sus recuerdos, la influencia de los azulejos en las fachadas de las casas, y mandando revestir su nuevo palacio con semejante ornato. La casa fue construida entre 1690 y 1700 y revestida del azulejo en 1735. En 1905, el inmueble se prolongó en su construcción y fachada, no perdiendo su estilo, hasta la avenida 5 de Mayo, dirigió las obras el arquitecto Guillermo Heredia. El edificio consta de planta baja, entrepiso y planta alta, 2 portadas bellamente decoradas dan acceso al interior donde un gran patio, acondicionado actualmente como restaurante, se halla rodeado por seis elevadas columnas tritóstilas, una hermosa fuente adosada al muro refresca el bullicioso lugar, se observan impresionantes techos de viguería recubiertos de azulejo, una espléndida escalinata de 2 rampas lleva al nivel superior, donde un exquisito barandal de bronce, flanquea un andador perimetral. En el descanso de las escaleras, se halla embellecido por el **Mural Omniciencia,** obra del muralista José Clemente Orozco, plasmado en 1925. El inmueble fue durante el porfiriato el **Jockey Club,** sitio concurrido por la alta sociedad. Desde 1919 opera como Sanborn's.

Madero 4, Centro Histórico. 🚇 Bellas Artes

Casa de los Azulejos

CASA DE LOS CAMILOS
Coyoacán

Pl. 11 Loc. 4-B

Esta construcción es parte de lo que fue una **antigua hacienda** que contaba con un **manantial conocido como los Camilos.** La fachada es sencilla, el acceso a ella es a través de un portal de 4 arcos. Un pretil decorado y ornamentado es rematado con almenas. En el interior se encuentra un bonito patio y andadores con arquerías sobre machones.

Av. Pacífico y Fernández Leal, Barrio La Concepción, Coyoacán.

** CASA DE LOS CONDES DE BUENAVISTA
Colonia Tabacalera

Pl. 7 Loc. 3-D

Bello edificio palaciego, muestra excelente del estilo neoclásico, que a principios del siglo XIX, empezó a tomar mucho auge en nuestro país. Obra atribuída al insigne arquitecto y escultor valenciano Manuel Tolsá, quien lo construyó entre 1799 y 1803, por encargo de Josefa María

Rodríguez de Pinillos Gómez, segunda marquesa de Selva Nevada, para obsequiarla a su hijo, el **Conde de Buenavista,** con lo que se sumaría a una pequeña vivienda construída en el siglo XVIII, en los terrenos propiedad de la familia. Con la construcción del palacio, había el firme propósito de ganar prestigio para el nuevo condado, creado por la marquesa, desafortunadamente el hijo vivió poco, y el condado sólo sobrevivió de nombre, arraigándose a estos rumbos.

La construcción es de dos plantas, la fachada principal presenta un remetimiento semioval, los muros son de cantera, el primer nivel muestra grandes ventanas rectangulares, con paramento almohadillado, el segundo nivel muy elegante, exhibe balcones con balaustradas, separados por pilastras jónicas, rematados por frontones rectos y curvos, el balcón central se halla flanqueado por columnas jónicas pareadas. Una larga cornisa contínua, es rematada por una balaustrada, interrumpida por bases que sustentan macetones y trofeos trabajados en cantera, al interior un magnífico patio, forma un **gran óvalo,** con columnas perimetrales, en los dos niveles, una escalera con doble rampa accede al nivel superior, provista de una loggia circundante al patio. Balaustradas se repiten, para el segundo nivel. El inmueble ha sido ocupado por personajes célebres, como; Los condes Pérez Gálvez, Agustín de Iturbide, Antonio López de Santa Anna, el mariscal Achile Bazaine, entre otros. Instituciones, como la: Tabacalera Mexicana, La Lotería Nacional, La Preparatoria 4 de la UNAM, también la ocuparon, actualmente es el **Museo de San Carlos.**

Puente de Alvarado N° 50, Col. Tabacalera. 🚇 Revolución

** CASA DE LOS CONDES DE HERAS Y SOTO
Centro Histórico

Pl. 5 Loc. 4-C

Uno de los más bellos ejemplares de residencias señoriales de la época virreinal, quizás ningún otro palacio de la ciudad iguale a ésta, en la calidad y exquisitez de

sus relieves de cantería. No se sabe con certeza quién la construyó, hay quienes se la atribuyen a

Lorenzo Rodríguez, el arquitecto del Sagrario Metropolitano, sin embargo es seguro, que la habitara originalmente el rico platero sevillano Adrián Ximénez del Almendral, su primer dueño y quizá su constructor, a mediados del siglo XVIII. Después fue habitada por los **Condes de Heras y Soto** a finales del siglo XVIII y principios del siglo XIX. Este suntuoso inmueble consta de planta baja, entrepiso y planta alta. Su fachada es de estilo barroco exuberante. Sobresale **la portada principal**, con un extraordinario enmarcamiento, labrado en cantera de formas vegetales, cuyas pilastras con capitel corintio, también se hallan ornamentadas, un mascarón y pequeños ángeles se distinguen sobre el dintel de la entrada, inmediatamente arriba se halla un balcón, con un rico barandal de bronce, su pórtico se halla ricamente decorado en su enmarcamiento con hojarasca, las 2 pilastras de ambos lados tienen capitel corintio, un atlante, en la parte central superior, le da el toque de finura al conjunto. Tanto la planta baja como la alta, muestran una serie de ventanas y balcones respectivamente. Los muros son de tezontle, de la azotea se desprenden gárgolas de cantera, que asemejan cañones, apoyados en atlantes infantiles. A lo largo de la parte superior de la fachada, corre una

Casa de los Condes de Heras y Soto

cornisa y el pretil de manera continua. En la esquina de la construcción, en ambos niveles y ambas caras, un fascinante labrado en cantera, a base de abundantes elementos vegetales, sirve de escenario a un altorrelieve de un **niño sosteniendo una cesta con fruta en la cabeza,** teniendo a sus pies la cabeza de un dócil león. En el interior hay 4 patios, dos con arquería y dos sin ella. Esta residencia palaciega está ocupada por el **Consejo del Centro Histórico** y el **Archivo de la Ciudad de México,** que posee documentos desde 1524.

República de Chile, esquina Donceles, Centro Histórico. 🚇 Allende

* **CASA DE LOS CONDES DE LA CORTINA**   Pl. 4 Loc. 2-D
  Centro Histórico

Residencia señorial del siglo XVIII, propiedad de los Condes de la Cortina, título otorgado en 1783, por el rey Carlos III a Servando Gómez de la Cortina. Esta sobria construcción, en estilo barroco, muestra fachada en tres plantas cubierta de tezontle color rojo obscuro, sus puertas se hallan enmarcadas con piedra de cantera labrada. La portada majestuosa, presenta un entablamento de amplio friso decorado con guardamalletas, así como de rombos y rectángulos de cantera. Un arco rebajado en la parte superior de la entrada, exhibe un rico ornato, finamente labrado, de motivos vegetales y una carita infantil, en su centro. El portón muestra sus aldabones y chapetones originales, sobre el cual sobresale, en la planta superior, un balcón de hierro forjado. **Un torreón o mirador en la esquina, corona la edificación.** Múltiples remodelaciones ha sufrido, principalmente cuando se abrió la avenida 20 de noviembre, la fachada oriental fue reconstruida. Los Condes de la Cortina tuvieron su residencia campestre en Tacubaya, en la Casa de la Bola, ya comentada en el apartado correspondiente.

República de Uruguay 94, Centro Histórico. 🚇 Zócalo

* **CASA DE LOS CONDES DE MIRAVALLE**   Pl. 4 Loc. 1-C
  Centro Histórico

Edificio colonial, de sobria fachada barroca, construido a finales del siglo XVII, sus muros se hallan revestidos de tezontle, tanto las puertas como las ventanas están enmarcados con cantera. Sobresale su balcón central, sobre el cual hay un nicho con la escultura de la Virgen de Guadalupe. La construcción consta de dos niveles y entrepiso. Hacia el interior se halla un agradable patio, que aún conserva parte de la arquería original, al fondo una escalera conduce al

nivel superior, en el cubo de ésta, el pintor mexicano Manuel Rodríguez Lozano plasmó un mural: **El Holocausto** en 1945, donde se percibe una atmósfera dominada por la soledad y el desencanto en nueve personajes con rostros ocultos y caras de apariencia apesadumbrada, con los brazos y manos extendidas angustiosamente. A esta composición se agrega la escultura **Las Comadres** de Mardonio Magaña. El dueño original de la casa fué don Alonso Dávalos Bracamontes de Ulibarri y de la Cueva, conde y vizconde de Miravalle, cuya familia estuvo emparentada con el último emperador mexica y cuya actividad fue la explotación de minas en Nueva Galicia, en la época colonial. En 1846 fue sede del Ateneo Mexicano, asociación literaria que congregaba a ilustres personajes de las letras y las artes. Poco después, en 1850, fue acondicionado para albergar al **Hotel del Bazar,** reconocido por su modernidad y estilo europeo, uno de los mejores de aquel entonces, funcionó hasta 1930, cuando fue una vez más, remodelado para alojar despachos y habitaciones, con el nombre de Edificio Jardín, aludiendo a su bello patio ajardinado. Actualmente opera como centro comercial con joyerías, platerías, boutiques y tiendas de artesanías finas.

Isabel la Católica 30, Centro Histórico. 🚇 Allende

** CASA DE LOS CONDES DE SAN MATEO VALPARAISO   Pl. 4 Loc. 2-C
Centro Histórico

Suntuosa residencia palaciega, una de las más famosas del periodo novohispano, amplia y hermosa, arquitectónicamente disfrutable en todos sus detalles, levantada a expensas de don Miguel de Berrio y Zaldívar marqués de Jaral de Berrio y su esposa doña Ana María de la Campa y Cos condesa de San Mateo Valparaíso, quienes encargaron al célebre arquitecto Francisco Antonio Guerrero y Torres, la construcción de tan elegante palacio, iniciándose el 5 de diciembre de 1769 y concluyéndose el 9 de mayo de 1772. El edificio se asentó, en donde estuvieron anteriormente otras residencias, cuyos orígenes se remontan a 1523, habitadas por diversas familias destacadas del virreinato, hasta que en 1683 el próspero minero Dámaso Zaldívar, antepasado del marqués, adquirió el predio, que habitarían sus descendientes hasta mediados del siglo XIX, cuando murió el último conde,  sin dejar sucesión. El edificio consta de 2 niveles, con torreón esquinero, revestida de tezontle y cantera. La portada principal presenta un arco adintelado, con la clave hacia abajo, un escudo nobiliario labrado en cantera de la familia. Un extenso cornisón, sirve como balconería a las ventanas del piso superior. El interior es realmente admirable, una escalera magnífica helicoidal, de 2 rampas, se enredan, sin comunicarse de tal forma, una rampa servía a los señores y otro a la servidumbre, una bella cúpula decorada remata el foso de la escalera. Lo que anteriormente fuera patio principal, exhibe enormes arcos escarzanos de manera atrevida y elegante. La portada interior, que conduce a las escaleras, es igualmente majestuosa. Hacia el año 1884, el antiguo Banco Nacional de México, la adquirió, remodelándola y reconstruyendo sus interiores y equipándola con mobiliario y obras de arte, actualmente es su sede.
Isabel la Católica y Venustiano Carranza, Centro Histórico. 🚇 Zócalo

** CASA DE LOS CONDES DE SANTIAGO CALIMAYA   Pl. 3 Loc. 2-A
Centro Histórico

Magnífico palacio novohispano, de estilo barroco. Construido por el célebre arquitecto Francisco Antonio de Guerrero y Torres, de 1779 a 1781, sobre los cimientos de una antigua construcción del siglo XVI. El encargo fue realizado por Juan Manuel Lorenzo Gutiérrez Altamirano Velasco y Flores, conde de Santiago de Calimaya y descendiente del fundador de este condado, Lic. Juan Gutiérrez Altamirano, primo de Hernán Cortés y exgobernador de Cuba, quien ocupó el primitivo solar en 1531, construyendo su residencia, cuyos cimientos servirían como base del actual palacio. Es probable que la **escultura de cabeza de serpiente** usada en la esquina exterior, corresponda a esos primeros tiempos, naturalmente es prehispánico y fue extraído, como trofeo, del coatepantli del Templo Mayor. La construcción es de 2 plantas, su fachada esta revestida de tezontle y los marcos de puertas y ventanas son de piedra chiluca, una hermosa portada, con columnas pareadas, adosadas, de orden jónico, flanquean el acceso principal que contiene el **portón más bello que haya tenido una residencia colonial,** no hay superficie de esta puerta que no esté adornada profusamente con tallas de magnífica hechura. En la planta alta un balcón con barandal de hierro forjado, antecede a la portada con arco trilobulado, moldurado, bellas columnas pareadas jónicas, soportan un friso, en cuyo centro hay un escudo heráldico. En la parte superior del edificio aparece una serie de gárgolas en forma de cañones, alguna vez también se le conoció como **Palacio de los Cañones.** Al interior hay 2 patios, el principal tiene esbeltos arcos, sobresale en una de sus muros, una fuente conchiforme con una **Sirena de dos colas tañendo una guitarra.** La escalera, soberbia, conduce a la segunda planta, donde destaca, la espléndida **portada de la capilla.** Este maravilloso recinto aloja al **Museo de la Ciudad de México** a partir de 1964.
Pino Suárez 30, esq. Rep. de El Salvador, Centro Histórico. 🚇 Zócalo

CASA DE LOS DELFINES   Pl. 12 Loc. 3-B
San Angel

Construcción colonial del siglo XVIII, fue parte del Rancho de las Palmas, debe su nombre a los delfines labrados en cantera que ornamentan su fachada, otras esculturas en bajorrelieve muestran personajes, que bien pudieran haber sido antiguos propietarios de la residencia. En el interior se conserva una rica colección de armas de diversas partes del mundo. En sus jardines se halla una interesante capilla, cubierta de azulejo de Talavera, en su interior alberga un altar con esculturas estofadas. Por estancias y andadores se pueden apreciar una gran gama de ejemplares de azulejos, mosaicos, losas, tazones y jofainas. Una escalera conduce al piso superior, donde se hallan expuestas las armas, en vitrinas y armarios.
Lazcano 18, San Angel

* CASA DE LOS MASCARONES   Pl. 7 Loc. 2-C
Colonia Santa María La Ribera

Notable y bella construcción novohispana, de un solo piso de estilo barroco churrigueresco, mandada a levantar por don José Vivero Hurtado de Mendoza, entre 1766 y 1771, año en quedó suspendida la obra, por causa de la muerte del acaudalado personaje, que la había concebido como **residencia campestre**. Anteriormente, el solar había sido ocupado por extensas huertas, parte de las cuales se conservaron por mucho tiempo en el interior de la mansión inconclusa. La fachada, bellamente trabajada en cantera, está dividida en siete secciones verticales, separadas por ocho pilastras estípites, ricamente decoradas con motivos vegetales, rematado en atlantes de individuos con trajes, mostrando rostros finamente trabajados, que soportan los capiteles., de estas figuras humanas procede el nombre de la casa, ya que se asemejan a los mascarones de proa que se colocaban en las embarcaciones. Hay seis grandes ventanas enrejadas, apoyadas en peanas muy ornamentadas, culminan en un entablamento, también desbordado en su decoración, unas gárgolas se desprenden de la cornisa, acentuando su estilo barroco exuberante. Los paños están almohadillados, ligeramente moldurados, la entrada presenta un arco mixtilíneo, un zaguán amplio conduce a un patio de medianas proporciones, con corredores, donde se muestran puertas y ventanas con capialzados al estilo del zaguán. Después de la muerte de don José Hurtado, fue residencia veraniega de los condes del Valle de Orizaba, luego estuvo semiabandonado, fueron instalaciones colegiales a finales del siglo XIX, la habitaron padres jesuitas, fue Escuela Nacional de Música, posteriormente Facultad de Filosofía y Letras, hasta 1953, actualmente se desarrollan actividades de extensión universitaria y enseñanza de lenguas extranjeras, entre otras.

Ribera de San Cosme y Calle Naranjo, Col. Santa María. 🚇 San Cosme

* **CASA DE LUIS BARRAGÁN**   Pl. 8 Loc. 3-B
  Tacubaya

Muestra extraordinaria de la arquitectura residencial del medio siglo XX, obra donde se conjugan los aspectos tradicionales y lo moderno, la intimidad y el contacto con la naturaleza, un espléndido jardín, muy exuberante, domina la vista de sus grandes ventanas. **El arquitecto Luis Barragán, un gigante de la arquitectura del siglo XX en México**, manifiesta en ésta, su casa, los conceptos arquitectónicos que posteriormente lo consagrarían en sus demás obras. Implanta lo que él llamó **estilo emocional**, donde se funden sus impresiones e inquietudes de la juventud, dejándose ver la influencia de maestros y amigos, como Chucho Reyes Ferreira, Mathías Goeritz, Ferdinand Bac y Frederick Kiesler. Muros altos con ricas texturas y colores; rosa, blanco y amarillo, pequeñas aberturas que dosifican el paso de luz, le crean al visitante una sensación de misticismo, tranquilidad y relajamiento, unas sencillas escaleras de madera se muestran enigmáticas, conduciendo a una pequeña habitación, dentro de un gran salón. Indudablemente una de las obras maestras, del ganador del **Premio Pritzker** en 1980, equivalente del Nobel, pero en la arquitectura. La casa fue construida en 1947, en los que había proyectado originalmente dos jardines.

(Visita con previa cita, tel. 5515-49-08).
Francisco Ramírez 14, Col. Daniel Garza. 🚇 Constituyentes

* **CASA DE MONEDA**   Pl. 14 Loc. 2-D
  Tlalpan

Edificio colonial de fachada muy vistosa, tiene portadas cuadradas con jambas adosadas con entablamentos y cornisas de cantera, un peculiar pretil rematados con almenas le da aspecto señorial, construida en el siglo XVIII. Durante 1828 a 1830, fue **Casa de Moneda,** ya que Tlalpan fue capital del Estado de México en esa época, de ahí su importancia, en 1865 sirvió como lugar de hospedaje a la emperatriz Carlota, actualmente es escuela. En la esquina de la fachada, aún se puede apreciar una curiosa águila bicéfala en relieve.

Moneda 11, esquina con Juárez, Tlalpan.

CASA DE ORDAZ   Pl. 11 Loc. 4-A
  Coyoacán

Interesante casa del siglo XVIII, con fachada ornamentada a base de argamasa. Se dice que fue habitada por el conquistador Diego de Ordaz, hecho incierto, pues el conquistador vivió en el siglo XVI y la construcción es dos siglos posteriores. La residencia ha sido muy modificada, no hace mucho la habitó un anticuario, quien agregó al patio original unos arriates revestidos con azulejos poblanos. Es de una planta, sus ventanales están enmarcados por jambas, se aprecian gárgolas, como botaguas. En la esquina de la casa destaca una hornacina de estilo barroco estípite con la imágen de la Virgen.

Francisco Sosa y Centenario, Coyoacán.

* **CASA DEL CONDE DE LA TORRE DE COSSIO**   Pl. 4 Loc. 2-D
  Centro Histórico

Residencia señorial novohispana de estilo barroco, su fachada es un buen ejemplo de la arquitectura civil del siglo XVIII. Construida entre 1781 y 1783 por orden de don Juan Manuel González de Cossío, conde de la Torre de Cossío, descendiente del emperador Moctezuma II, Xocoyotzin. Su fachada consta de 3 niveles y un torreón, utilizado como mirador. Las ventanas, se hallan enmarcadas con jambas, trabajadas en cantera, las plantas superiores tienen balcones sobre amplias cornisas. En la planta baja, el acceso se realiza a través de una elegante portada de cantera, con arco trilobulado moldurado, terminados en punta de diamante, la clave está provista de una guardamalleta con 2 bellos mascarones a sus lados, el original portón se halla flanqueado por columnas estriadas, adosadas, de capitel jónico. La fachada está cubierta de tezontle, en su remate se desprenden 8 gárgolas en forma de cañón e inmediatamente arriba, se halla una cresteria de almenas, el torreón es muy singular: tiene en una de sus esquinas un nicho torre y en otra un nicho con almena, diamantada, su remate es con gárgolas y tres almenas diamantadas, el cuerpo esta cubierto con azulejo de Talavera. El interior, ya muy modificado, luce una gran escalera. La casa ocupa una anterior, célebre por que ahí vivió en el siglo XVII, don **Juan Manuel de Solórzano**, personaje que dió lugar a una leyenda que cuenta, que éste estaba invadido por terribles celos hacia su esposa y trataba de indagar quién era el amante de ella y vengarse sanguinariamente, razón por la cual, recomendado por un brujo, incursionaba por la noche en las calles oscuras y preguntaba a cualquier sospechoso, su hora, respondiéndole el desconocido y el celoso varón acometía diciendo; **dichoso eres al saber la hora en que vas a morir,** encajando filoso cuchillo y dando muerte inmediata, a sus numerosas víctimas.

República de Uruguay 90, Centro Histórico. 🚇 Zócalo

CASA DEL CONDE DE REGLA   Pl. 14 Loc. 3-D
Tlalpan

Construcción señorial de una planta, conserva parte de su fachada original, data del siglo XVIII. Fue una de las propiedades del acaudalado minero y fundador del Monte de Piedad, Pedro Romero de Terreros conde de Regla, a parte de sus fortunas, se destacó por ser un bienhechor insigne, contribuyó de manera notable en obras religiosas, dió gruesas limosnas a los colegios, prestó muchísimo dinero al gobierno virreinal. Su residencia veraniega conserva su bello pórtico. Actualmente es ocupado por dependencias gubernamentales.

Congreso y Hermenegildo Galeana, Tlalpan.

* CASA DEL CONDE DE SAN BARTOLOMÉ DE XALA   Pl. 4 Loc. 2-C
Centro Histórico

Edificio colonial de señorial presencia, construida entre 1763 y 1764, por el arquitecto Lorenzo Rodriguez a un encargo de don Antonio Rodríguez de Pedroso y Soria, segundo conde de San Bartolomé de Xala, gran señor del virreinato. De estilo barroco, sobresale una **doble portada,** destacando las pilastras adosadas con capitel en forma de guardamalletas. El primer piso posee balcones con barandal de hierro forjado y ventanas ricamente decoradas, el segundo piso, muestra ventanas con dinteles trabajados con tres medallones, la cornisa es de las llamadas móviles, interrumpidas por gárgolas apoyadas en ménsulas. En el interior destacan una fuente adosada y la escalera con lambrines de azulejos. Los corredores están soportados por arcos escarzanos. Tanto el interior como el exterior ha sido muy modificado, dándose varios usos comerciales a sus habitaciones y accesorias.

Venustiano Carranza 73, Centro Histórico. 🚇 Zócalo

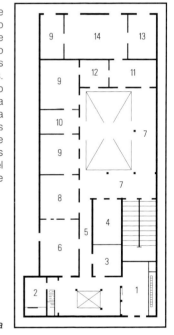

1	cocina	8	sala familiar
2	servidumbre	9	recámara
3	repostería	10	tocador
4	oratorio	11	antesala
5	pasillo	12	gabinete
6	comedor	13	salón del dosel
7	corredor	14	salón del estrado

Planta Alta de la Casa del Conde de Xala

* CASA DEL DIEZMO (ALHONDIGA)   Pl. 2 Loc. 4-D
Centro Histórico

Sobria construcción colonial de un sólo nivel, con enmarcamiento de puertas y ventanas de cantera, una sencilla portada, con portón original, se halla rematada con un pretil moldurado con pequeños roleos, se puede apreciar un escudo pontificio, con la tiara papal, labrada en cantera, con la inscripción de la fecha de construcción del inmueble; 15 de octubre de 1711 y la actividad que se realizaba aquí. **El llamado diezmo, se derivaba de la décima parte de las cosechas, que era cobrada a los agricultores por la iglesia para el sostenimiento de los clérigos y párrocos**, que no pertenecían a alguna orden religiosa, el cobro era en especie, de tal manera que los granos así obtenidos eran almacenados aquí como se lee en la mencionada inscripción sobre la portada. Los granos eran vendidos aquí y también, **se regulaban sus precios para evitar la especulación y carestía**, sobre todo en tiempos de escasez. El funcionario que realizaba la venta y establecía sus precios era llamado **fiel,** le asistía un escribano para dar fe de las ventas y dirimir cualquier dificultad en la comercialización.

Alhóndiga 10, Centro Histórico. 🚇 Zócalo

* CASA DEL LAGO   Pl. 8 Loc. 2-C
Chapultepec

Residencia de estilo ecléctico, construida en 1906, se halla en la orilla poniente del **Lago de Chapultepec.** Su objetivo fue servir como **finca veraniega** para los gobernantes del país, en la época porfiriana. Esbeltos ventanales y amplias terrazas con balaustradas le caracterizan en su fachada oriente. En 1929 pasó a formar parte del patrimonio de la Universidad Nacional Autónoma de México, siendo ocupada por el Instituto de Biología. Hacia 1959 se convirtió en centro difusor de la cultura, cuyo primer director, el escritor Juan José Arreola, la mandó amueblar y decorar con objetos que armonizaran con su arquitectura. El inmueble aloja galerías, salas de proyección, teatro, además salas de exposiciones. Se imparten talleres de teatro, danza, música, pintura, fotografía, entre otras actividades culturales.

Embarcadero y Lago Mayor de Chapultepec, Chapultepec. 🚇 Chapultepec

* **CASA DEL MARQUÉS DE PRADO ALEGRE**   Pl. 4 Loc. 1-C
  Centro Histórico

Gran residencia colonial, de estilo barroco, edificada en 1725, conocida por este nombre, ya que en 1773 don Francisco Marcelo Pablo Fernández marqués de Prado Alegre, la adquirió, comprándola al convento de la Encarnación en 1764. El marqués fue regidor del Ayuntamiento de la Ciudad de México. El edificio está compuesto de planta baja, entresuelo y primer piso, la fachada está revestida de tezontle, sus vanos y balcones están enmarcados en cantera almohadillada, una hermosa portada sobresale por su espléndido labrado en cantera, en la planta baja la puerta tiene dintel liso, enmarcada por pilastras tableradas que soportan una cornisa móvil, encima se aprecia un rico decorado a base de motivos vegetales y roleos, con un pupis al centro. En el nivel superior un gran balcón con barandal de hierro forjado, se antepone a la ventana, flanqueada con pilastras con capitel dórico, tableradas, en los extremos se encuentran ángeles sobre pináculos entre roleos, una cornisa móvil culmina este segundo cuerpo. El remate de toda la fachada es por una crestería de almenas, sobre la portada, se puede distinguir el escudo nobiliario del marqués. En uno de los ángulos, a una altura de 2.5 m., se conserva incrustada una piedra tallada, de orígen prehispánico, cuyo motivo pudiera ser de tipo calendárico, se desconoce la causa que llevó a colocarla ahí. El interior del inmueble ha sido prácticamente transformado, de acuerdo a los usos comerciales que se le ha dado. En 1882 fue la famosa **Droguería de la Palma**, conocida hasta en los más apartados rincones del país, ya en siglo XX se le acondicionó como el **Pasaje Comercial Pimentel**, actualmente opera famoso restaurante de hamburguesas, en uno de sus espacios.

Madero 39, Centro Histórico. 🚇 Allende

CASA DEL MARQUÉS DE VIVANCO   Pl. 14 Loc. 2-C
  Tlalpan

Construcción del siglo XVIII, famosa en el siglo XIX por poseer una de las principales huertas de Tlalpan, notable por su extensión y productos, tenía el árbol de magnolias más grande que existía en el Valle de México, con más de doce metros de altura. La huerta producía: manzanas, perones, ciruelas, chabacanos, limones, entre otros frutos de reconocida calidad. Durante la invasión norteamericana de 1847, fue ocupada y establecida como cuartel provisional, mientras se preparaban para atacar a la Ciudad de México.

Moneda 64, Tlalpan.

* **CASA DEL MARQUÉS DEL APARTADO**   Pl. 2 Loc. 2-B
  Centro Histórico

Monumental edificio palaciego, uno de los mejores ejemplos del **estilo neoclásico** en la ciudad. Obra del talentoso arquitecto y escultor valenciano **Manuel Tolsá**, quien la construyó, entre 1795 y 1805, para el apartador general del oro y la plata, en la Nueva España, don Francisco de Fagoaga y Arózqueta, marqués del Apartado y vizconde de San José. El edificio es de tres plantas, el primero tiene un paramento almohadillado, los dos siguientes pisos están cubiertos de puertas y ventanas, con balcones con balaustres de cantera y unidos por pilastrones con fustes acanalados; cuatro columnas dóricas de grandes dimensiones soportan un gran frontón triangular, con tímpano trabajado con esculturas y ornato, un remate con balaustrada y bases con perillones, le dan un aspecto señorial y elegante. El interior presenta un patio principal y otros secundarios, se observa una amplia escalera con peldaños de mármol y barandal de hierro forjado con motivos florales. Durante diversas obras de remodelación, se han encontrado restos de uno de los templos que formaron parte del recinto ceremonial del **Templo Mayor** de los mexicas, en el sótano se conservan algunos de los interesantes vestigios arqueológicos prehispánicos. En este palacio, se pensó alojar a Fernando VII, en caso de que el monarca decidiera viajar a México, huyendo de la invasión napoleónica a España. El inmueble fue ocupado, a partir de su adquisición, por parte del gobierno en 1900, por la Secretaría de Justicia e Instrucción Pública, sucediéndole diversas dependencias gubernamentales, actualmente aloja oficinas de la Subsecretaría de Cultura y del Consejo Nacional para la Cultura y las Artes. En su planta baja, en la esquina, hay una librería muy surtida.

República de Argentina 14, Centro Histórico. 🚇 Zócalo

CASA DEL MAYORAZGO DE MEDINA   Pl. 2 Loc. 2-A
  Centro Histórico

Sobria residencia señorial novohispana, construida a mediados del siglo XVIII, de estilo barroco, consta de 3 niveles, se encuentra en una esquina, por lo que muestra 2 fachadas, cuyos muros se hallan revestidos de tezontle, sus entrepisos están divididos por cornisas molduradas, en el segundo y tercer nivel, hay balcones con barandales de hierro forjado, flanqueadas por jambas que se prolongan verticalmente hasta la cornisa superior. En la planta baja presenta accesorias, destinadas al comercio. La esquina muestra una doble pilastra, de cantera, para cada nivel. La residencia ha sido tradicionalmente atribuída al mayorazgo de Medina, donde la habitaron don Alonso Picaso y doña Isabel Picaso. En este solar estuvo la casa de Diego Pedraza, primer cirujano que se estableció en la ciudad, en la primera mitad del siglo XVI, en 1525.

República de Cuba 99, esq. con Brasil, Centro Histórico. 🚇 Zócalo

CASA DEL OBISPO MADRID   Pl. 12 Loc. 3-B
San Angel

Construcción colonial, de una sola planta, con amplios zaguanes, originalmente ocupaba toda la manzana. Los orígenes de la finca se remontan a 1631, cuando en terrenos semiabandonados, se construyó la antigua residencia, que hacia 1804 fue adquirida por el canónigo de la Catedral de México, don Andrés Fernández de Madrid, caballero de la real Orden de Carlos III, quien falleciera y dejara a su sobrino don Joaquín Fernández de Madrid, obispo de Tenagra, la actual casa. El obispo fue desterrado por Benito Juárez en 1861. La residencia es admirable, aunque la fachada es sencilla, sobresalen los balcones con capelos que rematan las ventanas. En la parte superior, se hallan en el pretil; arcos suaves invertidos con almenas, una curiosa hornacina con una Virgen tallada en cantera, se encuentra esquinada. Tras un arco se extiende el patio, cerca una escalera muestra un macizo pretil de mampostería, igual al de los corredores. A través de un enrejado se puede observar su bello jardín. Plazuela Juárez 1 y Amargura, San Angel.

CASA DEL OBISPO PALAFOX Y MENDOZA   Pl. 8 Loc. 4-C
Tacubaya

Buen ejemplo de residencia colonial del siglo XVII, ha sufrido diversas remodelaciones para ser adaptada como colegio, a principios del siglo XX. En 1642, fue lugar de residencia del sabio y Santo Varón, arzobispo y virrey don Juan de Palafox y Mendoza, personaje célebre de la Nueva España, quien actuó, también como obispo de Puebla y que tuviera grandes conflictos con la Compañía de Jesús, consagró la Catedral de Puebla, antes de regresar a su natal España.

Esquina de Manuel Dublán y Rufina, Tacubaya. 🚇 Tacubaya

** CASA DEL RISCO O DEL MIRADOR   Pl. 12 Loc. 4-B
San Angel

Ejemplar edificación colonial, convertida en el **Centro Cultural Isidro Fabela y Museo** que **aloja una valiosa colección de pinturas, esculturas, objetos artesanales, muebles y en general artes aplicadas**. Contiene una de las más importantes colecciones particulares de pinturas europeas en México, además aloja una **biblioteca que consta de más de 20,000 volúmenes**, todo ello donado en 1963, por el abogado, escritor, político y diplomático Isidro Fabela, poco antes de morir. La residencia fue construida a principios del siglo XVIII, por encargo de los marqueses de San Miguel de Aguayo. Consta de 2 plantas, su fachada es sobria, mostrando balcones al frente. Se aprecia una hornacina con un santo tallado en cantera, en la segunda planta. Hay un ante jardín que articula la casa con la banqueta, desprovista de una antigua reja. Un amplio zaguán da acceso al patio, donde se puede contemplar la famosa **fuente de risco de fantasía**, un gran cuerpo ornamental a base de; azulejos, porcelanas, jarrones, platos, tazas, tibores, conchas, etc. dan forma a la maravillosa fuente, en una grandiosa profusión de texturas y colores, alzándose a más de 5 m. de altura. El tazón de la fuente es de piedra y esta adornada con figuras de peces y sirenas. Hacia arriba del patio se puede ver, lo que fueron las habitaciones. Durante la invasión norteamericana de 1847, la ocuparon y aprovecharon que hay un **Mirador**, donde podían divisar un amplio panorama de San Angel y Coyoacán. Por esa época la casa era habitada por don Manuel de Agreda y Pascual, segundo conde de Agreda, padre del notable historiador don José María de Agreda y Sánchez. Ya en el siglo XX, fue adquirida por el Lic. Isidro Fabela, quién la habitó hasta poco antes de fallecer, en 1964.

Plaza de San Jacinto, San Angel.

CASA DEL VIRREY DE MENDOZA   Pl. 14 Loc. 2-D
Tlalpan

Residencia colonial, edificada en el siglo XVIII, se conserva fachada y patio original, se desconoce el motivo por el cual lleve este nombre, puesto que el virrey vivió en el siglo XVI y se ignora que tuviera casa campestre en Tlalpan.

Juárez 15, Tlalpan

* CASA TALAVERA   Pl. 3 Loc. 3-C
Centro Histórico

Conjunto de construcciones coloniales, levantados durante el siglo XVIII. Pertenecieron a los marqueses de San Miguel Aguayo. Su extensa fachada se halla cubierta de tezontle en el paramento y de cantera los enmarcamientos de puertas y ventanas, a lo largo del pretil, elementos decorativos como las guardamalletas, le dan su aspecto señorial. El interior presenta un patio, que aún conserva gran parte de sus características originales. En la planta baja, hacia el exterior funcionaban una serie de locales, llamados accesorias, construidas para ser alquiladas como comercios o pequeños obrajes. Uno de los antiguos propietarios, don José Azlor y Virto Vera, marqués de Aguayo (1677-1734), fue un minero acaudalado, hacendado e incluso gobernador novohispano de Coahuila y Tejas.

Talavera 20 y Rep. de El Salvador 161, Centro Histórico. 🚇 Pino Suárez

* CASAS DEL MAYORAZGO DE GUERRERO   Pl. 2 Loc. 3-C
Centro Histórico

Magníficas residencias novohispanas, aparentemente son dos casonas gemelas, una enfrente de la otra, separadas por la calle del Carmen, se distinguen por sus **Torreones esquinados,** lo que permite dar una continuidad y estilo uniforme barroco al conjunto, construídas por el insigne arquitecto Francisco Antonio Guerrero y Torres, en 1780. Originalmente el solar estuvo ocupado por la casa del conquistador Rodrigo Gómez Dávila, hacia 1589 se funda el mayorazgo de Guerrero, por parte de los descendientes del primero, las residencias preexistentes fueron totalmente reconstruidas y modificadas en 1669, para ser el antecedente de lo que actualmente se conserva. La primera de las residencias, al poniente, parece haber sido la principal, ocupada por los nobles señores, la del oriente, se le ha llamado, **del sol y de la luna** porque aparecen labrados estos elementos en cantera en la esquina de la casa. Ambos edificios tienen 2 niveles, cuyas fachadas se hallan recubiertas con tezontle, puertas y ventanas ostentan, enmarcados de cantera, los torreones exhiben bellas hornacinas con la Virgen. En una, está flanqueada por estípites y en la otra por columnas salomónicas, ambas están ricamente ornamentadas. En el interior de la casa poniente, se muestra una pintura mural; **La Música,** que pintó Rufino Tamayo en 1933 en el cubo de la escalera, ya que desde 1912 a 1946, aquí fue sede del Conservatorio Nacional de Música. Actualmente están instalados los departamentos y laboratorios de prehistoria, del Instituto de Antropología e Historia. El edificio poniente, esta ocupado por comerciantes y bodegas, alguna vez una de sus accesorias, de 1852 a 1913, fue taller del ilustre grabador José Guadalupe Posada, célebre por su critica mordaz al sistema político y a la clase dominante del porfiriato, a través de sus caricaturas y graciosas calaveras.

Moneda 14 y 16, Centro Histórico. 🚇 Zócalo

** CASINO ESPAÑOL   Pl. 4 Loc. 1-C
Centro Histórico

Majestuoso edificio de estilo ecléctico, con una hermosa fachada de cantera. Construido a instancias de la colonia española, como su centro de reunión. La obra estuvo a cargo del arquitecto

español Emilio González del Campo, erigiéndose entre 1901 y 1903. En el edificio se conjugan los más diversos estilos; renacentista, plateresco, neoclásico y art nouveau. Consta de planta baja, entrepiso y la planta alta, que se distingue por las esbeltas columnas adosadas al muro, separando ventanas con balcón. Dos torreones con almenas, de estilo románico, rematan los extremos de la fachada. Una magnífica portada, con arco de medio punto moldurado y donde descansan esculturas mitológicas de Mercurio y la diosa de la industria, da acceso al

interior a través de un zaguán, donde destaca una espléndida puerta de madera finamente trabajada. Un amplio patio, ha sido convertido en vestíbulo, cubierto de un gran tragaluz, arquerías con blasones en su parte superior la rodean. Una elegante escalinata de mármol de carrara, con 2 rampas, en cuyo arranque está flanqueada por esculturas en bronce de un godo y un visigodo, llevan a los niveles superiores, donde hay un maravilloso andador perimetral, ostentando bellos decorados en sus muros, uno de los accesos lleva al Salón de los Reyes, lujoso y elegante, ricamente ornamentado, cubierta por un bóveda encasetonada, donde cuelgan 3 impresionantes candiles de cristal cortado, las paredes están adornadas con pinturas con imágenes de la hispanidad. Los decorados los ejecutó; Luis Arpa, español radicado en Puebla y el trabajo de puertas, esculturas y artesonado del **Salón de los Reyes**, fueron obra del gran ebanista y escultor Epitacio Calvo. Aquí ha sido recibido, en algunas visitas, el rey Juan Carlos de España.

Isabel la Católica 27, Centro Histórico.
🚇 Allende

Casino Español

CASONA, LA
Tlalpan

Pl. 14 Loc. 3-D

Mansión colonial, construida en 1784, lugar acogedor, goza de amplios jardines arbolados, aquí estuvo el **primer teléfono de la delegación** y que logró comunicación con la Ciudad de México en 1878. Fue lugar de residencia de don Heriberto Frías, escritor y periodista de la etapa porfirista. Actualmente está ocupado por oficinas administrativas de la delegación.

Congreso y José María Morelos, Tlalpan.

***CASTILLO DE CHAPULTEPEC
Chapultepec

Pl. 8 Loc. 2-D

Castillo de Chapultepec

Sobre el **Cerro del Chapulín,** en una colina de roca andesítica de 45 metros de alto, se llergue el majestuoso **Castillo de Chapultepec,** que en realidad es un palacio, cuyos avatares históricos le han impuesto el nombre con que se le conoce. Predominantemente de estilo neoclásico, sus inicios se remontan a 1784, cuando el virrey Matías de Gálvez, manda construir la residencia campestre al arquitecto Agustín Mascaró, obra que posteriormente le acarrearía dificultades con la autoridad real. El inmueble permaneció semiabandonado por más de medio siglo. Hacia 1841 se instaló el **Colegio Militar** durante la invasión norteamericana, el 13 de septiembre 1847, luego de una defensa heróica, donde cayeron los **Niños Héroes** en defensa de la patria, es tomada por el ejército invasor. Abandonado, semidestruido y saqueado, es reinstalado en 1858 el Colegio Militar. Durante el imperio de Maximiliano, en 1864, se realizaron costosas obras de adaptación y remodelación a cargo de los arquitectos; Francisco Rodríguez Arrangoiti, Lorenzo de la Hidalga y los hermanos Agea, convirtiéndose en **morada oficial del emperador.** Una vez restaurada la república se le hicieron modificaciones, se le arboló, construyeron glorietas y colocaron bancas de piedra. Durante el porfiriato, fue habitado por el dictador, y quien más tiempo vivió allí, hermoseando los interiores del alcazar, mejorando las rampas de acceso y mandando construir un elevador a través de la roca del cerro. Los primeros presidentes posrevolucionarios la habitaron, hasta que un decreto del Gral. Lázaro Cárdenas, dispuso que se instalara aquí el **Museo Nacional de Historia,** que lo ocupó desde el 27 de septiembre de 1944. A parte del museo, es digno de visitar, el bello **Salón de los Vitrales, La Galería de Historia,** conocida como **El Caracol,** que está a un costado del castillo, por la rampa de acceso, también **El Salón de las Malaquitas, La Recámara de la Emperatriz Carlota,** las **Habitaciones Presidenciales,** interesantes pinturas murales de Siqueiros, O'Gorman, Eduardo Solares y Gabriel Flores, decoran sus paredes.

Primera Sección del Bosque de Chapultepec.

Ⓜ Chapultepec

***CATEDRAL METROPOLITANA
Centro Histórico

Pl. 2 Loc. 3-A

El templo cristiano más importante de América, su edificación monumental es un grandioso compendio de los estilos arquitectónicos y artísticos, predominantes durante el virreinato. **Sede del poder eclesiástico en México.** Su predecesora fue una pequeña construcción, armada de piedras provenientes del gran Teocalli prehispánico, destruida pocos años antes, se localizaba en el ángulo suroeste del actual atrio y fue dirigida su obra en 1532 por Martín de Sepúlveda, sirvió hasta 1626, cuando fue demolida, pues se hallaba en construcción la actual gran catedral. Cuya primera piedra se colocó en 1573, trabajándose con todo ahinco, bajo la dirección del arquitecto español Claudio de Arciniega, sin embargo, en los años posteriores la construcción fue lenta, hacia 1667 ya estaba casi terminada en su interior, siendo consagrada. Es hasta 1813 cuando el arquitecto valenciano Manuel Tolsá logra su terminación, agregando la grandiosa cúpula y su esbelta linterna, rematando las fachadas con balaustradas y construyendo el frontón de la portada principal, añadiéndole un gran cubo, coronado con tres esculturas, representativas de las virtudes teologales. Tres son los estilos predominantes en su interior y fachadas; herreriano, barroco y neoclásico, con sus respectivas fases de desarrollo. El interior posee cinco naves: las laterales contienen **Catorce Capillas,** la **Sacristía** y la **Sala Capitular,** las dos siguientes, son naves procesionales y la central, contiene: el **Retablo del Perdón,** el **Coro,** con su **hermosa sillería, 2 órganos monumentales** y **la reja,** el **Altar Mayor de Mármol** y el ábside, con el esplendoroso

y fascinante **Retablo de los Reyes,** obra magistral de Jerónimo de Balbás, ejecutado de 1718 a 1736, en estilo barroco churrigueresco. La portada principal muestra bellísimos relieves que representan; **La Asunción, La Entrega de las Llaves y La Barca de la Iglesia.**
Plaza de la Constitución, El Zócalo, Centro Histórico. 🚇 Zócalo

Catedral Metropolitana

1 Capilla de los Santos Angeles y Arcángeles
2 Capilla de los Santos Cosme y Damián
3 Capilla de San José
4 Capilla de Nuestra Señora de la Soledad
5 Capilla del Santo Cristo Señor del Buen Despacho
6 Capilla de Nuestra Señora de Dolores
7 Capilla de San Felipe de Jesús
8 Sala Capitular
9 Capilla del Beato Bartolomé Gutiérrez
10 Retablo de los Reyes
11 Altar de Nuestra Señora de Zapopan
12 Sacristía
13 Capilla del Santo Cristo de las Reliquias
14 Capilla de San Pedro Apóstol
15 Capilla de Nuestra Señora de la Antigua
16 Capilla de Nuestra Señora de Guadalupe
17 Capilla de la Inmaculada Concepción
18 Capilla de San Isidro
19 Capilla de Ntra. Señora de las Angustias de Granada
20 Altar Mayor
21 Reja del Coro
22 Coro
23 Organo
24 Organo
25 Altar del Señor del Perdón
26 Entradas
27 Atrio
28 Entrada Lateral Poniente
29 Crucero
30 Naves Procesionales

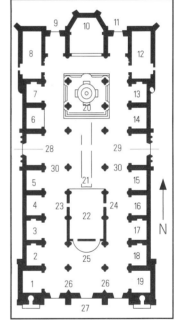

Planta de la Catedral de México

** CATEDRAL DE TEXCOCO   Pl. 20 Loc. 2-D
Texcoco

Admirable construcción religiosa, fue parte del segundo convento construido en la Nueva España, después del de San Francisco, en la Ciudad de México. Fundado en 1524, por los primeros tres evangelizadores; Pedro de Gante, Juan de Tecto y Juan de Aora, llegados con la conquista y antes de los doce franciscanos dirigidos por fray Martín de Valencia. La actual construcción sustituyó, en 1688, a una antigua, a punto de derrumbarse. Es de un estilo barroco sobrio, con planta de cruz latina, con bóvedas de cañón arriba de los cuatro tramos de la única nave, una cúpula octagonal sobre pechinas, cubre el crucero. Su fachada ostenta dos grandes portadas, una al norte y otra al poniente, de excelente factura, trabajados por maestros indígenas. La principal tiene un bello arco de medio punto, con gruesas pilastras almohadilladas, con capitel y base toscanos y entablamento. En el cuerpo superior, pilastras ornamentadas, flanquean un nicho con la figura tallada, de San Antonio de Padua, santo a cuya advocación se levantó el convento y el templo que después sería la catedral. La portada que mira hacia el norte, tiene un arco rebajado, con pilastras (que se utilizaron en la antigua edificación) profusamente ornamentadas, en estilo plateresco con motivos grutescos, su segundo cuerpo exhibe tres nichos y al centro con la de la Virgen. La catedral custodia una impresionante colección de pinturas, más de 100, incluyendo las que se encuentran en las capillas anexas del conjunto conventual. Además se puede observar una arquería, de lo que fuera la **Capilla Abierta** y que acogiera a la inmensa población indígena de la región de Texcoco, sometida a la evangelización. En la **Capilla de la Tercera Orden,** se enseñaron las humanidades por primera vez en América, se halla al costado norte de la catedral.

Fray Pedro de Gante y Nicolás Bravo, Texcoco, Estado de México.

CENTRO COMERCIAL Y CORPORATIVO DE SANTA FE   Pl. 18 Loc. 2-A
Cuajimalpa

El más grande y moderno centro comercial de la zona metropolitana, en él se conjugan la impresionante arquitectura finisecular y la enorme cantidad de comercios y centros corporativos. En las cercanías se encuentran las instalaciones de la prestigiada **Universidad Iberoamericana.** Llama la atención, el **Centro Corporativo Calakmul,** obra del arquitecto Agustín Hernández, un gran cubo de 9 niveles se halla rodeado de cuatro enormes muros con grandes ventanales circulares a sus centros, que expresa la cosmogonía del propio autor, otras sedes corporativas exhiben de igual forma, sus grandes edificios, cuya arquitectura es buena muestra de lo que se construye a principios del nuevo milenio. En lo que fuera un **enorme tiradero de basura,** se ha transformado en los años 90, en esta privilegiada zona comercial, donde abundan las tiendas departamentales, restaurantes, cines y demás sitios de entretenimiento. Han establecido aquí sus oficinas centrales grandes instituciones bancarias, empresas de computación, telefonía, etc.

Av. Vasco de Quiroga 3800, Delegaciones Cuajimalpa y Alvaro Obregón.

CENTRO CULTURAL SAN ANGEL   Pl. 12 Loc. 3-B
San Angel

En una amplia construcción de aspecto colonial con vistoso pórtico y precedida de una escalinata, se encuentra el Centro Cultural San Angel, ahí se imparten cursos de literatura, se realizan presentación de libros, exposiciones y otras actividades culturales, cuenta con un auditorio con capacidad para más de 400 espectadores. El centro es dependiente de la delegación Alvaro Obregón.

Av. Revolución esquina con Francisco I. Madero, San Angel

Centro Cultural San Angel

* CENTRO MERCANTIL (HOTEL DE LA CD. DE MEXICO)   Pl. 2 Loc. 4-A
Centro Histórico

Uno de los edificios que bordean al Zócalo, en la esquina suroeste, su elegancia no se deja ver en el exterior, sino adentro. Una escalinata por la entrada, de 16 de Septiembre, conduce a un amplio vestíbulo, cubierto por un **Maravilloso Plafond** en estilo art nouveau, el hermoso emplomado fue fabricado por Jacques Gruber, de la Escuela Nancy de París, asombra por la riqueza de figuras fitomorfas y los vidrios policromados, que asemeja a un enorme caleidoscopio, tres pequeñas cúpulas, en serie, la magnifican aún más, la luz penetrante se torna ambarina y le da un aspecto exquisito a balcones internos y la jaula de los elevadores. Al parecer el plafond fue instalado en 1908. El edificio fue construido por los ingenieros Gonzalo Garita y Daniel Garza, entre 1895 y 1899, con el procedimiento llamado de Chicago, es decir una subestructura de cimentación con un emparrillado de vigas de hierro ahogado en concreto. El encargo fue realizado por los empresarios José de Teresa y Sebastián Robert, cuyo objetivo era albergar 23 almacenes y 100 despachos, pretensiones que no se cumplieron, pasando después a ser ocupado por el **Centro Mercantil,** cuyas funciones cesaron en 1966. Remodelado y modificado sus espacios interiores, se acondicionó como **hotel.** En la fachada muestra balaustradas sobre una cornisa, y donde se levantan columnas estriadas, hasta rematar en una cornisa superior volada, apreciándose, diversas ornamentaciones, sobresaliendo cabezas de leones, y en el friso aparecen mascarones juveniles, entre el ornato vegetal y guirnaldas. En el último nivel hay una terraza, lugar donde se puede disfrutar de un agradable panorama del Zócalo y sus grandes edificios colindantes.

16 de Septiembre 82 y Plaza de la Constitución, Zócalo Centro Histórico. 🚇 Zócalo

---

* CENTRO NACIONAL DE LAS ARTES   **Pl. 11 Loc. 3-D**
Country Club

Moderno complejo cultural y educativo, donde se congregan el **Conservatorio Nacional de Música, La Escuela Nacional de Pintura, Escultura y Grabado La Esmeralda, La Escuela de Arte Teatral, La Escuela Nacional de Danza Clásica y Contemporánea y el Centro de Capacitación Cinematográfica,** así como los centros de investigación y documentación enfocados a cada una de las disciplinas artísticas. Se cuenta con una **Gran Biblioteca de Artes** y un **Centro Multimedia.** El centro fue inaugurado en noviembre de 1994, y las obras estuvieron dirigidas principalmente por los arquitectos Ricardo Legorreta, Teodoro González de León, Javier Sordo Madaleno, Enrique Norten, Luis Vicente Flores y José de Yturbe. El complejo conjuga en sus **bellas instalaciones,** tanto el aspecto educativo y la enseñanza, así como la difusión de las artes a través de amplios y cómodos escenarios, como el **Teatro de las Artes,** la sala de conciertos **Auditorio Blas Galindo,** plazas al aire libre y salas cinematográficas. Los extensos y amplios pasillos permiten disfrutar de la majestuosidad de los edificios y algunas esculturas de reconocidos artistas plásticos, como: Sebastián, Federico Silva y Angela Gurría pueden apreciarse en patios y jardines, que los rodean. **Una vasta actividad cultural, se desarrolla a lo largo de todo el año,** siendo siempre una atractiva opción para disfrutar del tiempo libre.

Calzada de Tlalpan y Río Churubusco, Col. Country Club. 🚇 General Anaya.

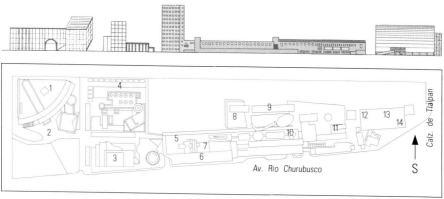

Plano del Centro Nacional de las Artes

1 Conservatorio Nacional de Música
2 Plaza de la Música
3 Teatro de las Artes
4 Escuela de Escultura, Pintura y
   Grabado "La Esmeralda"
5 Aula Magna José Vasconcelos
6 Librería
7 Plaza de las Artes

8 Teatro Raúl Flores Canelo
9 Escuela Nacional de Danza
10 Sala de Lectura
11 Centro de Capacitación Cinematográfica
12 Teatro Salvador Novo
13 Escuela de Arte Teatral
14 Foro Antonio López Mancera

---

* CERRO DE LA ESTRELLA   **Pl. 18 Loc. 3-C**
Iztapalapa

Creado por decreto **Parque Nacional,** el 14 de agosto de 1938, por el entonces presidente Lázaro Cárdenas, cubre una superficie de 1,100 hectáreas, que constituye el cerro de 200 m. de altura, aproximádamente, formado por rocas andesíticas y tezontle. Sitio de especial relevancia en la cultura azteca, pues en él se efectuaba la ceremonia ritual del **Fuego Nuevo,** en la que cada 52 años se celebraba el fin de un siglo. Famosa es la **Semana Santa,** el Vía Crucis, que cubre parte del recorrido, por las laderas del cerro. Un interesante **Museo Arqueológico** se halla dentro del parque, exhibiendo colecciones de piezas prehispánicas. Hace algunos años fueron descubiertos vestigios de un adoratorio, que se remonta a 2,000 años antes de Cristo.

Calz. Ermita Iztapalapa, subiendo por la Calle Estrella. 🚇 Cerro de la Estrella.

CIUDAD DEPORTIVA MAGDALENA MIXIHUCA   **Pl. 18 Loc. 2-C**
Delegación Iztacalco

La Unidad Deportiva más grande de la Zona Metropolitana, en una extensión de aproximádamente 230 hectáreas, se construyó a mediados de los años 50 este enorme complejo deportivo, comprende unas 41 canchas de futbol, 10 diamantes de beisbol, 26 canchas de basquetbol, 19 de volibol, tres de softbol, una para jockey sobre pasto, dos canchas de pelota mixteca, albercas, campos de tiro, pistas de atletismo, etc. Hacia 1960 se construyó el **Autódromo Hermanos Rodríguez,** que fue por muchos años sede del **Gran Premio de México de Fórmula 1,** durante 1968 se inauguraron otros recintos, como parte de los lugares de competencia, dentro de los XIX Juegos Olímpicos organizados en México, así pueden apreciarse; el **Palacio de los Deportes,** grandiosa estructura geodésica, recubierta de láminas de cobre, que reluce aún en la lejanía, el **Velódromo Olímpico,** instalación de planta oval, con un desarrollo elíptico de 333.3 metros, cubierta de tarimas de maderas preciosas, traídas de Camerún, donde se realizan pruebas ciclistas y sitio ideal para imponer récords de distancia contra tiempo, a nivel mundial. Un magnífico gimnasio de moderna concepción arquitectónica, sirve de sitio para competencias y lugar de entrenamiento a atletas de alto rendimiento, se calcula que alrededor de medio millón de deportistas hacen uso regular de éstas instalaciones.

Viaducto Río de la Piedad y Av. Río Churubusco, Magdalena Mixihuca. 🚇 Ciudad Deportiva

***CIUDAD UNIVERSITARIA
Delegación Coyoacán

Pl. 13 Loc. 1-C

Magno conjunto universitario cuya construcción marcó un hito histórico para la cultura, la arquitectura y el urbanismo de México. El enorme complejo de edificios, auditorios, museos, estadios, instalaciones deportivas, plazas, jardines, áreas de conservación ecológica, forman parte del campus de la **Universidad Nacional Autónoma de México.** Una rica gama de posibilidades arquitectónicas se conjugan, para crear un equilibrio sorprendente. A partir del 5 de julio de 1950, se empezó la magna obra de habilitación del terreno pedregoso cubierta de lava, emitida por el volcán Xitle, hace cerca de 2,400 años, y la construcción de más de 30 edificios que albergan las facultades, bibliotecas y oficinas administrativas. El plazo de realización fue muy corto, inaugurándose el 20 de noviembre de 1954, bajo el liderazgo y dirección del proyecto de los arquitectos Mario Pani y Enrique del Moral. En general los edificios se localizan alrededor de un campus central, la unidad

arquitectónica se logra a través de la inspiración común, de los diversos arquitectos e ingenieros, un total de 156, en el **estilo internacional,** tomando los postulados de Le Corbusier. Destacan la gran belleza y plástica de la **Biblioteca Central,** proyectada por Juan O'Gorman, el impresionante **Estadio Olímpico México 68, La Torre de Rectoría, con el mural de David Alfaro Siqueiros: El Pueblo a la Universidad, La Universidad al Pueblo,** el mosaico multicolor de Francisco Eppens, en la fachada del **Edificio de Medicina,** la original arquitectura de las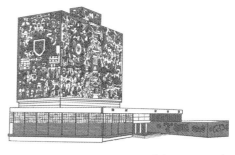
Canchas de Frontón, de Alberto T. Arai, un paseo a través del **Espacio Escultórico,** representa una experiencia única, el **Centro Cultural Universitario** ofrece interesantes opciones al tiempo libre, en sus modernas **Salas de Conciertos, Teatros** y **Cines** y siempre es recomendable visitar el **Museo Universum,** de caracter interactivo.

Insurgentes Sur y Eje 10 Sur. 🚇 Universidad.

* CIUDADELA LA
Centro Histórico

Pl. 1 Loc. 4-A

Gran edificio de estilo neoclásico, construido durante los últimos años del virreinato. Proyectado por el arquitecto José Antonio González Velázquez, primer director de arquitectura de la Academia de San Carlos y construida y culminada por el ingeniero Miguel Constanzó, en 1807. El predio era parte del antiguo barrio indígena, de la Candelaria Atlampa, en la parcialidad de San Juan Moyotla, se le concibió originalmente como **Estanco de Tabaco y Real Fábrica de Puros y Cigarrillos**, sin embargo duró poco la permanencia de la tabaquera, pues el virrey Calleja, considerando su posición estratégica, mandó transformarla en fortaleza, rodeándola de fosos y murallas para alojar los talleres de artillería, llamándose desde ese entonces **La Ciudadela**. Durante la guerra de Independencia, estuvo ocupado militarmente. En 1815, en **una de sus crujías sirvió de cárcel para el general José María Morelos**, antes de ser conducido a San Cristóbal Ecatepec, donde sería fusilado. Innumerables sucesos históricos se han fraguado dentro de sus instalaciones, complots, pronunciamientos, sublevaciones, siendo el más relevante en el siglo XX, la llamada **Decena Trágica,** cuando en 1913, un grupo de sublevados dirigidos por los generales Félix Díaz y Manuel Mondragón se apoderaron, del aquel entonces, Fábrica Nacional de cartuchos, para defenderse y atacar a las fuerzas militares del Presidente Madero, que llevó a la usurpación del poder presidencial, por su principal cabeza Victoriano Huerta, y ejecutando aquí de manera sanguinaria a Gustavo A. Madero y Adolfo Bassó miembros del gobierno maderista. El edificio es de una sola planta, cuya fachada muestra amplios ventanales, separados por pilastras tableradas y frisos ornamentados con triglifos y metopas. La disposición interior está organizada alrededor de cuatro grandes patios, donde actualmente se albergan la **Biblioteca México,** otras áreas son ocupadas por el **Centro de la Imagen**.

Balderas y Plaza Morelos, Centro Histórico. 🚇 Balderas

CLAUSTRO DE SOR JUANA
Centro Histórico   Pl. 4 Loc. 4-C

En un conjunto conventual de principios del siglo XVII se destaca el **enorme claustro**, que por sus dimensiones, se considera que pudiera haber sido el más grande de la ciudad. Este exconvento ha adquirido notoriedad histórica, porque aquí fue monja la poetisa más célebre que hubo en la Nueva España, **Sor Juana Inés de la Cruz**, llamada **La Décima Musa**, quien habitó desde febrero de 1688, hasta su muerte ocurrida el 17 de abril de 1695. El monasterio fue fundado en 1585 por monjas concepcionistas, dedicándolo a **San Jerónimo**, hacia 1623 se realizan las obras de levantamiento del **Templo**, concluído en 1626. Una interesante escultura de San Jerónimo ocupa un nicho en el segundo cuerpo de la portada lateral, considerándose la segunda más antigua escultura en piedra, trabajada en el virreinato. La fachada del templo es muy sobria, siendo una muestra particular del estilo renacentista en su matiz herreriano, la cúpula es una de las primeras construidas en la ciudad. El actual claustro ha sido, a través de los siglos, completamente transformado, por la cual no conserva nada original. Algunos vestigios de antiguas columnas y basamentos de la construcción inicial, se conservan en distintos sitios. Hacia 1863, el convento dejó de funcionar, degradándose a lo largo de los años. Se alojaron aquí un cuartel, una fábrica, hasta un cabaret y varias viviendas, hasta que en 1975, el gobierno tomó posesión de él, acondicionándolo para establecer un gran centro educativo y cultural. Actualmente se halla la **Universidad del Claustro de Sor Juana**, institución de enseñanza y difusión de actividades artísticas y humanísticas. Contando con áreas para exposiciones temporales, periódicamente organiza semanas culturales y festivales. En sus inmediaciones se halla el **Museo de la Indumentaria Mexicana Luis Márquez**.

José María Izazaga e Isabel la Católica, Centro Histórico. 🚇 Isabel la Católica.

** CLAUSTRO DEL EXCONVENTO DE LA MERCED
Centro Histórico   Pl. 3 Loc. 2-C

Considerado **el más bello claustro construido en la Nueva España**, formó parte del antiguo **Convento de la Merced**, nombre que le dió al popular y comercial barrio, donde se asienta. Del gran convento, sólo quedó el claustro y algunos muros del templo, que se observan a espaldas del **exuberante claustro**, construido a instancias de los mercedarios que ocuparon el primitivo solar desde 1602. A mediados del siglo XVII, se levantó el piso bajo y la planta alta se fabricó en una segunda etapa, a partir de 1693 y estrenado en 1703. La arquitectura de este bello monumento colonial, integra el plateresco, el mudéjar y el barroco, que los frailes mercedarios acogieron con afecto en toda la obra conventual, perdurando éste como excelente vestigio de esa modalidad ostentosa. Los 2 pisos que lo constituyen, exhiben diferencias notables, ambos se hallan rodeados por hermosas arcadas sostenidas por columnas dóricas de fuste liso en el piso inferior, y otras, en doble número, pero de capitel compuesto, en el superior, sus fustes están ornamentadas por formas vegetales y lacería de cantera, que se cruzan formando rombos. Lo más interesante de los arcos del segundo nivel, es el intrados (interior del arco) a base de las llamadas puntas de diamante. En ambos pisos: frisos, enjutas y cornisas están profusamente decoradas, con tallados en cantera de formas vegetales y caras de angelitos. Las claves de los arcos inferiores lucen un motivo ornamental particular y distinto a los demás, en general, el labrado de cantería está ejecutado con una alta maestría, por cualquier lado que se le vea. El acceso se realiza a través de un vestíbulo enrejado, donde se puede también apreciar una excelente puerta de madera tallada, del siglo XX, con multitud de especies de la fauna mexicana.

República de Uruguay No. 170, Centro Histórico. 🚇 Zócalo.

* COLEGIO DE LAS VIZCAINAS
Centro Histórico   Pl. 4 Loc. 3-A

Enorme construcción colonial, levantado entre 1734 y 1757, para acoger al **Real Colegio de San Ignacio**, en donde asistían, a partir de 1767, niñas pobres e hijas de viudas españolas, de preferentemente de orígen vasco, (de ahí su popular apelativo) que no tuvieran recursos. Tres ricos caballeros vascos costearon su edificación: **Francisco Echeveste, Manuel de Aldaco** y **Ambrosio Meave**. Cuenta una leyenda que los tres nobles personajes paseaban por lo que fuera un muladar, donde unas niñas jugaban entre la basura, expresando un lenguaje vulgar y soez, cosa que ocasionó la reprimenda de los exaltados personajes, considerando después, que no eran ellas las culpables de esa desgracia cultural, sino la sociedad que había descuidado su educación, por lo que tomaron la decisión de fundar un colegio para su atención. Encargando el proyecto de ejecución a Pedro Bueno Basori, iniciando las obras don José Miguel de Rivera. El descomunal colegio ocupa una manzana completa, consta de 2 niveles, destacando su fachada norte, con muros revestidos de tezontle, donde resaltan una serie de grandes ventanas, enmarcadas en cantera, de forma rectangular, en la planta baja y otra serie de ventanas octagonales abocinadas, con marcos moldurados y acodados, también de cantera en la planta superior. Tres portadas con nichos aparecen ricamente labrados en cantera, donde hay esculturas de San Ignacio de Loyola, San Luis Gonzaga y San Estanislao Kotska, en la portada central, otra acoge la imágen de la Virgen de Aránzazu y otra lateral muestra a Santa Rosa de Lima. El interior tiene 6 grandes patios, andadores y una **bella capilla** que guarda **5 interesantes retablos** del siglo XVIII. El colegio, aún, sigue funcionando. A lo largo del inmueble se construyeron locales, para uso productivo, así se rentaban, habiendo ingresos para la escuela.

Vizcaínas y Aldaco, Centro Histórico. 🚇 Salto del Agua.

Pl. 2 Loc. 2-B

* COLEGIO NACIONAL
Centro Histórico

Edificio colonial, construido a mediados del siglo XVIII como parte del **Convento de la Enseñanza**. Durante los más de 200 años de existencia ha cambiado de función y destino siete veces. Actualmente lo ocupa en parte el **Colegio Nacional**, institución de cultura, creada por decreto presidencial en abril de 1943 e inaugurada sus actividades el 15 de mayo del mismo año su propósito es **impartir enseñanzas** que representen la sabiduría egendrada por los más destacados hombres de ciencia, arte y filosofía de México, fortaleciendo mediante conocimientos especializados la conciencia de la nación. Su lema es **Libertad por el Saber**, representado por un escudo con un águila emprendiendo el vuelo sobre un sol de fuego. Eminencias como Octavio Paz, Carlos Fuentes, Alfonso Reyes, Antonio Caso, Carlos Chávez, Marcos Moshinsky, Marcos Mazari, Manuel Sandoval Vallarta, entre más de 40 hombres de las ciencias y artes, han sido sus miembros. Hacia 1988, las instalaciones del colegio fueron ampliadas, remosadas y reconstruidas, para que en 1994, se inauguraran éstas espléndidas adaptaciones, que se conjugan con la arquitectura original del convento, cuenta con una planta baja con 3 hermosos patios, rodeados de andadores con columnas, primer nivel con amplios salones, la impresionante y funcional **Aula Magna** y un segundo nivel, una rica biblioteca aloja interesantes colecciones como los fondos de Eduardo García Máynez y de Manuel Toussaint. Áreas de cómputo, librerías, sala de juntas y oficinas administrativas, ocupan los demás espacios. Todo el año los miembros del Colegio Nacional ofrecen cursos, seminarios y conferencias abiertas al público. El servicio de biblioteca también es accesible al interesado.

Luis González Obregón 23 y Donceles 104, Centro Histórico. Ⓜ Zócalo.

***CONVENTO AGUSTINO DE ACOLMAN
Pl. 20 Loc. 1-D

Acolman, Estado de México

Notable edificación conventual del siglo XVI, considerada como una **obra maestra de la arquitectura plateresca** en México, la suntuosidad del templo y el convento, le han valido minuciosos estudios tanto nacionales, como extranjeros. Se estima su fundación en 1539, aunque el actual templo se construyó después terminándose en 1571, gran parte del templo y convento. Un inmenso atrio precede al monumento, con pendiente pronunciada hacia él, la iglesia es de planta rectangular y muy esbelta, tiene una monumental bóveda aparejada y con nervaduras góticas que forman un dibujo de estrellas y lunetos. **La fachada, terminada en 1560, exhibe una maravillosa portada plateresca** ostentando un interesante conjunto de columnas nichos, esculturas, frisos, cornisas y arcos bellamente tallados con diversos motivos. En 1580, el convento era habitado por 24 frailes, de los cuales cinco se encargaban de asistir a los indígenas y los restantes se avocaban a estudios teológicos y la meditación. Un **Claustro principal** construido al más puro **estilo renacentista**, conserva hermosas pinturas murales al fresco, con escenas de la pasión de Cristo.

La arquería perimetral de la parte superior del claustro, muestra columnas con capiteles con diseños netamente indígenas. Es notable también el refectorio, con frescos decorativos, la amplia cocina y la portería, donde luce un magnífico relieve con el escudo de la orden agustina. En el exterior, fuera de la área atrial, enfrente de una de las entradas, se puede contemplar una espléndida **Cruz Atrial**, que tiene grabado los símbolos de la pasión de Cristo. En el interior se ha habilitado un **museo**, que exhibe atractivos objetos de arte sacro novohispano, colectados en el convento y sitios vecinos. Durante las festividades navideñas se celebran representaciones de pastorelas, en este escenario.

Calz. de los Agustinos, Acolman de Nezahualcóyotl, Estado de México.

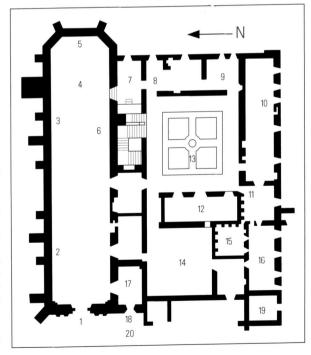

1 Portada Principal Plateresca	8 Antesacristía	15 Bodega de Despensa
2 Retablo Churrigueresco	9 Cocina	16 Cocina
3 Arco Triunfal	10 Refectorio	17 Bautisterio
4 Altar Principal	11 Anterrefectorio	18 Capilla Abierta
5 Abside	12 Sala de Profundis	19 Caballerizas
6 Pulpito	13 Claustro Grande	20 Atrio
7 Sacristía	14 Claustro Chico	

* **CONVENTO DE CAPUCHINAS**   Pl. 16 Loc. 3-C
  La Villa de Guadalupe, Gustavo A. Madero

Forma parte de los recintos religiosos del **Santuario de Guadalupe**. El convento fue empezado a construirse el 3 de octubre de 1782 a petición del arzobispo don Alonso Núñez de Haro y Peralta y Sor María Ana de San Juan Nepomuceno, fervientes guadalupanos, que recurrieron al apoyo y contribuciones de Manuel de la Borda, hijo del rico minero que pagó la construcción de Santa Prisca en Taxco y el conde de Regla, fundador del Monte de Piedad. La obra fue ejecutada por el arquitecto Ignacio Castera, en un estilo neoclásico, conservando la disposición barroca. La iglesia y el convento quedaron concluídos el 13 de octubre de 1787, siendo **la imagen titular la de Santa Coleta**. A él se trasladaron las primeras cinco monjas capuchinas; Sor María Magdalena, Sor María Teresa, Sor María Coleta, Sor María Serapia y Sor María Antonia, ellas vivían de la caridad pública, su finalidad fue dedicarse a la vida contemplativa, a la elaboración de hostias y a la repostería. Hacia 1863, fueron exclaustradas las capuchinas, convirtiéndose el convento, poco después, en hospital y asilo de pobres. En la actualidad, el convento ha sido sometido a una severa recimentación, debido a graves hundimientos y basculamientos de la estructura, lográndose levantarla en 3.5 metros en escasos 2 meses y medio, obras a cargo del ingeniero Manuel González Flores.

Plaza de las Américas, Santuario de la Virgen de Guadalupe. 🚇 La Villa Basílica.

* **CONVENTO DE CULHUACÁN**   Pl. 18 Loc. 3-C
  Culhuacán, Delegación Iztapalapa.

Fundado por los frailes agustinos en 1562, como **Iglesia y Convento de San Matías**, que la empezaron a construir sobre un basamento prehispánico, no hace mucho descubierto en lo que era el atrio del convento. Concluyéndose las obras en 1569. **El convento funcionó como seminario de lenguas indígenas** donde partían los misioneros a evangelizar la región, uno de cuyos maestros fue fray Bernardino de Sahagún, aquí también estudió Fernando de Alva Ixtlixóchitl. Contó con un amplio atrio y cementerio, huerta, manantial, conservándose los restos de un molino de papel de maguey, en un predio anexo. Hacia 1756 se secularizó, siendo su primer cura don José Guzmán. La iglesia primitiva fue demolida en 1892, pues prácticamente estaba en ruinas. El actual **Templo de San Juan Evangelista** fue construido de 1880 a 1897, conservando del templo anterior las columnas platerescas del altar, en el retablo., el púlpito, el nicho del Santo Entierro en madera, del siglo XVI, también el primer libro de bautizos de indígenas de 1588. Lo que fuera el claustro, conserva un pozo cegado y un aro de piedra prehispánico, así como **Pintura mural del siglo XVI**, cada lado del claustro tiene 5 arcos en la planta baja y cuatro ventanas en arco, en la alta. De interés son 2 puertas de madera labrada del siglo XVI, una de ellas presenta relieves tallados acerca de la **Pasión y Muerte de Cristo** y a Juan de Sahagún, mártir agustino. En otras dependencias del exconvento, se exhiben **Pinturas Murales del siglo XVI**, al fresco y otra del siglo XVIII, al temple, destacan; **La Entrada de Jesús a Jerusalén, La Adoración de los Reyes, La Natividad, Un Huerto Monacal, La Nave de los Frailes, Grecas y otras pinturas de estilo renacentista**, trabajados casi exclusivamente por indígenas. Actualmente aquí es sede del **Archivo Fotográfico y Centro de Investigaciones del INAH**.

Av. Tláhuac y Morelos, Culhuacán, Delegación Iztapalapa.

* **CONVENTO DE SAN ANTONIO DE PADUA, TECOMITL**   Pl. 18 Loc. 4-D
  Milpa Alta (Delegación)

De orígen franciscano, construido a base de roca volcánica, inicialmente fue de adobe. Fue adquiriendo su forma actual a finales del siglo XVI. Consta de una fachada sencilla, bien cuidada, conserva restos de su antiguo convento, incluso su claustro. Hay una pequeña portería de cinco arcos, al oeste de la fachada, pudo haber servido en algún tiempo como capilla abierta. Un amplio atrio se encuentra rodeado de una muralla, se puede ver una modesta cruz atrial, aquí se celebran anualmente las fiestas del día de muertos. Al acceder al templo, se puede apreciar una agradable portada, de tres cuerpos, con columnas pareadas de orden clásico, en los dos primeros niveles. En el segundo cuerpo sobresale una ventana octogonal del coro, flanqueada por columnas pareadas de capitel dórico. El interior es sencillo pero acogedor. La parroquia resguarda un **interesante archivo histórico**, conteniendo actas de matrimonio, bautismos, defunciones, decretos, desde principios de la conquista española, hasta la actualidad, sin interrupción.

Av. 5 de Mayo y Miguel Hidalgo, San Antonio Tecomitl, Delegación Milpa Alta.

CONVENTO DE SAN PEDRO ATOCPAN   Pl. 18 Loc. 4-C
Milpa Alta (Delegación)

Antiguo convento franciscano del siglo XVII, un amplio atrio rodeado de una muralla perimetral, de arcos invertidos de mampostería, da acceso a través de una doble entrada al **templo del apóstol San Pedro**, de una sola torre y una sencilla portada de dos cuerpos, el primer nivel consta del acceso con arco de medio punto, flanqueado por columnas pareadas de fabricación muy rústica, el segundo cuerpo, presenta la ventana del coro, enmarcada en cantera y flanqueada de columnas con capitel jónico, también muy rústicas. Remata la portada con un frontón con nicho en su tímpano, el cual está vacío, la fachada en general se halla bordeada en su parte superior por almenas. Al interior hay un bonito ciprés en estilo neoclásico, parcialmente dorado.

Morelos y Cuauhtémoc, San Pedro Atocpan, Milpa Alta.

* **CONVENTO DE TULTITLÁN**   Pl. 19 Loc. 1-B

Tultitlán de Mariano Escobedo, Estado de México.

Convento franciscano edificado entre 1569 y 1586, por el constructor Bernardino de la Fuente, inicialmente consagrado bajo la advocación de San Lorenzo. Fue lugar de visita del cercano Cuautitlán, por lo que había solamente un fraile habitándolo, y asistía a unos tres mil indígenas. Se erigió en parroquia en 1605. Posteriormente el templo se le dedicó a San Antonio de Padua. Tanto el templo como el convento, utilizaron piedras y sillares, que sirvieron a un antiguo teocali prehispánico, por lo que se pueden distinguir algunos grabados mexicas, en fragmentos de la muralla atrial. El templo ya no tiene nada del siglo XVI, adoptando el estilo de arquitectura del siglo XVIII, la bóveda y las portadas se terminaron en 1779. Dos torres macizas y cúbicas destacan de su fachada. Algo muy sobresaliente es el inmenso atrio, bordeado de alta y robusta muralla, profusamente almenada. Da acceso hacia el complejo conventual, un pórtico con tres arcos de medio punto, de los cuales, el central es mayor que los otros dos. Se sustentan sobre columnas románicas de aspecto grueso. La fachada principal del templo presenta en su costado sur una portería de 2 niveles, con 9 arcos de estilo neoclásico, sobre machones. Al interior del convento hay un pequeño patio, limitado por arquerías, luciendo al centro, un pozo con ancho brocal y arco que sostiene un malacate, todo trabajado en buena calidad. También es digno de observar la **cruz atrial** sobre amplio pedestal, cerca de la entrada principal.

Av. San Antonio y Ayuntamiento, Tultitlán, Estado de México.

** **CONVENTO DEL DESIERTO DE LOS LEONES**   Pl. 18 Loc. 3-A

Asentado dentro de la espesura del bosque del **Parque Nacional** homónimo, **El Convento del Santo Desierto de Santa Fe** fue fundado en 1605 por frailes carmelitas, en este sitio, que ellos creían podían dedicarse a la vida contemplativa, alejada del bullicio de la civilización. Construyeron el convento de 1606 a 1611, dirigidos por fray Andrés de San Miguel. Dispersas en la serranía se levantaron, también, nueve ermitas, que iban a ocupar los frailes en las temporadas de cuaresma y advenimiento. El amplio convento, con sus capillas y dependencias, se dispone en torno a una serie de grandes patios y jardines, de escepcional belleza. El clima envolvente del bosque y la sierra, muy hostil, obligó a los carmelitas a emigrar a un lugar más benigno, eligiendo la región de Tenancingo, Estado de México, trasladándose a finales del siglo XVIII y levantando una nueva morada, para sus fines religiosos. Es posible visitar los fríos sótanos que, a parte de servir de cimentación, formaban el sistema hidráulico del convento. Se recomienda conocer la **Capilla de los Secretos**, en cuyo interior se da un fenómeno acústico peculiar: en una de las esquinas se habla en voz baja, escuchándose claramente, en los otros tres rincones de la habitación. Había una gran capilla principal, pero en 1845, se intentó instalar una fábrica de vidrio, destruyéndola en gran parte. Durante la Revolución, tropas zapatistas lo ocuparon, incluso un temible malhechor, Valentín Reyes lo tomó como centro de sus fechorías. En 1917 por decreto presidencial de don Venustiano Carranza, se declaró **Parque Nacional** al **monasterio** y **bosque circundante**, que tiene una extensión de 1 529 hectáreas. Actualmente se halla acondicionado con todo tipo de servicios; restaurantes, mesones y lugares de recreo para el visitante.

Camino y Calzada al Desierto de los Leones. Delegación Cuajimalpa

* **CONVENTO Y TEMPLO DE LA ASUNCIÓN**   Pl. 18 Loc. 4-D

Milpa Alta

Fundado por frailes franciscanos, antes de 1569, como lugar de visita del Convento de San Bernardino Xochimilco, la edificación se realizó entre 1585 y 1630, secularizándose entre 1772 y 1774, se le decretó como **monumento colonial** en 1932. Es el **tipo de convento fortaleza**, donde el templo es macizo y de gran tamaño, con altas paredes apoyado en gruesos contrafuertes, teniendo un botarel de singular diseño. La fachada remata con almenas. Un extenso atrio se halla rodeado de una muralla robusta, se aprecia una **gran cruz atrial**, al lado oriente se levanta el templo con portada sencilla de 2 cuerpos, además con una torre de 2 niveles a la izquierda y un campanario, a la derecha. El interior se halla bellamente decorado, con un vistoso retablo principal, de orden neoclásico. **Es notable la pieza escultórica en relieve**, trabajada en madera, a manera de cuadro, donde se representa la **Asunción de la Virgen**, cuya imágen esta rodeada de ángeles, querubines, encomenderos, e indígenas evangelizados, sobre ella se alzan Dios Padre, Dios Hijo y el Espíritu Santo, sirven de fondo a ésta composición un coro de ángeles ejecutando instrumentos musicales, toda la obra está estofada y policromada. A un costado del templo, se halla un modesto claustro de 2 niveles, limitado por arcadas, una exquisita fuente se localiza hacia el centro, donde se exhibe una escultura de la Virgen de los Remedios, finamente trabajada en cantera, que yace sobre un maguey, el brocal de la fuente también fue labrado en cantera, en estilo barroco, siendo quizás relativamente moderna en su construcción.

Calle México, entre Michoacán y Jalisco, Milpa Alta.

DEPORTIVO CHAPULTEPEC   Pl. 8 Loc. 1-D

Chapultepec

Conjunto deportivo, consta de espléndidas instalaciones para la práctica del basquetbol, volibol, alberca y canchas de tenis, una de ellas, célebre por que ahí jugaron en numerosas ocasiones, tenistas de la talla de: **Pelón Osuna**, Raúl Ramírez, Vicente Zarazúa, en las series de **Copa Davis**. El deportivo se edificó en los años 50 y goza de una amplia fama entre los deportistas capitalinos.

Calz. Gral. Mariano Escobedo y Tolstoi. Ⓜ Chapultepec.

DEPORTIVO GUELATAO
Centro Histórico

Pl. 5 Loc. 1-C

Instalaciones que albergan: gimnasios, canchas de práctica de deportes bajo techo y salones de desarrollo social y cultural. El inmueble es una maciza construcción de forma de paralelepípedo, de estilo funcionalista, edificado en 1975, por el ingeniero Pablo Buendía. En la planta baja, se extiende una amplia explanada en cuyo ángulo sureste, se erige una escultura de Ernesto Paulsen. El conjunto deportivo se halla en el barrio comercial y popular de la Lagunilla.
República de Honduras y Comonfort, Centro Histórico. 🚇Lagunilla

* EDIFICIO DE SEGUROS LA NACIONAL
Centro Histórico

Pl. 6 Loc. 3-D

Primer Rascacielos de la Ciudad de México, muestra interesante de la modernidad que pudo captar, su constructor Manuel Ortiz Monasterio, de los avances técnicos y estilísticos de los Estados Unidos de los años 30. Fue el primer edificio construido totalmente en concreto armado y con cimentación a base de pilas y pilotes de apoyo. Es un buen ejemplo de la síntesis arquitectónica del estilo **art déco**. Empezó a construirse en 1929, finalizando su obra el 27 de septiembre de 1932. Su altura es de 55 metros. La construcción se desplanta con una cerrada regularidad de planos hasta dos tercios de la altura total, a partir de donde inicia una serie de remetimientos y multiplicación de aristas hasta culminar en una torreta, cúspide de una pretendida silueta piramidal con que se remata el edificio. La decoración y acabados internos reflejan el **Déco** del exterior, concentrándose la mejor muestra, en el vestíbulo principal, donde: lambrines, plafones, frentes de elevadores, pasamanos y otros elementos decorativos, exaltan el estilo estético imperante en esa época. La comparación del tamaño y proporciones del edificio en relación con los rascacielos neoyorquinos, sin embargo, creó polémica y a veces sorna entre la población capitalina acostumbrada a ver construcciones bajas y un perfil urbano de iglesias, calificando este paso de la modernidad, como el **Rascacielos Enano**.
Av. Juárez y Eje Central Lázaro Cárdenas, Centro Histórico. 🚇 Bellas Artes.

* EL CABALLITO (ESTATUA ECUESTRE DE CARLOS IV)
Centro Histórico

Pl. 5 Loc. 4-B

Uno de los símbolos de la Ciudad de México, **obra maestra del escultor y arquitecto valenciano Manuel Tolsá**, monumento escultural neoclásico, llena de perfección y hermosura, inspirada en la estatua ecuestre de Luis XIV, de Girardon. La obra fue producto de la adulación hacia el Rey Carlos IV, por parte de uno de los más ineptos virreyes de la Nueva España, Miguel de la Grua Talamanca, marqués de Branciforte, quién la mandó construir en 1796, previo al largo proceso de fundición y esculpido, se inauguró una estatua provisional de madera y yeso dorada., el 9 de diciembre de 1796. Colocándose en la esquina noreste de la Plaza Mayor, hoy Zócalo. Una vez conseguido las 22 toneladas de bronce para la magna estatua, se procedió a fundirlo el 4 de agosto de 1802 en una sola operación, en los hornos construidos en el viejo colegio jesuita de San Gregorio, por el fundidor mexicano especializado en campanas; don Salvador de la Vega. Una vez enfriado, el maestro Tolsa invirtió 14 meses en pulirla y cincelarla. Para el 9 de diciembre de 1803 se procedió a inaugurarla, en medio de gran pompa, enfrente del palacio virreinal. Sus dimenciones son; 4.88 m. de altura, 1.73 m de anchura y 5.04 m. de longitud, pesando 21,114 kilogramos, la escultura repre-

El Caballito

senta al susodicho rey Carlos IV, vestido de César romano, montado a caballo, portando un pergamino y las patas del brioso corcel pisando un carcaj con flechas, simbolizando la derrota indígena. Desde su creación, **El Caballito** ha cabalgado 3 distintos sitios de la ciudad; estuvo en la Antigua Universidad de 1824 a 1852, de 1852 a 1979, en el cruce de la avenida Juárez y Paseo de la Reforma, el 26 de mayo de 1979 fue trasladada a su actual emplazamiento, como homenaje al talento del insigne constructor, se le ubicó enfrente de otra de sus obras, el **Palacio de Minería**.
Plaza Manuel Tolsá, Centro Histórico. 🚇 Bellas Artes.

ERMITA DE SANTA CRUZ
Iztacalco

Pl. 18 Loc. 2-C

Es la **edificación colonial más antigua de Iztacalco**, construida a finales del siglo XVI por frailes franciscanos. En el interior se encuentran dos Cristos hechos de caña de maíz, de magnífica factura. La construcción es sencilla y pequeña, sin embargo resalta por su antigüedad en relación con los alrededores. Sólo accesible al interior en eventos especiales, como el 3 de mayo, día de la Santa Cruz. A pocos pasos de aquí se halla la **Capilla de la Santa Cruz**, bella muestra de la arquitectura popular del siglo XVII.

Rinconada de Aztlán, por Santa Cruz. Barrio La Cruz, Iztacalco.

* ESTADIO AZTECA
Pedregal de Santa Ursula, Delegación Coyoacán

Pl. 18 Loc.3-B

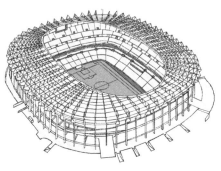

Monumental construcción deportiva, conocida como **La Catedral del Futbol Mexicano**, o en otras ocasiones como el **Coloso de Santa Ursula**. Tiene una capacidad para 115 000 espectadores, con una espléndida cancha de 105 m. de largo, por 68m. de ancho, la zona de público se halla cubierta de un gran volado. Sobresale el fácil acceso a los estacionamientos y a los paraderos de transporte público. El complejo cubre una área de 350 000 m². La magna obra corrió a cargo del arquitecto Pedro Ramírez Vázquez, en colaboración con Rafael Mijares y Luis Martínez del Campo, por encargo de don Emilio Azcárraga y recomendación de Guillermo Cañedo, promotor del futbol mexicano. Su obra de construcción se inició en febrero de 1963, removiendo miles de toneladas de roca volcánica, culminando gran parte, en 1965. El estadio fue inaugurado el domingo 29 de mayo de 1966, con un encuentro internacional entre los equipos Torino de Italia y el América, de México, gol inaugural anotado por Arlindo, jugador brasileño del equipo América. Ha sido escenario de **Dos Copas del Mundo**, sede en los XIX Juegos Olímpicos, Juegos Panamericanos, y centenares de juegos internacionales. Es impresionante el júbilo que se establece cuando juegan el América contra el Guadalajara, el **Clásico del Futbol Mexicano**, o cuando se presenta la selección Mexicana. Es sede permanente de los equipos: América y Necaxa de la Primera División del Futbol Mexicano. Sobre la explanada de acceso al estadio, está erigida la escultura monumental en hierro: **El Sol Rojo**, del artista americano Alexander Calder.

Calz. de Tlalpan y Av. Estadio Azteca, Pedregal de Santa Ursula

Tren Ligero, Estación Estadio Azteca.

* ESTADIO DE LA CIUDAD DE LOS DEPORTES (AZUL)
Ciudad de los Deportes

Pl. 10 Loc. 3-B

El primer gran estadio mexicano en construirse, inaugurado el 6 de octubre de 1946, con un juego de futbol entre los equipos del Colegio Militar y de la UNAM. Tiene una capacidad superior a los 50,000 espectadores. Fue mandado a construir por Neguib Simón, acaudalado hombre de negocios. El terreno que ocupa, eran antiguas ladrilleras donde se extraía la materia prima en abundancia, por lo que había grandes depresiones y oquedades, que se aprovecharon para la obra, de ahí que, la cancha del estadio se halle por abajo del suelo circundante. Por muchos años se llevaron a cabo juegos de futbol americano, de la Liga Mayor e Intermedia, pero principalmente se ha jugado futbol soccer, siendo actualmente sede de los equipos Cruz Azul y Atlante de la Primera División del Futbol Mexicano.

Entre Holbein y Maximino Avila Camacho, Ciudad de los Deportes, Del. Benito Juárez.

** ESTADIO OLÍMPICO MÉXICO 68 DE CIUDAD UNIVERSITARIA
Ciudad Universitaria

Pl. 13 Loc. 1-B

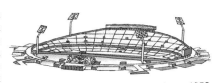

Una de las obras maestras de la arquitectura mexicana y aún de la arquitectura contemporánea mundial. Elogiada por el gran arquitecto americano Frank Lloyd Wright, por la creatividad y la visión arquitectónica de sus constructores, el arquitecto Augusto Pérez Palacios, en colaboración con Raúl Salinas Moro y Jorge Bravo Jiménez. Fue inaugurada en 1952, tiene capacidad para albergar 80 000 espectadores. Se deja notar su presencia al llegar a la **Ciudad Universitaria** por su amplitud y peculiar fachada. Diego Rivera, participante en la decoración escultórica del talud exterior, expresó que el edificio había nacido en el terreno, con la misma lógica con que los conos volcánicos se forman en el paisaje en donde se encuentran. El material utilizado básicamente en su estructura es: roca basáltica, de orígen volcánico, por lo que el artista le denominó **Cráter Arquitectonizado**. Al interior, la disposición de las gradas, en dos niveles separados por un balcón corrido, adquiere suma notoriedad por la sombra en la parte baja, cubierta por el segundo nivel. La visibilidad a la cancha es perfecta desde todos los ángulos, siendo uno de estadios más cómodos y mejor hechos del mundo. **Sede de los XIX Juegos Olímpicos de 1968**, de los Juegos Panamericanos de 1975, de la Universiada, del Campeonato del Mundo de Futbol de 1986 y cancha anfitriona del Club Universidad, equipo de la Primera División del Futbol Mexicano. También se realizan juegos de futbol americano de la Liga Mayor y competencias atléticas nacionales e internacionales. En la fachada que da hacia el oriente, el pintor Diego Rivera ejecutó un **Altorrelieve Policromado**, llamada; **La Universidad, la Familia Mexicana, la Paz y la Juventud Deportista**. La decoración quedó inconclusa por la muerte del artista, pues el proyecto original comprendía toda la fachada del estadio.

Av. Insurgentes Sur, Ciudad Universitaria.

* EX HOSPITAL Y TEMPLO DE SAN JUAN DE DIOS   Pl. 6 Loc. 2-C
Centro Histórico

Magnífico conjunto, de templo y lo que fuera hospital, hoy **Museo Franz Mayer**, constituyen una bella muestra novohispana, de lo que la orden hospitalaria de San Juan pudo construir. Sus orígenes se remontan a 1582, cuando se levantó una capilla dedicada a **Nuestra Señora de los Desamparados**, y un hospital que atendía a población marginada de la Nueva España: como negros, mulatos y mestizos muy pobres, y niños desamparados, esta obra del doctor Pedro López. Hacia 1604, se instala la orden hospitalaria de los juaninos, por licencia real, en este lugar, transformando la capilla y operando el hospital antiguo, bajo la advocación de su fundador, San Juan de Dios. El templo actual fue construido y terminado en 1729 por el arquitecto Miguel Custodio Durán, la construcción donde se aloja el Museo Franz Mayer es también en su mayor parte, del siglo XVIII. Un severo incendio acaecido en 1766, hizo necesaria la reconstrucción y remodelado tanto del interior como del exterior. **La Iglesia de San Juan de Dios**, es una de las más bellas de la ciudad, por tener su peculiar **portada en nicho y abocinada**, presenta dos cuerpos, en ambos nichos con esculturas de santos juaninos la enriquecen aún más. El interior conserva lienzos del pintor academicista Germán Gedovius, plasmando imágenes de la Virgen de Guadalupe, la Santísima Trinidad, de San Benito y Santa Escolástica. El edificio anexo, contiene un bellísimo claustro, restaurado en los años 80, en lo que fuera durante muchos años, el **Hospital de la Mujer** y anteriormente **Hospital Morelos**. En esas antiguas instalaciones, se han reacondicionado salas que albergan, al ya citado **Museo Franz Mayer**, especializado en **Artes Decorativas y Aplicadas**.

Av. Hidalgo 43,45, y 47, Centro Histórico. 🚇 Hidalgo y Bellas Artes.

* EX PALACIO ARZOBISPAL EN TACUBAYA   Pl. 8 4-B
Col. Observatorio

Uno de los edificios más notables de la época virreinal en Tacubaya. Obra mandada a construir por el arzobispo virrey Juan Antonio de Vizarrón y Eguiarreta, en 1740, como **residencia veraniega de los arzobispos**. De 1863 a 1883, estuvo alojado el Colegio Militar, fue residencia veraniega del Gral. Santa Anna y otros presidentes, en el siglo XIX. En lo que fuera el olivar del palacio, se mandó construir un **Observatorio Astronómico** en 1884. Actualmente el edificio se halla muy modificado, en 1958 prácticamente se transformó. Alberga el **Servicio Meteorológico Nacional** y una interesante **Mapoteca de la Comisión Geográfico Exploradora**.

Av. Observatorio esquina Arzobispado, Col. Observatorio, Tacubaya

* EX TEMPLO DE CORPUS CHRISTI   Pl. 6 Loc. 3-C
Centro Histórico

Perteneció al **Convento de Corpus Christi**, fundado en 1720, a instancias del virrey don Baltasar de Zúñiga y Guzmán, duque de Arión y marqués de Valero, terminándose la obra el 16 de junio de 1724, por el arquitecto Pedro de Arrieta. **Fue exclusivamente para doncellas nobles indígenas, hijas de caciques**. Una de ellas fue María Teresa de los Reyes Valeriano y Moctezuma, descendiente de Moctezuma II. Lugar preferido para las procesiones en tiempos virreinales. Por ciento cuarenta años funcionó como monasterio, hasta que los bienes fueron nacionalizados, el convento desmembrado y ocupado para diversos usos. Desde 1952, se instaló el **Museo Nacional de Artes e Industrias Populares**, en lo que quedó del convento, es decir solamente el templo. De un estilo barroco, en cuya fachada principal muestra un gran trabajo de cantera, se aprecia un **medallón en altorrelieve**, que representa una **Custodia con el Santísimo Sacramento**, a los lados también se muestran medallones, enmarcados con una guirnalda simulando copas o floreros. El interior aloja al citado museo. En la fachada poniente se puede observar un pequeño nicho, ocupado por un **busto de Federico García Lorca**, como homenaje al destacado poeta y dramaturgo español.

Av. Juárez 44, Centro Histórico. 🚇 Bellas Artes.

* EX TEMPLO DE SAN DIEGO   Pl. 6 Loc. 2-B
Centro Histórico

Al poniente de la Alameda Central se levanta lo que fuera el **Templo del Convento de San Diego**. El orígen del convento se remonta a 1591, cuando se asentaron los frailes dieguinos, orden franciscana de hábitos muy austeros y descalzos, en solares pertenecientes a don Mateo Mauleón, quien también patrocinó las obras de levantamiento del primitivo monasterio. En el transcurso de su existencia, sufrió numerosas transformaciones. La iglesia, muy sobria en su fachada, fue reedificada en 1778, fecha en la que se agregó la **Capilla de los Dolores**, al lado derecho. A mediados del siglo XIX, la corriente renovadora del neoclasicismo, le empezó a dar su aspecto actual, en la que sólamente se respetaron los elementos de cantera, como; columnas, frontón, remates y el friso, muy austeros. El interior de la iglesia es de una sola nave, con bóveda de cañón corrido con lunetos, cúpula octagonal y pinturas de los evangelistas en las falsas pechinas. En lo que fuera claustro, se aloja bajo techo, parte de una colección de pintura novohispana. En la **Capilla de los Dolores** se encuentra una pintura al fresco del pintor contemporáneo Federico Cantú, representando la evangelización de los indios por parte de los franciscanos y sobre la entrada a la capilla, otro mural con el tema: **Los Ángeles Músicos**, ambos ejecutados en 1954. Al frente del exconvento, sobre la Alameda, estuvo el **Quemadero**, plazuela donde el **Santo Oficio de la Inquisición** ejecutaba a los culpables de delitos contra la fe, esto ocurrió entre 1596 y 1771, suprimiéndole el virrey marqués de Croix, para ampliar el paseo de la Alameda.

Dr. Mora 7, Centro Histórico. 🚇 Hidalgo.

EX TEMPLO DE SAN LÁZARO   Pl. 1 Loc. 3-D
Centro Histórico

Fue parte del conjunto hospitalario de San Lázaro, fundado en 1572 por el altruista doctor don Pedro López, donde se atendía a enfermos contagiosos y a leprosos. Lo que fue templo, se levantó y se inauguró hacia 1728. Se puede apreciar, la espléndida portada de estilo barroco, donde se conservan todavía, columnas con fuste de estrías móviles, frisos finamente labrados en cantera, el segundo cuerpo con un magnífico bajorrelieve aún distinguible y otros elementos de la fachada. El templo se derrumbó en 1881, sin embargo algunos vestigios de él perduran. Lamentablemente la construcción se encuentra dentro de una propiedad privada, por lo que es limitado su acceso., pudiéndose distinguir a unas decenas de metros, sobre la calle o por la ruta elevada del metro de la Línea 4.

Alarcón y Av. Congreso de la Unión, Centro Histórico. 🚇 Candelaria.

EX TEMPLO DE SANTA CLARA   Pl. 5 Loc. 4-B
Centro Histórico

Edificación colonial de medianas proporciones, perteneció al convento de las **monjas franciscanas de Santa Clara**, fundado en 1579 bajo la asistencia del virrey Martín Enríquez de Almanza. La construcción actual data del siglo XVII, después de muchos contratiempos se terminó el 22 de octubre de 1661. Es de un estilo barroco sobrio, que casi raya en lo herreriano. El convento adquirió gran importancia, sobre todo después de un incendio ocurrido en 1755, que obligó a restaurarlo, debido a los severos daños. Con la promulgación de las Leyes de la Reforma y la posterior exclaustración de sus monjas, el monasterio quedó desmembrado. Sirvió de cuartel, es hasta 1936 cuando el Congreso de la Unión, decide ocupar el antiguo templo, para alojar, la actual **Biblioteca del Congreso de la Unión**. La fachada del inmueble tiene tezontle rojo, machones de cantera en los contrafuertes y 2 portadas gemelas, con 2 cuerpos, se pueden apreciar los escudos de la orden religiosa, en los segundos cuerpos. **En la esquina destaca una curiosa capilla, de la Purísima Concepción** con una sobria portada, donde subyace con un nicho que muestra una escultura de la Purísima Concepción. Se aprecia, su cúpula de gajos, con linterna poligonal y rematada en cupulín.

Tacuba y Bolívar, Centro Histórico. 🚇 Allende.

* EX TEMPLO DE SANTA TERESA LA ANTIGUA   Pl. 2 Loc. 3-B
Centro Histórico

Imponente construcción conventual, que muestra magníficos elementos arquitectónicos de los Siglos XVII, XVIII y XIX. Obra en su mayor parte, sobre todo la fachada, de Cristóbal de Medina Vargas Machuca. Los antecedentes de este monasterio de monjas, se remontan a principios del siglo XVII, cuando el arzobispo Juan Pérez de la Serna, durante su travesía en el mar hacia América, sufrió un terrible temporal con sus acompañantes, prometiendo si salía vivo, establecer un monasterio honrando la memoria de Santa Teresa de Avila, a quién había invocado en sus plegarias de salvamento, durante la tempestad. Ya en la capital novohispana, tramitó la fundación y encomendó a 2 monjas, quienes acababan de heredar un solar de don Juan Luis Rivera, para que utilizaran los nuevos bienes y comenzaran la elevación de un convento, que pronto sería ocupado en 1616. Las obras continuaron hasta 1648, en que se concluyó una primera etapa, dedicando el templo a **San José de los Carmelitas Descalzos**. Una segunda etapa de construcción, a expensas del capitán don Esteban de Molina, llevó a la culminación de la magna obra en 1684, en un estilo barroco rico, hubo una segunda dedicación, a **Nuestra Señora de la Antigua**. Por petición del arzobispo Alonso Núñez de Haro, el convento se hizo depositario de una escultura de Jesús crucificado, supuestamente milagroso, traído de un pueblo cercano de Ixmiquilpan. Se le construyó la hermosa **Capilla del Señor de Santa Teresa**, donde colaboraron Manuel Tolsá, Rafael Ximeno y Planes y Antonio González Velázquez, su cúpula fue derribada, durante el sismo de 1845, levantándose una nueva a cargo del arquitecto Lorenzo de la Hidalga, y pintada en su interior por Juan Cordero, obras hermosas, de **Dios Padre** y las **Virtudes Cardinales y Teologales**. Luego de su exclaustración, el convento fue muy modificado. Actualmente es sede de recitales corales del INBA y exposiciones de **Performance**.

Lic. Verdad 8, Centro Histórico. 🚇 Zócalo.

EXCONVENTO DE BETLEMITAS   Pl. 5 Loc. 4-B
Centro Histórico

Comprende un conjunto arquitectónico, que son; el **Museo del Ejército** y parte del convento que da hacia las calles de Tacuba y Bolívar. El convento se fundó en México en 1675, por parte de la orden religiosa betlemita que provenía de Guatemala, se establecieron en este lugar, fundando también un hospital, cuya capilla es la que se ve en la calle de Filomeno Mata, y que fue inaugurada en 1687. El hospital y convento fueron obra de Lorenzo Rodríguez que las concluyó hacia 1754, la institución dejó de existir en 1820, cuando por decreto de las cortes de Cadiz, España, se suprimieron las órdenes hospitalarias. El edificio de Tacuba 17 y 19, tiene un estilo barroco sobrio, aunque muy modificado, su fachada está revestida de tezontle y los enmarcados de puertas y ventanas son de cantera, con ornato sencillo. Al interior subsiste un amplio patio, con columnas y una escalera monumental. El conjunto en su totalidad ha sido sujeto a diversos usos; biblioteca, bodegas, viviendas y museo, transformándose su interior de manera notable respecto a lo original, que según algunos cronistas, era magnifico y contenía riquezas en cuanto a pinturas, retablos y objetos religiosos.

Tacuba 17 y 19, Centro Histórico. 🚇 Bellas Artes y Allende.

** EXCONVENTO DE CHURUBUSCO   Pl. 11 Loc. 3-C
San Diego Churubusco

Conjunto conventual de rica historia, parte de su recinto es ocupado por el **Museo Nacional de las Intervenciones**, y otras áreas son oficinas e instalaciones del Instituto Nacional de Antropología e Historia. Una serie de construcciones han precedido a la actual. Fray Martín de Valencia fundó un primer conventillo, en 1524, para la orden franciscana, aprovechando los materiales de un antiguo teocalli. Hacia 1580 llegan los frailes dieguinos, concediéndoles el convento, quienes lo reedificaron, fundando un noviciado y enseñando la gramática española. Hacia mediados del siglo XVII, gracias a los aportes de una acaudalada familia de apellido Castillo, se levantó el templo y ampliaron otras dependencias, dedicándose el convento a **Nuestra Señora de la Asunción, el 2 de mayo de 1678**. En 1847, durante la invasión norteamericana, el ejército mexicano escogió las instalaciones, como cuartel y repelió el ataque invasor, el 20 de agosto de 1847, vendiendo cara su derrota, el general mexicano Pedro María Anaya fue interrogado por el enemigo acerca de municiones y arsenales existentes ahí, por lo que constestó: **Si hubiera parque, no estarían ustedes aquí.** El bello templo anexo al convento, se accede por un arco de medio punto flanqueado por pilastras almohadilladas que soportan un entablamento muy sencillo, con un frontón triangular rematado con una cruz. La fachada de la iglesia es barroca y posee una **pequeña capilla coronada por una cúpula revestida con azulejos**. En el interior destacan 8 retablos dorados, siendo muy admirable el principal, de estilo barroco anástilo, dedicado a la Asunción de la Virgen, también se muestra algunos retablos barrocos provenientes del antiguo templo de la Piedad. Se pueden visitar un **bonito claustro** y 2 hermosos jardines, en el área del Museo de las Intervenciones.

Calle 20 de Agosto, esquina Gral. Anaya, San Diego Churubusco. 🚇 General Anaya

EXCONVENTO DIEGUINO DE TACUBAYA   Pl. 8 Loc. 4-C
Tacubaya

Antiguo convento de los frailes dieguinos, orden derivada de los franciscanos, aunque más austeros, fueron llamados descalzos. Se establecieron aquí en 1686, fecha por lo que se iniciaron las obras de construcción de su convento e iglesia, con la ayuda del marqués de Villapuente. Originalmente fueron muy amplios, contaba con una extensa huerta en lo que hoy es el Anillo Periférico y parte de las oficinas de la Delegación Miguel Hidalgo. Se conserva solamente la iglesia, no hay oficio religioso, y lo que fuera la capilla de los Dolores, que era riquísima. Los frailes fueron exclaustrados en 1860, quedó semiabandonado, hoy es ocupado por el **Museo Nacional de la Cartografía**. La fachada es de un barroco sobrio, labrada en cantera, su **portada** es lo más atractivo, constando de 2 cuerpos y bello remate.

Anillo Periférico y Av. Observatorio, Tacubaya. 🚇 Tacubaya

* EXPRIORATO DE MONSERRAT   Pl. 4 4-C
Centro Histórico

Construcción colonial del siglo XVIII, es parte de lo que se conservó del antiguo **Convento e Iglesia de Benedictinos**, que habían llegado aquí a principios del siglo XVII, para hacerse cargo de un antiguo hospital y cofradía, anterior a lo actual. Funcionó como un centro de enseñanza agrícola, se avocaron a copiar manuscritos e impartieron educación elemental a niños. Envuelto en reiterados pleitos, el convento fue habitado por no más de seis monjes, hasta que fue suprimido en 1821. Actualmente es sede del **Museo de la Charrería**. La construcción consta de un antiguo claustro, con des niveles, mutilado, rodeado de arcos de medio punto que descansan sobre pilastras tableradas. A la izquierda se encuentra la iglesia, actualmente consagrada a la **Virgen de Monserrat**, construida en estilo barroco sobrio. Ya no hay misas, la fachada es de 2 niveles, la portada es sencilla pero espléndida, con acceso en arco de medio punto, moldurado y enjutas ornamentadas con bajorrelieves de personajes infantiles, está flanqueado por pilastras pareadas con estrías, con nichos que protegen las esculturas de San José y la Virgen, un ornamentado friso, a base de motivos vegetales, que se continúa hacia arriba, subyace una sencilla cornisa móvil. El segundo nivel presenta una ventana octogonal abocinada y moldurada, que descansa sobre una moldura móvil con remates con pináculos en sus extremos, en el remate final hay una cruz de piedra. El conjunto culmina, con una torre con campanil de un cuerpo, sobrepuesto un cupulín.

José María Izazaga 79, Centro Histórico. 🚇 Isabel la Católica

FRONTÓN MÉXICO   Pl. 7 Loc. 3-D
Colonia Tabacalera

Interesante ejemplo de arquitectura **art déco**. El exterior acusa la función interior, un sitio de esparcimiento donde se practica la **Pelota Vasca o Jai Alai**, deporte espectacular, donde la pelota viaja más rápido que en cualquier otro deporte, impulsada por una cesta de mimbre. El interior es un prisma rectangular, a manera de cajón, que conjunta las canchas y las gradas, decoradas al estilo art déco, en adornos y herrajes. La realización del inmueble estuvo a cargo del arquitecto Joaquín Capilla, durante los años 1927 a 1929. **La fachada muestra páneles con bajorrelieves de tinte nacionalista**.

Plaza de la República y Ramos Arizpe, Col. Tabacalera. 🚇 Revolución

* **FUENTE DE LA DIANA CAZADORA**　　　　　　　　　　Pl. 7 Loc. 4-B
  Colonias Juárez y Cuauhtémoc

Una de las más famosas fuentes de la ciudad, sitio de referencia para miles de transeúntes, símbolo que identifica la urbe capitalina, ésta excitante obra se debe al escultor Juan Francisco Olaguíbel y en lo concerniente al pedestal, tazones y brocal es autoría del arquitecto Vicente Mendiola. El escultor trabajó en su creación de abril a septiembre de 1942, teniendo como modelo a Elvia M. de Díaz Serrano. Pesa más de una tonelada y una altura de 3 metros, fue fundida en bronce en seis piezas. Olaguíbel la concibió como una amazona a la que bautizó como; **La Flechadora de la Estrella Norte**. Su inauguración se realizó el 10 de octubre de 1942. La escultura desnuda, causó controversia social, por lo que durante 25 años tuvo que estar provista de unos calzones de bronce improvisados para acallar el escándalo de la mojigatería. En 1967, se le retiró el taparrabo, luciendo como originalmente fue concebida. El pueblo, en general, la llamó la **Diana Cazadora**, por muchos años, persistiendo abrumadoramente este nombre sobre el original.

Paseo de la Reforma y Sevilla, Col. Juárez. 🚇 Sevilla.

Fuente de la Diana Cazadora

* **FUENTE DE LA FUNDACIÓN DE LA CIUDAD DE MÉXICO**　　Pl. 2 Loc. 4-B
  Centro Histórico

Grupo escultórico de bronce, obra de Juan F. Olaguíbel inaugurado por el entonces presidente Gustavo Díaz Ordaz, el 13 de septiembre de 1970. El conjunto está compuesto de tres hombres, una mujer y un niño indígenas, en posición de admiración, que observan a una águila, con alas extendidas, parada sobre una nopalera, devorando una serpiente de cascabel, un zócalo revestido de mosaico azul, le da la apariencia de estar sobre el apacible Lago de Texcoco y subyace a las esculturas. Esta composición hace referencia a los escritos de Fernando de Alvarado Tezozómoc, sobre la **fundación de Tenochtitlan, por los mexicas en 1325**. Enfrente de la fuente hay una leyenda grabada, que da cuenta de este suceso.

Pino Suárez y Plaza de la Constitución, Centro Histórico.　　Zócalo

* **FUENTE DE PETRÓLEOS**　　　　　　　　　　　　　　Plano 8 Loc. 1-A
  Chapultepec

Bello conjunto escultural y de fontanería, rodeada de un hermoso jardín floreado, **conmemorativa de la expropiación petrolera de 1938** obra del escultor Juan Francisco Olaguíbel y del arquitecto Vicente Mendiola. Consta de brocal, dos tazones superpuestos de piedra de recinto y un cuerpo vertical de cantera, que soportan el grupo escultórico de bronce. Hacia el costado oriente están ocho figuras alegóricas, entre ellas una mujer desnuda, con la cabellera al viento, las figuras masculinas corresponden a un grupo de trabajadores del petróleo. Hay inscripciones en la base de las esculturas que dan pormenores y motivos que llevaron a la expropiación de los hidrocarburos. La inauguración de la fuente fue en 1952.

Paseo de la Reforma y Anillo Periférico, Bosque de Chapultepec. 🚇 Auditorio

* **FUENTE DE LAS CIBELES**　　　　　　　　　　　　　Pl. 9 Loc. 1-B
  Colonia Roma

Hermosa réplica de aquella original que está ubicada, en la confluencia del Paseo de la Castellana con la calle de Alcalá, en Madrid, España. La copia fue donada a la Ciudad de México por la comunidad española, residente en México, como símbolo de hermandad entre ambas metrópolis. Su inauguración se realizó el 5 de septiembre de 1980, por el presidente José López Portillo y el alcalde de Madrid, Enrique Tierno Galván. Esta réplica al tamaño original, obra de los artistas españoles Ventura Rodríguez, Francisco Gutiérrez y Roberto Michel entre los años 1777 y 1792, tiene una longitud de 12.5 metros, 4.7 m. de ancho y una altura de 5.5 m., con un peso total

Fuente de las Cibeles

de 12 toneladas, se asienta sobre una plataforma circular de concreto, que contiene el sistema de rebombeo. La escultura representa a la **diosa cibeles** sobre su carruaje, tirado por leones.
Glorieta de la Plaza Madrid, Colonia Roma. 🚇 Insurgentes.

* **FUENTE DEL SALTO DEL AGUA**   Pl. 4 Loc. 4-A
  Centro Histórico

Quizas la **fuente más conocida y hermosa** de la Ciudad de México, es una completa y fiel réplica de la original, ya que ésta se hallaba muy derruida y estaba desmoronándose rápidamente, por las inclemencias del tiempo y el acelerado aumento de la contaminación ambiental. Esta magnífica fuente y caja de agua, almacenaba el fluído proveniente de los manantiales de Chapultepec, a través del acueducto de 904 arcos, que se extendía por las avenidas Arcos de Belén y Chapultepec. Su obra se llevó a cabo en 1779, a instancias del virrey Antonio María de Bucareli y Urzúa, para satisfacer las necesidades del vital líquido, al barrio de San Juan y al sur de la antigua ciudad. La actual obra se debe al escultor Guillermo Ruiz, quien logró hacer una reproducción perfecta de aquella, en 1948 y que también puede ser apreciada en el **Museo Nacional del Virreinato**, en Tepotzotlán, Estado de México. La riqueza escultural le da magnificencia. Su parte frontal está formada por una enorme águila, con las alas desplegadas, que resguarda el escudo de la Ciudad, de cuyos puentes mana el líquido, a los lados banderas, estandartes, cañones y lanzas, así como armas indígenas, se hallan entre las garras del ave, dos columnas entorchadas flanquean el grupo escultural, rematados con dos figuras femeninas a lado de un macetón, que simbolizan el nuevo y viejo mundo. La caída de agua se precipita en un tazón, encima de tres figuras infantiles que montan sobre grandes peces. Dos peces laterales en posición vertical, dejan escurrir, también, chorros de agua, hacia el fondo de un brocal formado por secciones curvas. Diez macetones rematan el resto de la fachada, en donde se pueden leer, en placas epigráficas; testimonios de su valor histórico.
Arcos de Belén y Eje Central Lázaro Cárdenas, Centro Histórico. 🚇 Salto del Agua

* **HEMICICLO A JUÁREZ**   Pl. 6 Loc. 3-C
  Centro Histórico

Es el **Monumento más importante de la Alameda Central**. Obra proyectada por el arquitecto Guillermo de Heredia y ejecutada bajo la dirección del ingeniero Ignacio León de la Barra. El domingo 18 de septiembre de 1910 fue inaugurado durante las fiestas del Centenario de la Independencia, para rendirle homenaje al Benemérito de las Américas. El monumento es de planta semicircular, construido totalmente de mármol blanco de Carrara, en 1620 bloques. Es de un estilo neoclásico, lo componen 10 columnas de capitel dórico, con fuste estriado, que se desplantan un sobre basamento con gradería en tres niveles. Al centro se yergue un macizo pedestal, en cuya base se encuentran dos leones guardianes, cada uno de ellos pesa 7 toneladas, soportan una plataforma, con una águila republicana, se puede apreciar un medallón con la inscripción, en letras doradas: **Al Benemérito Benito Juárez, La Patria,** rodeado de antorchas y un festón dorado. En la parte superior se ubica un conjunto escultórico, obra de Lazzaroni, que muestra la figura del Benemérito, flanqueada por las esculturas alegóricas de la **Gloria** y la **República**, una coloca la corona del laurel en las sienes del patricio y la otra sostiene la antorcha del progreso y apoyándose en la espada de la justicia, apuntalada en la tierra, simbolizando la paz. Los extremos del hemiciclo, se hayan rematados por pebeteros de bronce, simbolizando el fuego eterno. Anteriormente a 1910, en este sitio, estuvo el **Kiosco morisco**, ahora, en la **Alameda de Santa María**, ahí se realizaban los sorteos de la Lotería Nacional, ademas era escenario para la ejecución de conciertos.
Av. Juárez, Alameda Central, Centro Histórico. 🚇 Hidalgo y Bellas Artes

* **HOSPEDERÍA DE SANTO TOMÁS DE VILLANUEVA**   Pl. 6   Loc. 1-B
Centro Histórico

Fue la primera hospedería establecida en el país, por frailes agustinos. Ahí se alojaban aquellos frailes que pasaban por la ciudad camino a las provincias de su orden. El edificio se levantó hacia 1780, en un estilo barroco, dedicándosele a la memoria de fray Tomás de Villanueva, agustino canonizado, quien fue consejero en las cortes españolas de los reyes Carlos V y Felipe II, en el siglo XVI. La construcción es de 2 plantas con un agradable patio floreado. Su fachada, muy transformada, está revestida de tezontle, los marcos de puertas y ventanas son de cantera, con balcones provistos de barandales de hierro forjado. Sobresale una **bella portada churrigueresca**, en donde se halla un nicho con el santo patrono, labrado en cantera. Ricos ornamentos a base de motivos vegetales y roleos lo rodean y se hallan enmarcados por molduras mixtilíneas. Remata la portada un pequeño imafronte, con la cruz en su parte superior. La antigua hospedería aloja actualmente al **Hotel Cortés**, cuyas habitaciones rodean al patio, con vegetación por doquier.
Av. Hidalgo 85, Centro Histórico.   Ⓜ Hidalgo

* **HOSPITAL DE JESÚS NAZARENO**   Pl. 3   Loc. 2-A
Centro Histórico

La más antigua institución hospitalaria de México, fundada por Hernán Cortés con el nombre de **Hospital de la Purísima Concepción de Nuestra Señora**, en 1524. Su nombre actual se debe a que en el siglo XVII, una india rica y piadosa, Petronila Gerónima, donó una **Imágen de Jesús Nazareno** y a la que se le atribuyeron muchos milagros en el hospital, ésta imágen fue trasladada, el 3 de marzo de 1663, a la iglesia anexa de **Jesús Nazareno**. Después de más de 4 siglos, sigue cumpliendo las mismas funciones para las que fue creado, actualmente modernizado y puesto al día con los más notables avances de la ciencia y la tecnología médica. Una primitiva construcción se alzó, bajo la dirección de Pedro Vázquez, concluyéndose en 1535. Dos patios, del siglo XVI, se conservan rodeados por arquerías. En el andador de la planta alta, se pueden apreciar un **largo friso de grutescos**, en el que se alternan y repiten símbolos de la Pasión. Llama la atención un **espléndido artesonado** en lo que fuera sacristía del templo anexo, hoy oficinas de la dirección del hospital, uno de los más bellos de todo el país, trabajado fínamente por Nicolás de Yllescas, en el siglo XVI. Los edificios colindantes, que son también instalaciones del hospital, son obra del arquitecto José Villagrán García, de 1941 a 1944, en un estilo funcionalista y en la que el autor supo respetar y conservar los dos patios originales.
Veinte de Noviembre No. 82, Centro Histórico.   Ⓜ Zócalo

* **IGLESIA DE CHALCO**   Pl. 20   Loc. 4-D
Chalco, Estado de México

Ejemplar arquitectura, uno de los más valiosos del siglo XVIII, en el Estado de México. Destaca por **bella fachada de estilo barroco**, con influencia poblana, un **exquisito relieve del apóstol Santiago** sobresale en la parte superior de la portada. Aquí se venera a un Santo Cristo, conocido como **El Señor de Chalco**. El templo fue parte de un convento franciscano, fundado en 1532 y terminado de construir en 1585, sólo se conserva de está primitiva edificación, parte del claustro, que esta reconstruido, una parte de la portería y el atrio de la iglesia. La construcción principal consta de tres naves con pilares del siglo XVII, techo con bóveda, cúpula, torre y fachada barroca de los siglos XVII y XVIII. El primer cuerpo de la portada es de 1650, de un barroco sobrio y el resto se terminó hacia 1780, en estilo barroco rico.
Av. Vicente Guerrero y Reforma, Chalco, Estado de México.

IGLESIA DE LA MERCED DE LAS HUERTAS   Pl. 7   Loc. 1-A
Santo Tomás

Edificación colonial del que fuera **Convento de Nuestra Señora de la Concepción**, de religiosos mercedarios, conocido comunmente por **Merced de las Huertas**. El templo es de pequeñas proporciones, en su fachada sobresale la portada, con arco de medio punto, flanqueado por estípites que están rematadas con esculturas de santos, enmarcadas. Destaca en la parte superior un **relieve de la Purísima Concepción**. En el interior se conserva un interesante retablo de estilo barroco dedicado a la Virgen de Guadalupe. El predio fue en sus principios, 1607, casa de campo y huerta que los mercedarios compraron para recreo. Hacia 1620, se decidió levantar una casa y convento en forma, años más tarde en 1668, fray Francisco Ayrolo ordenó levantar la iglesia, ya muy similar a la que actualmente se aprecia, concluyéndose las obras en 1680. En 1737 se destinó esta construcción conventual, a la recolección de bienes, para los religiosos que voluntariamente quisieran entrar. Durante las Leyes de Reforma dejó de funcionar dicho convento, perdurando solamente su iglesia.
Calz. México Tacuba 305, Santo Tomás.   Ⓜ Popotla.

IGLESIA DE LA PRECIOSA SANGRE DE CRISTO   Pl. 19   Loc. 2-C
Cuautepec, Gustavo A. Madero

Bella iglesia dedicada a la **Preciosa Sangre de Cristo**, consta de una nave sencilla, con bóveda de cañón, torre de 2 cuerpos y cúpula octagonal, con gajos, linterna y cupulín. La portada es de 2 cuerpos, con dobles columnas salomónicas pareadas en ambos cuerpos. Presenta 5 nichos rematados en concha, sin esculturas. El arco de la entrada es mixtilíneo y amoldurado, sobreyaciendo se halla una ventana, con enmarcamiento muy ornamentado, el paramento del segundo cuerpo exhibe curiosos motivos vegetales, flores y uvas. El interior muestra 2 majestuosos retablos dorados, uno de estilo barroco estípite; con nichos ocupados por esculturas talladas, policromadas y estofadas. Y otro de estilo barroco salomónico con pinturas de la Santísima Virgen, del artista novohispano Sebastián de Pante. Un retablo central, es de estilo neoclásico, muestra a la Virgen de Guadalupe, en la parte superior y a Cristo, en el primer cuerpo. La construcción de la parroquia finalizó el 23 de febrero de 1767.

Cjón. Ricardo Palmerín, Cuautepec El Alto, Delegación Gustavo A. Madero.

* IGLESIA DE LA SAGRADA FAMILIA   Pl. 9 Loc. 1-B
Colonia Roma

Bella muestra de la arquitectura ecléctica religiosa de principios del siglo XX, de reminiscencias neogóticas, **símbolo de la colonia Roma** obra del arquitecto Manuel Gorozpe y del ingeniero Miguel Rebolledo. Cuya construcción se inicio en 1910, en un predio donado para tal fín, por don Pedro Lascuráin y Edward W. Orrin. Las obras se concluyeron bajo la dirección del padre Gonzalo Carrasco y la bendición de la torre y el reloj se llevó a cabo el 1o. de noviembre de 1925. Su fachada conjuga con sobriedad elementos góticos y románicos, destacando su bella portada principal y su gran torre, rematada con un pináculo metálico, no dejando de asombrar su cúpula metálica de ocho gajos, con vistosa linternilla. El interior es deslumbrante por la **rica vitralería policromada**, a base de diseños florales y vegetales, fabricados en México por la compañía italiana Talleri. En el ábside del templo se hallan pintados murales, que representan a la **Sagrada Familia**, obra del pintor y padre Gonzalo Carrasco. En una capilla adjunta se localiza, una dedicada a la Inmaculada Concepción, edificada en 1940, que también muestra maravillosos vitrales. Otra capilla, la bautismal aloja los restos del padre Miguel Agustín Pro Juárez, destacado miembro de la Compañía de Jesús, sacrificado por las autoridades gubernamentales, en 1927, por una supuesta autoría intelectual en un atentado terrorista, en contra del general Alvaro Obregón. Durante la Semana Santa, la iglesia es centro de gran atracción, pues allí se realizan las ceremonias y celebraciones relativas al Vía Crucis.

Orizaba 27 y Puebla, Colonia Roma. 🚇 Insurgentes

* IGLESIA DE LA SAGRADA FAMILIA (LOS JOSEFINOS)   Pl. 7 Loc. 2-C
Colonia Santa María

Hermosa construcción religiosa en un estilo ecléctico, inspirada en **formas bizantinas**, que la hacen muy peculiar en la arquitectura de la ciudad. Construida por iniciativa del padre José María Vilaseca, quien colocó la primera piedra para su construcción el 23 de julio de 1899. El proyecto y obras estuvieron a cargo del ingeniero José Torres. La fachada está profusamente cubierta de puertas y ventanas, cupulines y su bella cúpula central le dan una majestuosidad extraordinaria, sobresale **una portada nicho que exhibe un exquisito rosetón**. Al interior la **riqueza de vitrales, fabricados en Francia**, es maravillosa, destacan también grandes pinturas, ejecutadas por el pintor Pedro Cruz, en 1964. La iglesia fue terminada en 1906. Cuando se pasea por la Colonia Santa María, se recomienda ampliamente visitarla.

Av. Santa María La Ribera, Col. Santa María. 🚇 San Cosme

IGLESIA DE SAN GABRIEL   Pl. 17 Loc. 4-C
Tacuba

Gran edificación levantada en sus inicios, en el siglo XVI, bajo la advocación de San Gabriel, era un pequeño templo, erigido por Antonio Cortés Chimalpopoca, nieto de Hernán Cortés, durante varios siglos fue creciendo y transformándose hasta lo que puede contemplarse actualmente. La más importante obra se realizó en 1733, que le dá el aspecto mas visible. En 1871, se construyó la cúpula principal y se desalojaron sus retablos barrocos, siendo sustituídos por aquellos de estilo neoclásico. Uno de esos antiguos retablos puede apreciarse en el **Templo de San Cosme**, en la colonia San Rafael, es verdaderamente espléndido, solo quedan aquí los retablos de San Joaquín y Santa Ana. Durante los sismos de 1985, el templo fue afectado severamente, sobre todo la torre, por lo que, permanece parcialmente inaccesible en varias áreas.

Calzada México Tacuba y Av. Marina Nacional, Tacuba. 🚇 Tacuba

** IGLESIA DE SAN BERNARDINO Y EXCONVENTO   Pl. 15 Loc. 3-C
Xochimilco

Monumental conjunto conventual, de una riqueza arquitectónica, escultórica y pictórica, digna de admirarse. Conserva **el más bello retablo plateresco de México**, ancestro de todos los altares y retablos barrocos mexicanos. El conjunto consta de iglesia, portería, claustro y un enorme atrio de cerca de quince mil metros cuadrados. Sus orígenes se remontan a 1535, cuando se fundó un establecimiento permanente en este lugar, hacia 1538 ya existía una aldea con un primitivo convento y una primera iglesia. Una construcción ya similar al actual se erigió, bajo la dirección de fray Francisco de Soto, antes de 1546. Tranformaciones posteriores llevaron a su culminación en 1590, aunque la techumbre era alfarje, el templo es de una sola nave, cuyo peso es recibido por siete contrafuertes, destaca un airoso botarel al costado sur. El claustro se terminó en 1604, es de 2 niveles con arquería apoyada en columnas toscanas. La fachada de la iglesia es con aplanado,

rematada con almenas, sólamente al centro, destaca el campanil y un reloj. Las portadas, tanto la principal como la lateral son de estilo plateresco y trabajadas, muy probablemente por manos indígenas, exhiben un exquisito ornato. El interior conserva varios retablos, el principal es de estilo renacentista, en su modalidad plateresca, con hermosas esculturas talladas en madera, policromadas y estofadas, obras en su mayor parte de Luis Arciniegas. En la predela se muestran 14 medallones con bustos de apóstoles y evangelistas. Pinturas de gran factura, decoran también las calles del retablo, atribuídas a Baltazar de Echave Orio, Juan de Arrué y a Simón Pereyns. Los doradores fueron Andrés de la Concha y Francisco de Zumaya. Realzan al retablo, los dos tramos de sillería que se hallan a los lados del presbiterio.

Miguel Hidalgo y Nuevo León, Xochimilco, Tren ligero Embarcadero

IGLESIA DE SAN MIGUEL TOCUILA   Pl. 20 Loc. 2-D
Texcoco, Estado de México

Construcción que data del segundo cuarto del siglo XVIII, de un estilo barroco, del llamado texcocano, destaca la rica ornamentación a base de motivos vegetales, principalmente la torre del campanario, en donde las columnas del primer cuerpo, exhiben en sus fustes el labrado sobre la argamasa. La profusión de elementos decorativos, la hacen excepcional. Durante el siglo XVIII, el templo fue lugar de visita de los monjes del Convento de Texcoco, de donde era dependiente y estaba sujeta a sus reglas franciscanas.

Emiliano Zapata y Lázaro Cárdenas, San Miguel Tocuila, Texcoco. Edo. de México.

IGLESIA DE SAN PABLO OZTOTEPEC   Pl. 18 Loc. 4-C
San Pablo Oztotepec, Delegación Milpa Alta.

El orígen del templo es del siglo XVI, consta de una interesante portada decorada con relieves en cantera. Destaca su torre campanario y la cúpula sin linternilla. La fachada es predominantemente de un estilo barroco sobrio, mas bien sencillo, ya que gran parte de la obra conservada, pertenece a finales del siglo XVII. Se pueden distinguir algunos jeroglíficos que enmarcan una de las ventanas. Cerca de aquí se puede visitar, también, la interesante **Capilla del Señor de Chalmita**.

Av. Morelos y Emiliano Zapata, San Pablo Oztotepec, Delegación Milpa Alta.

IGLESIA DE SANTA CRUZ TECAMAC   Pl. 19 Loc. 1-D
Tecamac, Edo. de México

Imponente conjunto arquitectónico, que fuera parte de un convento agustino, fundado en el siglo XVI. La iglesia es de proporciones colosales, construida en el siglo XVII, se accede a través de 3 interesantes arcadas, profusamente decoradas con motivos vegetales, con marcado sello indígena. Después se cruza el enorme atrio para llegar a la propia iglesia, que exhibe una fachada con portada de estilo neoclásico, de tres cuerpos, una torre del campanario de dos cuerpos, con pilastras y columnas empotradas, su cúpula es de planta ochavada, pertenece al siglo XVIII. Al interior **se conservan 6 retablos de estilo barroco**, el más notable, aloja seis cuadros que representan el martirio de la frailes agustinos, uno de la Santísima Trinidad y otro de la Guadalupana.

Domicilio Conocido, Tecamac, Estado de México.

★ IGLESIA DE TLALNEPANTLA   Pl. 19 Loc. 3-B
Tlalnepantla, Edo. de México

Conjunto arquitectónico, parte de lo que fue el **Convento Franciscano de Corpus Christi**, fundado en 1554, la iglesia empezó a construirse en 1586. Convertido en Santa Iglesia Catedral, por el Papa Paulo VI, el 31 de marzo de 1964. La iglesia es un valioso ejemplar del siglo XVII, a pesar de sucesivas modificaciones en su interior y fachada. Destacan detalles interesantes del siglo XVIII, en su cúpula y sagrario. La fachada muestra formas pertenecientes al siglo XVI, las portadas tanto internas como externas son del siglo XVII, en un estilo barroco sobrio. La planta es de grandes proporciones y una sola nave, cuenta con dos portadas, la principal y la porciúncula, la obra estuvo bajo la dirección del arquitecto Francisco Becerra. Anexo al templo se puede contemplar la **Capilla Abierta**, del antiguo convento, con arquería de medio punto, descansando sobre columnas románicas, su techo tiene vigas de cedro. Al interior del conjunto, se encuentra **el patio** del exconvento de un estilo románico, consta de 2 pisos y arquería por cada lado y en ambos niveles, todos los elementos observables, como arcos portadas, escalinatas, etc, pertenecen al siglo XVI. Durante el período de la intervención francesa, el atrio estuvo ocupado por el ejército invasor.

Vallarta y Sor Juana Inés de la Cruz, Tlalnepantla, Edo. de México.

★ IGLESIA DEL CONVENTO HOSPITAL DE SAN JUAN DE DIOS   Pl. 20 Loc. 2-D
Texcoco

Interesante construcción de estilo barroco sobrio de finales del siglo XVII, fundada como parte del **Convento Hospital de Nuestra Señora de los Desamparados** de Texcoco, comunmente llamado San Juan de Dios. Su erección se debe a los Hermanos Hospitalarios de la que fuera Provincia del Espíritu Santo. Su principal bienhechor y donante de fondos para su construcción, fue don Bartolomé Camacho. Los trabajos de levantamiento de la iglesia se iniciaron hacia 1696. Llaman la atención sus dos portadas, la principal y la lateral, y la torre del campanario. La planta es rectangular, cubierta por una bóveda de cañón, el presbiterio está coronado por una cúpula sobre pechinas, a la izquierda de la portada principal se levanta una torre octogonal. Lo más atractivo es la **Portada Principal**, consta de 3 cuerpos y un remate. Se destaca por su bello ordenamiento y la alta calidad del labrado de la ornamentación. En la portada lateral sobresale un sencillo nicho, que guarda una estatua de San Juan de Dios. Anexo al templo se conserva un interesante claustro, cuadrado, delimitado por 6 arcos de medio punto, en cada lado, se distingue una gran fuente hacia el centro, además parece ser que las puertas interiores dispuestas en dos de los lados del claustro, son originales.

Barrio de San Juan de Dios, Texcoco, Estado de México.

** IGLESIA PARROQUIAL DE CUAUTITLÁN   Pl. 19 Loc. 1-B
Cuautitlán, Estado de México

Imponente construcción colonial, originalmente fue el templo del **Convento de San Buenaventura**, actualmente consagrada como **Catedral de San Buenaventura**, sus comienzos se remontan al siglo XVI, cuando los frailes franciscanos deseosos de escapar del tumulto de la Ciudad de México, son invitados por un pariente de Moctezuma para emprender sus primeras labores evangelizadoras, entre los indígenas aislados de Cuautitlán y Tepotzotlán, llegando hacia 1524. En 1532, ya habían fundado el convento, sin embargo la iglesia actual fue terminada hasta 1730. La planta es rectangular, de unos 10 metros de amplitud y gran altura, se abren capillas laterales, accesibles a través de grandes portadas. Una torre imponente, con dos cuerpos, sobresale de la fachada, sobre el crucero asciende la cúpula, de tambor ochavado, con ocho gajos. El interior está desprovisto de ornato original, el altar mayor es de concreto armado, sin embargo, sirve de marco a cuatro espléndidos cuadros del pintor flamenco **Martín de Vos**, dos de ellos representan a San Pedro y San Pablo, los otros a San Miguel y a la Concepción. Al exterior la portada es de un estilo barroco sobrio, de tres cuerpos. Al costado norte de la iglesia se aprecia una antigua capilla del siglo XVII, muy mutilada. **Dentro del extenso atrio, se levanta una de las más bellas cruces atriales del siglo XVI en México**, presumiblemente trabajada en 1555, finamente labrada en piedra, con símbolos de La Pasión, y la Cruz en flor de lisada, de unos 4 metros de altura. Se pueden observar otros elementos de interés en la portería anexa al templo.

Sor Juana Inés de la Cruz y Aquiles Serdán, Cuautitlán, Edo. de México.

* IGLESIA PARROQUAL DE SANTA BARBARA   Pl. 19 Loc. 1-B
Tlacatecpan, Cuautitlán Izcalli, Edo. de México

Joya de arte del barroco indígena, mandado a construir por los jesuitas, durante los siglos XVII y XVIII, valioso ejemplar tanto en el aspecto arquitectónico, escultórico como pictórico de las hábiles manos locales. Un enorme atrio precede el acceso al templo, cubierto de numerosos árboles, se halla rodeado de una muralla alta y robusta, interrumpida por la puerta de paso al atrio. La planta de la iglesia es cruciforme, con cúpula de base octogonal con tambor alto y una robusta torre, de dos cuerpos. Las fachadas laterales del templo son muy altas, la parte externa del ábside exhibe interesantes labrados en roca volcánica. La fachada frontal de dos niveles destaca por la riqueza de su portada, de dos cuerpos, donde resalta la profusión de ornato en argamasa blanca, en todos los espacios intercolumnares, enjutas, tableros y nichos. Dos magníficos retablos dorados del siglo XVII, se pueden apreciar en el interior, mostrando un riquísimo ornato con motivos vegetales en las columnas, se distinguen pinturas entre ellas, de gran calidad, además se conservan dos Cristos, realizados en pasta de caña de maíz, de exquisita fábrica, creados por indígenas de la región, otras esculturas policromadas se aprecian en distintos puntos del interior.

Domicilio conocido, Santa Bárbara Tlacatecpan, Edo. de México.

* IGLESIA PARROQUIAL DE SAN LORENZO RIOTENCO   Pl. 19 Loc. 1-B
San Lorenzo Riotenco, Cuautitlán Izcalli, Edo. de México

Magnífico momumento parroquial de mediados del siglo XVIII, poseedora de gran pureza del estilo barroco, construida por jesuitas. Aunque de pequeñas proporciones, exhibe una riqueza ornamental en su exterior, como un extraordinario retablo en su interior. Es de una sola nave, de forma rectangular, donde se eleva una cúpula con tambor poligonal de ocho gajos, rematada por una linternilla. La fachada norte resulta de interés, porque ahí se concibió una gran concha, provista de una puerta con arco de medio punto, con jambas y cornisa profusamente ornamentadas, al parecer obra de manos indígenas. Llaman la atención la presencia de grandes botareles, muy volados en el exterior, uno de ellos apoyando la torre del campanario, esta se halla coronada por un cupulín en forma de campana. En la fachada frontal destaca la portada de estilo barroco, de dos cuerpos, más el remate central. Al interior se accede por una puerta, con arco polibado con arquivolta ricamente ornamentada. Ahí se ubica un deslumbrante retablo de estilo churrigueresco, terminado en oro, dedicado a la Virgen de Guadalupe, su diseño es muy mexicano, en su base se aprecian dos águilas mexicanas, en tarjas ovaladas y estofada. Al exterior, en lo que es el atrio, se observa una cruz atrial en flor de lisada, sobre una pequeña fuente, ello rodeado de una agradable arboleda.

Benito Juárez y Adolfo López Mateos, San Lorenzo Riotenco, Edo. de México.

INDIOS VERDES   Pl. 16 Loc. 2-C
Santa Isabel Tola, Delegación Gustavo A. Madero

Par de monumentos escultóricos, **representan a dos guerreros aztecas**, a decir del autor Alejandro Cazarín, se trata de representaciones de **Ahuízotl e Izcóatl**, gobernantes aztecas, fundidas en bronce, con 4 toneladas de peso cada uno y una altura de 5.90 metros. Se instalaron primeramente, el 30 de septiembre de 1889, donde inicia el Paseo de la Reforma. Uno de ellos representa a un hombre joven, con un macuáhuitl en la diestra y con el atavío de la Orden de los Cabellos Tigre. La otra estatua es un hombre maduro, con ambas manos apoyadas en un mazo. El plinto de ambos monumentos presenta bajorrelieves con temas nahuas y mayas. El adjetivo tan peculiar de éstos personajes, se debe al tono adquirido por el bronce, debido a las inclemencias del tiempo. Hacia 1902, se les colocó, también a la entrada del Canal de la Viga, posteriormente fueron trasladados en 1941, donde culminaba la avenida de los Insurgentes, cuando se terminó la Linea Tres del Metro, los instalaron en su ubicación actual.

Av. Insurgentes Norte e Ilhuicamina, Santa Isabel Tola. 🚇 Indios Verdes

* INSTITUTO POLITÉCNICO NACIONAL, ZACATENCO   Pl. 16 Loc. 1-A
San Pedro Zacatenco

Centro Educativo de Desarrollo Científico y Cultural de gran envergadura. Se extiende sobre lo que fueron ejidos de San Pedro Zacatenco, hoy convertidos en armoniosas instalaciones, donde destacan múltiples edificios, diseñados bajo una concepción racionalista y funcional. Bien distribuidos, rodeados por extensas áreas verdes, cubiertas de álamos, numerosas instalaciones deportivas ocupan la parte occidental. Su construcción se inició en 1958, bajo la dirección del arquitecto Reinaldo Pérez Rayón, en donde buscó especialmente una gran elasticidad funcional, su sistema constructivo está fundamentado en elementos prefabricados, grandes ventanales destacan en las fachadas de los edificios, permitiendo la integración de interiores con el exterior. Hacia 1959 fue inaugurado oficialmente, con el transcurso de los años se han ido agregando nuevas construcciones y modificando las originales, logrando modernizarlas de acuerdo a las exigencias educativas y docentes. Sobresalen por su interés; **El Planetario Luis Enrique Erro**, cúpula hemisférica donde se reproduce la mecánica de los cuerpos celestes, a través de un sofisticado sistema de proyectores múltiples en contínuo movimiento. **Centro Cultural Jaime Torres Bodet**, complejo de instalaciones donde se presentan espectáculos, teatro, cine, recitales, conciertos y exposiciones artísticas y técnicas de los más variados temas. **Museo de Geología** de la Escuela Superior de Ingeniería y Arquitectura, en el Area de Ciencias de la Tierra. Aquí también se localizan centros e institutos de reconocido prestigio científico, como; el **Centro de Investigación y Estudios Avanzados, CINESTAV** y el **Centro Nacional de Cálculo**.

Av. Instituto Politécnico Nacional y Wilfrido Massieu, Zacatenco. 🚇 Politécnico

* INSURGENTES, AV. DE LOS   Pl. 7 Loc. 4-C
Ciudad de México

Vialidad de vital importancia en el tránsito a través de la ciudad, ya que la cruza de norte a sur en una extensión de 32 kilómetros siendo de esta manera, la **Avenida más larga de la Ciudad de México**. En ella se alinean un gran número de construcciones comerciales, oficinas, restaurantes, fábricas, casas y sitios de gran interés. La arteria prácticamente creció con el siglo XX, ya que en sus inicios fue una calle corta, seguida, por un tramo donde había un depósito de ferrocarriles, en lo que actualmente es Insurgentes Centro, anteriormente llamado éste tramo Ramón Guzmán. El crecimiento de la ciudad iba aparejado con su extensión, tanto al norte como al sur, hacia finales de los 30 se prolongaba hasta la Calz. Nonoalco, hoy Flores Magón, por el norte, hacia el sur, se prolongaba hasta San Angel. Su nombre se deriva del término empleado por los españoles a los insurrectos independentistas, en 1810. Durante las fiestas del Centenario de la Independencia, en 1910, se le dió el nombre al tramo comprendido entre la Glorieta de Cuauhtémoc y la Av. Chapultepec. El nombre fue siendo extensivo a las prolongaciones sucesivas de la avenida, conociéndose actualmente como; Insurgentes Centro, Norte y Sur. A lo largo de la cual, se muestra la arquitectura del siglo XX, el ecléctico porfiriano, en las colonias Roma y Juárez, estilo art déco en las colonias Tabacalera, Roma Sur e Hipódromo, un estilo colonial californiano y neobarroco, se pueden ver en las colonias Industrial y Lindavista por el norte y Del Valle, Nápoles, San José Insurgentes, por el sur. Modernos edificios del llamado estilo Internacional, se alinean a lo largo de Insurgentes sur, hasta cruzar la espléndida Ciudad Universitaria y el Pedregal.

Cruza más de 40 colonias. 🚇 Insurgentes, Chilpancingo, Indios Verdes.

* KIOSCO MORISCO   Pl. 7 Loc. 1-C
Col. Santa María La Ribera

Hermosa obra arquitectónica, construido en el exquisito estilo mudéjar, o morisco, obra del ingeniero José Ramón Ibarrola para el pabellón que México, presentó en la Exposición Internacional de Nueva Orleans, de diciembre de 1884 a mayo de 1885, y posteriormente en la Feria Internacional de San Luis Missouri. Su estructura es totalmente de hierro, siendo sus partes fundidas en Pittsburgh, Pennsilvania, E.U.A. Es de planta octogonal, con fachada constituida a base de arcos en herradura, sostenida por columnas, también metálicas, el remate es un pretil almenado, hacia el centro se eleva una cúpula de vidrio, coronada con un águila, levantando el vuelo. Es interesante notar, que todos los elementos inerentes a la estructura tienen una relación matemática, con el número **ocho** y sus múltiplos. Una vez expuesta en las ferias internacionales, el Kiosco fue trasladado a la Alameda Central, donde estuvo ubicado en el costado sur, frente al templo de Corpus Christi, ahí se celebraban los sorteos de la Lotería Nacional. Con motivo de los festejos del Centenario de la Independencia Nacional en 1910, el entonces presidente Porfirio Díaz, decidió la construcción del Hemiciclo a Juárez, en ese sitio, por lo que el Kiosco fue desplazado a su lugar actual. A lo largo de 90 años la imágen de ésta bella obra se ha arraigado a los vecinos de la colonia Santa María, identificándolo como un símbolo del barrio. Ahí se han tejido multitud de anécdotas y conjeturas, sitio de referencia y de reunión, lugar de esparcimiento y escenario para múltiples actividades cívicas y culturales.

Alameda de Santa María, Col. Santa María La Ribera. 🚇 Buenavista

LA CAPILLA DE SAN PEDRO   Pl. 15 Loc. 4-B
Xochimilco

Interesante construcción colonial, sus orígenes se remontan a las primeras misiones evangelizadoras en Xochimilco, donde establecieron una primera capilla en 1533. La actual fue levantada en 1716. Se pueden apreciar petroglifos indígenas incrustados en los materiales de la fachada, que seguramente pertenecieron a una antigua edificación prehispánica no lejos de aquí. Ramírez del Castillo y Cuitláhuac, Barrio San Pedro, Xochimilco, Tren Ligero Embarcadero

** LAGUNILLA LA   Pl. 5 Loc. 1-C
Centro Histórico

Mercado por excelencia en la parte norte del Centro Histórico, conserva mucho del comercio tradicional de la ciudad, muy animado, cargado de bullicio y pintoresco. En realidad lo constituyen un conjunto de mercados que atienden diferentes aspectos del abasto, pero sobre todo, es célebre por que ahí es frecuente encontrar antigüedades, pinturas, muebles, esculturas, libros y objetos peculiares ya en desuso. Su nombre proviene de una pequeña laguna que existía, desde antes de la conquista española, entre la antigua Tenochtitlan y la ciudad de Tlatelolco, había un desembarcadero., con el transcurso de los siglos, la zona fue desecándose, preservándose solamente el nombre. Actualmente todo el rumbo es llamado como; **Barrio de La Lagunilla**, destacando por su intensa vida comercial. originalmente se vendían legumbres, frutas, comestibles en general, aves de corral y pescado. La riqueza y diversidad ha crecido con el siglo XX, hacia mediados de los años cincuenta, se construyeron numerosos mercados para reemplazar a los viejos. Cuatro grandes naves alojan las secciones de: **comestibles, ropa y telas, muebles y otras de varios**. Además, en los alrededores proliferan locales que venden todo tipo de mercancías imaginables. Es muy concurrido el **tianguis dominical**, que se emplaza a lo largo de Comonfort, donde encontrará; libros, discos, antigüedades, prácticamente convertido en un bazar callejero. Los precios son muy accesibles, practicándose el regateo en cualquier compra.

Eje 1 Norte y Allende, Centro Histórico.   Garibaldi

La Lagunilla

* MISTERIOS, CALZADA DE LOS   Pl. 16 Loc. 3-C
Delegación Gustavo A. Madero

En una de las vialidades más transitadas del norte de la ciudad, se hallan construidos 8 monumentos, de un total de 15, que representan a los **Misterios del Rosario**. Estos monumentos se levantaron en 1676 a lo largo de la calzada, que unía la antigua ciudad de México con la Villa de Guadalupe, cada misterio se proyectó en la forma que están actualmente, en un estilo barroco, divididos en 3 cuerpos; el de abajo como base, el de en medio con el ofrecimiento y nichos con santos a los costados en el cuerpo superior invariablemente sobresale una Virgen de Guadalupe, labrada en cantera. El primer monumento se levantó, de diciembre de 1675 a mayo de 1676, obra a cargo del arquitecto Cristóbal de Medina, en el se representa la **Encarnación del Divino**

Verbo. Originalmente, de los 15 misterios; 5 eran Gloriosos, 5 Dolorosos y 5 Gozosos. de los que quedan solamente los siguientes: **Anunciación o Encarnación del Divino Verbo**, muy cerca de la Glorieta de Peralvillo; el de la **Visitación**, en la esquina de Juventino Rosas; el del **Nacimiento de Nuestro Señor Jesucristo** casi en la esquina con Beethoven; el de la **Presentación en el Templo** en Río de Consulado; el del **Niño Jesús Predicando a los Doctores de la Ley**, en el callejón del Trancazo; el de la **Oración del Huerto** en la esquina con Schumann; el de la **Flagelación**, en la esquina con Robles Domínguez y por último el de la **Coronación de la Santísima Virgen como Reina de los Cielos y de la Tierra** en la esquina de Fray Juan de Zumárraga. Muchos han sido los visitantes ilustres que han venido a ver a la imágen de la Virgen de Guadalupe a la basílica, accediendo a través de ésta interesante calzada.

Calzada de los Misterios. 🚇 La Villa-Basílica

* MONTE DE PIEDAD   Pl. 2 Loc. 3-A
Centro Histórico

Uno de los edificios que rodean al **Zócalo**, construcción voluminosa, la fachada muestra 3 niveles, con ventanas enmarcadas con cantera y el paramento revestido de tezontle. Destaca la portada oriental, ahí esta la entrada principal, donde se accede al conjunto que alberga la sede del **Nacional Monte de Piedad, institución de beneficencia pública**, cuya actividad es el préstamo de dinero, con garantía prendataria mediante un módico interés o **casa de empeño**. Fundada en 1775 por el conde de Regla, don Pedro Romero de Terreros, acaudalado minero, cuyo aporte económico e impulso; fue vital para el desarrollo de una de las más importantes instituciones de apoyo a los necesitados. El actual inmueble ocupa el mismo lugar donde estuvieran las llamadas **Casas Viejas de Moctezuma** o **Palacio de Axayácatl**, ahí **Hernán Cortés mandó construir su residencia**, que era prácticamente una fortaleza, con torreones y almenas en sus remates, su extensión abarcaba, de las calles de Tacuba a Madero y de Isabel la Católica al Zócalo, lo que sería más bien una ciudadela. La gran residencia estuvo destinada en un principio a albergar a las autoridades virreinales, posteriormente los descendientes del conquistador la modificaron, fraccionaron, y en 1836 parte del solar fue vendida al Monte de Piedad, que la modificó, transformó interiores y agregó un piso al original. Al interior se hallan patios techados, convertidos en salones de avalúo y remate. **Otras salas exhiben y están puestas a la venta, prendas que no se desempeñan oportunamente, como alhajas, pinturas, libros, esculturas, muebles y antigüedades**.

Monte de Piedad Nº3,5 y 7, Zócalo, Centro Histórico. 🚇 Zócalo

* MONUMENTO A ÁLVARO OBREGÓN   Pl. 12 Loc. 3-C
Chimalistac

Monumento y conjunto escultórico dedicado a consagrar la memoria del estadista, revolucionario y expresidente de México, de 1920 a 1924. Consta de una construcción en forma de prisma, con basamento de granito, obra del arquitecto Enrique Aragón Echegaray. Un conjunto de grandes grupos escultóricos, rodean el prisma, obra de Ignacio Asúnsolo. El **grupo norte simboliza el pueblo en armas**, y **el del sur, la paz conquistada por la Revolución**. Se accede a través de escalinatas, llegando a una puerta de hierro, se hallan sendas figuras revolucionarias, representando a una obrera y una campesina. En el interior se encuentran las imágenes en bronce del general Obregón y de dos soldados. En el piso hay una marca circular que precisa el **sitio donde fue asesinado**, por el joven, supuestamente caricaturista, José León Toral el 17 de julio de 1928, donde existió el comedor del restaurante de **La Bombilla**. El monumento fue inaugurado el 17 de julio de 1935, siendo presidente de la República el General Lázaro Cárdenas. El parque donde se encuentra el monumento es bello y muy concurrido.

Av. Insurgentes Sur y Av. de la Paz, Chimalistac. 🚇 Miguel Angel de Quevedo

* MONUMENTO A CRISTÓBAL COLÓN   Pl. 7 Loc. 3-C
Colonias Juárez y Tabacalera

Fue el primer gran adorno del Paseo de la Reforma, inaugurado en agosto de 1877, por el entonces presidente Porfirio Díaz y su ministro Vicente Riva Palacio. Esta obra fue un obsequio a la ciudad del acaudalado empresario, don Antonio Escandón, quién encargó al escultor francés Charles Cordier la ejecución de las esculturas en 1873, en París. Siendo, trasladada a México en 1875, donde permaneció en bodega un par de años, antes de ser inaugurada. El monumento consta de un zócalo de forma octagonal, donde se levanta un muro con reja perimetral, con puertas que acceden al enlosado con piso de mármol donde se eleva un basamento de forma cuadrada, donde descansan las esculturas de bronce, que  representan a los frailes **Pedro de Gante**, con la cruz en la mano instruyendo a un joven indígena; **Diego de Deza**, hojeando el evangelio; **Bartolomé de las Casas**; defendiendo a los pueblos indígenas., y **Juan Pérez de Marchena**, consultando cartas geográficas y tiene en la mano un compás. A los lados del basamento se distinguen 2 bellos bajorrelieves, representando a Colón despidiéndose de Fray Marchena, sirviendo de fondo el Convento de la Rábida y otro muestra la llegada de Colón a América. **Un pedestal con Colón en actitud de dar gracias al cielo, culmina al monumento**. Se puede apreciar que la plástica aplicada a los frailes, es de mejor mérito que la escultura del mismo Colón, siendo en general trabajados en un estilo renacentista italiano. El bullicio circundante resulta a veces incómodo para apreciar la obra en detalle, por lo que es recomendable acercárse, cruzando la avenida y rodear el conjunto.

Paseo de la Reforma y Morelos, Colonias Juárez y Tabacalera.

* MONUMENTO A CUAUHTÉMOC   Pl. 7 Loc. 3-C
Colonia Cuauhtémoc

Monumento a Cuauhtémoc

Exquisita muestra escultórica, donde se conjugan elementos académicos con aquellos de tendencia mexicanista, plasmados en columnas, grecas y alfardas. Esta magnífica obra se debe a los escultores Miguel Noreña; quien hizo la estatua de Cuauhtémoc, Gabriel Guerra los bajorrelieves **La Prisión de Cuauhtémoc y El Tormento de Cuauhtémoc**, y Epitacio Calvo; quien trabajó los **Jaguares Emplumados**, el diseño arquitectónicc estuvo a cargo del ingeniero Francisco M. Jiménez, quien inició las obras en 1878, y murió 1881, continuando y culminándolas el arquitecto Ramón Agea. La idea de su edificación, partió de don Vicente Riva Palacio, Ministro de Fomento, de Porfirio Díaz, quier dió instrucciones para su erección, siendo inaugurado el 21 de agosto de 1887. El conjunto esta constituído de tres cuerpos, con una planta cuadrada, que se apoya en un basamento de forma octognal, precedida de jaguares de bronce, flanqueando cuatro escalinatas. Un cuerpo central, sobresale mostrando interesantes columnas de marcado aspecto prehispánico, entre las cuales se hallan diversos objetos de guerra; escudos, lanzas, lanzadardos, flechas, etc. remata un friso perimetral con ornato, también con motivos mexicas. El cuerpo superior destaca la estatua de Cuauhtémoc, quien aparece erguido, empuñando una lanza en su mano derecha, ataviado con traje de guerra. Dos bellos bajorrelieves, ya aludidos, se muestran en la caras norte y sur, del primer cuerpo, donde también, están inscritas en placas de bronce: los sucesos de la conquista española en 1521 y los gestores en la erección del monumento.

Cruce del Paseo de la Reforma e Insurgentes. 🚇 Insurgentes

* MONUMENTO A ENRICO MARTÍNEZ   Pl. 2 Loc. 3-A
Centro Histórico

Conocido también por el **Monumento Hipsográfico**, interesante monumento levantado a la memoria del célebre ingeniero alemán Heinrich Martin, llamado en México Enrico Martínez quien llevó a cabo proyectos y obras de desagüe de la ciudad, hacia 1607. Lo de hipsográfico se debe al objetivo de fijar de manera clara y precisa la altura de los diversos planos de comparación, que habían servido para los estudios y proyectos hidrográficos de la ciudad, una bella estatua esculpida por el escultor Miguel Noreña, y fundida en bronce en París, es apoyada sobre un pedestal de mármol gris de Yautepec diseñado por el ingeniero Francisco M. Jiménez. El conjunto se construyó durante 1878, siendo inaugurado y expuesto públicamente el 5 de mayo de 1881, originalmente estuvo situado en la esquina noreste del Zócalo, hacia 1924 cambió su posición, donde actualmente se le encuentra. Se pueden observar, además inscripciones alusivas a las referencias métricas, como la vara novohispana, con respecto a la yarda y al sistema métrico decimal, coordenadas geográficas, altitudes y declinación magnética, aunque en realidad han variado algunos de ellos, porque cambió la posición del monumento y ha habido hundimiento progresivo de la Ciudad de México, por la circunstancia de su subsuelo.

Esquina Noroeste del Zócalo, Centro Histórico. 🚇 Zócalo

MONUMENTO A LA MADRE   Pl. 7 Loc. 3-C
Colonias Cuauhtémoc y San Rafael

Sencilla, pero elocuente construcción, levantada en 1948, para homenajear a la madre mexicana. Obra del escultor Luis Ortiz Monasterio, quien resultó triunfador en un certámen convocado para erigirlo. El monumento consta de un muro curvo, una esbelta torre y 3 esculturas, trabajados en cantera, precedidas por una base, hecha a partir de roca volcánica. **Las esculturas representan a un hombre en pose escribiente, a una mujer, con una mazorca de maíz, símbolo de la fertilidad y la figura monumental de una mujer, es decir a la madre, con un niño en brazos, pegado al pecho, con vestido largo y rebozo**. Una placa de bronce tiene inscrito: **A la que nos amó antes de conocernos**. La obra es de una tendencia nacionalista, reflejada en los razgos indígenas de las figuras. Fue inaugurado el 10 de mayo de 1948.

Av. Insurgentes Centro y Sullivan, Colonias Cuauhtémoc y San Rafael.

* MONUMENTO A LA RAZA   Pl. 18 Loc. 1-B
Colonias La Raza y Vallejo

Interesante edificación que adopta la forma piramidal, inspirado en las construcciones prehispánicas. Levantado en 1940, como recuerdo de la **Triple Alianza**, establecida entre Tenochtitlan, Texcoco y Tlacopan así como la Fundación de Tenochtitlan y su defensa ante la conquista española. Tiene a sus lados izquierdo y derecho en la parte inferior, los grupos escultóricos que representan las situaciones históricas aludidas, obras del escultor Luis Lelo de Larrea, se pueden observar relieves labrados en la cantera, que rodean a diferentes niveles la pirámide, que básicamente está construida de concreto armado. Una enorme águila corona el monumento, obra de G. Gardet, alegoría originalmente destinada a rematar la cúpula central del pretendido Palacio Legislativo, iniciado durante el porfiriato, hoy Monumento a la Revolución.

Av. Insurgentes Norte y Circuito Interior. 🚇 La Raza

* **MONUMENTO A LA REVOLUCIÓN**   Pl. 7 Loc. 3-C
   Colonia Tabacalera

Obra de grandes proporciones y robustez, se yergue imponente y severo en la **Plaza de la República**, su magnificencia se aprecia a lo lejos y se le recurre como sitio de referencia. La estructura del monumento se diseñó inicialmente, como recinto del que fuera ser el **Palacio Legislativo**, cometido fallido, del General Porfirio Díaz quien concebía una portentosa edificación, comparable al Capitolio de Washington. Obra que se inició en 1910, suspendiéndose en 1911, por incosteable y oneroso, por el gobierno revolucionario. Varias obras escultóricas destinadas a tal proyecto, fueron posteriormente ubicadas en diversos sitios; los leones en Chapultepec, la águila de la cúpula al Monumento a la Raza, figuras femeninas y mármoles en el Palacio de las Bellas Artes. Hacia 1933 se decidió darle un uso, a lo único que se había construido, y se comisionó al arquitecto Carlos Obregón Santacilia, para realizar obras de transformación y culminación, a un **Monumento dedicado a la Revolución Mexicana**. Terminado en 1938, de un estilo nacionalista, con elementos art déco, se eleva a 65 metros, culminando en una linterna. El gran cuerpo cupular descansa sobre cuatro enormes pilares, separados por amplios arcos, construidos con piedra de cantera, chiluca y concreto. Sobresale una cúpula exterior recubierta de cobre, al interior se complementa con otra cúpula. En las esquinas superiores del monumento se encuentran esculturas trabajadas por el escultor Oliverio Martínez, que representan **La Independencia, Las Leyes de Reforma, Las Leyes Agrarias y Las Leyes Obreras**. En las bases de los pilares yacen los restos de: **Francisco I. Madero, Venustiano Carranza, Francisco Villa, Plutarco Elías Calles y Lázaro Cárdenas**. Además, en el sótano esta instalado el **Museo Nacional de la Revolución**.

Plaza de la República, Colonia Tabacalera. 🚇 Revolución

* **MONUMENTO A LOS NIÑOS HÉROES**   Pl. 8 Loc. 2-D
   Chapultepec

Majestuoso monumento que honra la memoria de los insignes **Niños Héroes de Chapultepec**. Construido en 1951 e inaugurado en acto oficial por el entonces presidente de la República, Miguel Alemán, el 27 de septiembre de 1952. Consta de una semielipse, abierto en el centro, donde se elevan seis columnas de mármol jaspeado con águilas de bronce, apoyadas en coronas de laurel y emprendiendo el vuelo, las columnas se hallan rematadas con pebeteros flameantes, también de bronce. Enfrente se yergue un grupo escultórico que representa a la Patria sosteniendo un mártir de su causa, entre sus brazos, mientras otro se apresta a combatir por ella. En medio, se encuentra un mausoleo con los restos de los Héroes nacionales y del coronel Santiago Xicoténcatl, comandante del Batallón Activo de San Blas, quienes cayeron en la gesta heroica del 13 de septiembre de 1847 ante los invasores norteamericanos. La obra del monumento

Monumento a los Niños Héroes

se debe al escultor Ernesto Tamariz y al arquitecto Enrique Aragón Echegaray. Es común, dentro de los actos protocolarios de gobernantes visitantes, el depositar arreglos florales como señal de respeto y admiración a la valentía de los héroes nacionales.

Bosque de Chapultepec. 🚇 Chapultepec

** MONUMENTO DE LA INDEPENDENCIA EL ANGEL   Pl. 7 Loc. 4-B
Col. Cuauhtémoc y Juárez

El más espectacular monumento del país erigido a los héroes de la Independencia, símbolo que distingue a la Ciudad de México, obra en la que se integra el academicismo escultórico, la arquitectura ecléctica peculiar del porfirismo y los avances técnicos de la ingeniería, para la cimentación de una estructura pesada, sobre un subsuelo problemático. En él se cumple un añejo deseo de rendirle homenaje a los héroes nacionales, por parte del General Porfirio Díaz, quien gestiona su levantamiento, convocando a un concurso internacional, en el que triunfaron los arquitectos norteamericanos Cluss y Schultz, comisionándose al célebre arquitecto Antonio Rivas Mercado su realización, donde introdujo algunos cambios al proyecto original. En 1902, se colocó la primera piedra, las esculturas fueron encargadas a Henri Alciati. Hacia 1907 la obra se enfrentó a problemas de cimentación y asentamiento, por lo que se recurrió a los ingenieros Gonzalo Garita, Guillermo Beltrán y Puga y Luis Zavaterelli para resolver estos imprevistos técnicos. El 16 de septiembre de 1910, en ocasión de las fiestas del centenario de la Independencia, es inaugurado en acto solemne por Porfirio Díaz, ante su gabinete y misiones extranjeras. Una **gran columna** de orden corinto se eleva a más de 34 metros, culminando en una **Victoria Alada**, motivo por lo que se le conoce también como; el **Angel de la Independencia** o simplemente **El Angel**. Un conjunto de esculturas de gran tamaño, se localizan en 2 niveles, en la base, unos en bronce representan; **La Guerra, La Paz, La Ley, y la Justicia**, otras estatuas en mármol, corresponden a; **Miguel Hidalgo, Morelos, Vicente Guerrero, Francisco Javier Mina y Nicolás Bravo**. Resalta un enorme león conducido por un geniecillo. Al interior yacen los restos, en urnas, de; **Hidalgo, Allende, Aldama, Guerrero, Morelos, Bravo y Matamoros**.

Paseo de la Reforma y Florencia, Colonias Juárez y Cuauhtémoc.

* MUSEO ANAHUACALLI DE DIEGO RIVERA   Pl. 18 Loc. 3-B
San Pablo Tepetlapa

Museo donado por Diego Rivera, como testimonio y muestra, de su amor a México y su genialidad expresada en este sorprendente recinto., De aspecto netamente mexicanista, el edificio fue diseñado y construido de roca volcánica. La obra iniciada por el mismo Rivera, fue concluida después de su muerte, por los arquitectos Juan O'Gorman, Heriberto Pagelson y su hija Ruth Rivera. Inaugurado el 18 de marzo de 1964, el museo reune una enorme colección de cerámica y esculturas del México prehispánico, distribuidas en 23 salas ordenadas cronológicamente, aunque la mayor parte del acervo se conserva en bodega, a disposición de los investigadores. Los objetos expuestos proceden de culturas como la olmeca, teotihuacana, mexica, zapoteca y mixteca, exceptuando la maya. Además se encuentra una réplica del estudio del pintor, con su retrato y el cuadro en el que trabajaba antes de morir. Así como bocetos del mural **El hombre en el cruce de los caminos**, realizado en 1933 en el Centro Rockefeller de Nueva York.

Calle del Museo 150, San Pablo Tepetlapa; Tren Ligero; Nezahualpilli.

* MUSEO CASA DE CARRANZA   Pl. 7 Loc. 3-C
Colonia Cuauhtémoc

Casa que habitó don Venustiano Carranza, expresidente de México, los últimos meses de su vida. La residencia es una construcción de estilo ecléctico afrancesado, al modo porfiriano, obra del arquitecto Manuel Estampa, quien la levantó en 1908. El recinto recrea el estilo de vida, la personalidad y la vida diaria de Carranza, se aprecian sus muebles, cuadros, fotografías, vestimenta, recuerdos y demás efectos personales, destacando naturalmente su trayectoria política, ideológica y como estadista. Sobresalen la exhibición de documentos y fotografías del período constitucional, como el Plan de Guadalupe y fotografías de los 218 constituyentes que integraron el Congreso, que promulgó la Constitución del 5 de febrero de 1917. Este museo fue creado por decreto en 1961, alberga también una biblioteca y oficinas de la Asociación de Diputados Constituyentes.

Río Lerma 35, Colonia Cuauhtémoc. 🚇 Insurgentes

* MUSEO CASA DE FRIDA KAHLO   Pl. 11 Loc. 3-B
Coyoacán

Ubicado en la residencia paterna de Frida Kahlo, su lugar de nacimiento, el 7 de junio de 1910. Aquí vivieron Frida y su esposo Diego Rivera. Al morir ella Rivera donó al pueblo de México, la casa para convertirla en museo, como un homenaje a su memoria. Se conserva el mobiliario original de la casa. Toda ella guarda objetos que caracterizaban los gustos personales de la pintora, **el pincel de la angustia** como la llaman algunos de sus biógrafos. En la planta baja del inmueble se exponen obras pictóricas de artistas nacionales, como dibujos de José María Velasco, un retrato de Frida por Roberto Montenegro, algunos óleos de Joaquín Claussell y también de artistas europeos, como; Paul Klee y Marcel Duchamp, entre otros. En el estudio de la pintora, planta alta, que es la sala principal, se pueden admirar varias de sus obras como; **El Camión**, dos autorretratos **Pensando en la Muerte y El Difunto Dimas**. En lo que fuera su recámara, se hallan: su máscara mortuoria y la urna con sus cenizas. Hay una recámara que pertenecía a Rivera, contiene su máscara funeraria y el retrato que le hizo Mardonio Magaña, tallado en madera, se observan utensilios personales y un cuadro de un desnudo femenino. Es muy impresionante los objetos de arte popular que se hallan colocados en la cocina y el comedor, vidriería de Carretones, loza blanca michoacana, loza verde del Estado de México, por toda la casa se puede uno admirar de lienzos novohispanos, 2 mil exvotos y más de 100 cuadros de pintores nacionales anónimos. Además, múltiples piezas prehispánicas decoran los interiores, incluso estatuas antiguas de piedra, madera y yeso. En el jardín se ubica una construcción de tipo prehispánico, que guarda piezas precolombinas. En general, la instalación museográfica es de muy buen gusto y a la vez de modo informal.

Londres 247, El Carmen, Coyoacán.

* **MUSEO CASA DE LEÓN TROTSKY**   Pl. 11 Loc. 2-B
   Coyoacán

Casa que habitó León Trotsky, de mayo de 1939 a agosto de 1940, fecha en la que fue asesinado por Ramón Mercader, alias Jacques Mornard. El revolucionario ruso, viajó invitado a México, por el pintor Diego Rivera en enero de 1937, cuando el antiguo líder comunista estaba siendo acosado y amenazado de muerte por Stalin. Ocupó esta vieja casona, de estilo porfirista. A raíz de un atentado contra su vida, perpetrado en mayo de 1940, la vigilancia de la casa y las medidas de seguridad fueron reforzadas, convirtiéndose la construcción en una fortaleza, con puertas blindadas, rejas de hierro y hasta una torre de observación. Después del asesinato del líder pocos años pasaron cuando murió su viuda, la casa permaneció cerrada hasta 1975. Por iniciativa de su nieto Esteban Volkov, se convirtió en Museo, preservando el mobiliario original de las recámaras, comedor, estudio y biblioteca del matrimonio Trotsky. También se conservan objetos personales, en el jardín se levanta un monumento, donde en su interior reposan los restos calcinados de la pareja rusa. En uno de los salones se exponen fotografías, sobre su estancia en México y una síntesis cronológica de su vida.

Río Churubusco 410, El Carmen, Coyoacán.

** **MUSEO DE ARTE CARRILLO GIL**   Pl. 12 Loc. 3-B

Modernas instalaciones acogen a un rico acervo artístico, principalmente **arte moderno y contemporáneo**. Fue inaugurado el 31 de agosto de 1974, teniendo como base la rica colección de obras, donadas por el Dr. Alvar Carrillo Gil y su esposa Carmen Tejero. Resguarda la colección más importante sobre la obra de **José Clemente Orozco**, un notable conjunto pictórico de **David Alfaro Siqueiros**, oleos, grabados y dibujos de **Diego Rivera**. Sobresalen también obras de Günther Gerzso y Wolfang Paalen, así como varios originales y facsímiles de Augusto Rodin, Pablo Picasso, Vasili Kandinsky, Paul Klee, Braque, Rouault, entre otros artistas europeos. Posee además, arte joven mexicano y de vanguardia internacional, destacando obras de José Luis Cuevas, Felipe Ehrenberg y Gilberto Aceves Navarro. Se dispone de salas para exposiciones temporales. El edificio que aloja al museo fue construido por los arquitectos Augusto Alvarez y Enrique Carral, es de tres niveles, comunicados por una rampa. Cuenta con un biblioteca especializada en arte moderno y contemporáneo, sala de proyecciones y librería. Regularmente se imparten cursos, abarcando temas relativos a las artes plásticas, fotografía y cine.

Av. Revolución 1608 San Angel, Delegación Alvaro Obregón

** **MUSEO DE ARTE MODERNO**   Pl. 8 Loc. 2-D
   Chapultepec

El más importante recinto para la exhibición del arte moderno y contemporáneo en la ciudad. Consta de una extensa área de más de 36,000 metros cuadrados, que incluyen dos estructuras dispuestas en forma circular, rodeadas de un amplio jardín escultórico. Inaugurado el 20 de septiembre de 1964, en el lugar donde estuvo el Museo de la Flora y la Fauna. La construcción es obra de los arquitectos Pedro Ramírez Vázquez y Rafael Mijares. Consta de cuatro salas espaciosas, que ostentan nombres de intelectuales mexicanos o promotores de las bellas artes como: Xavier Villaurrutia, Carlos Pellicer, José Juan Tablada y Antonieta Rivas Mercado. El edificio de menores dimensiones, cuenta con la galería Fernando Gamboa. El museo alberga colecciones permanentes de obras artísticas, representativas de la plástica mexicana, desde los inicios del siglo XX, tanto de la **Escuela Mexicana de Pintura y Escultura, Artistas de la Ruptura, como las últimas Corrientes Vanguardistas de la Segunda Mitad del Siglo XX**. Destacados artistas son representados en una gran muestra, tales como; Diego Rivera, David Alfaro Siqueiros, José Clemente Orozco, Rufino Tamayo, Frida Kahlo, el Dr. Atl, Manuel Rodríguez Lozano, Fermín Revueltas, Julio Castellanos y los maestros contemporáneos como: Arnold Belkin, Rafael Coronel, José Luis Cuevas, Alberto Gironella, Francisco Toledo, entre otros. Frecuentemente se presentan obras de artistas nacionales y extranjeros, en exposiciones temporales. El museo cuenta con una extensa biblioteca, diapoteca y hemeroteca especializada en arte moderno y contemporáneo, además se ofrecen ciclos de conferencias, mesas redondas, visitas guiadas, en el vestíbulo se hallan librerías. Siempre es recomendable un paseo por el magnífico jardín escultórico, donde hallará obras de; Sebastián, Felguerez, Zúñiga, entre otros.

Paseo de la Reforma y Gandhi, Bosque de Chapultepec. 🚇 Chapultepec

* **MUSEO DE CERA DE LA CIUDAD DE MÉXICO**   **Pl. 7 Loc. 3-C**
Colonia Juárez

Se aloja en una bella mansión porfiriana, con marcada influencia art nouveau, obra del arquitecto Antonio Rivas Mercado, construída durante 1901 a 1904. El museo fue inaugurado el 27 de agosto de 1979 bajo la franquicia del Wax Museum de Londres. Aquí se exhiben reproducciones en cera, a tamaño natural de personajes relevantes a nivel nacional e internacional, así como figuras ficticias de fama mundial. Un grupo de cericultores, encabezados por los señores Antonio y Carlos Neira, se han dado a la tarea de reproducir un vasto acervo, que supera las 200 figuras, siguiendo la técnica del alemán Curtis y la francesa Marie Tussaud, iniciada hace 200 años. Consistiendo básicamente de un moldeado con barro, a la cabeza de barro se le hace un molde de yeso, en los moldes se vacía la cera fundida, el cuerpo está fabricado de fibra de vidrio, a la cabeza de cera se le colocan ojos de vidrio, también se colocan cabellos naturales, uno por uno, por último se visten las figuras, con aquel vestuario más ligado al personaje. La gama y variedad cubre aquellos protagonistas de la historia mexicana y universal, artistas e incluso famosos personajes del cine y el teatro. Pudiéndose apreciar entre los más sobresalientes a; Miguel Hidalgo, José María Morelos, Emiliano Zapata, Francisco Villa, Porfirio Díaz, George Washington, Abraham Lincoln, Isabel II de Inglaterra, el Ayatollah Jomeini, Yaser Arafat, Fidel Castro, Maximiliano de Habsburgo, Benito Juárez, Juan Pablo II, el subcomandante Marcos, Sor Juana Inés de la Cruz, Albert Einstein, Los Tres Grandes Muralistas, Hugo Sánchez, Jorge Negrete, Jacobo Zabludovsky, Charles Chaplin, John Lennon, María Sabina, El Conde Drácula, Freddy Krugger, Chucky, el Fantasma de la Ópera, entre otros.

Londres No.6, Colonia Juárez. 🚇 Cuauhtémoc e Insurgentes.

** **MUSEO DE GEOLOGÍA DE LA UNAM**   **Pl. 7 Loc. 1-C**
Colonia Santa María La Ribera

Bello edificio, construido en un estilo ecléctico de marcado neoclasicismo francés y ricamente ornamentado con figuras paleontológicas. El recinto fue diseñado exprofeso, por el geólogo José Guadalupe Aguilera, para albergar la **sede del Instituto Geológico Nacional**. Llevándose a ejecución las obras por el arquitecto Carlos Herrera López, entre 1901 y 1906, año en que fue sede del Congreso Geológico Internacional. Consta de 8 salas de exhibición y otras destinadas a ilustrar qué es la geología, distribuídas en las dos plantas del inmueble., que en sí es un palacio, descollando la hermosa escalera de dos rampas, de fabricación alemana. Las salas muestran interesantes colecciones de: **fósiles, minerales y rocas**, la mayoría de ellos instalados en vitrinas trabajadas en alta ebanistería. De las muestras expuestas destacan el esqueleto fosilizado de un **elefante mexicano**, armado con fragmentos de 12 ejemplares localizados en diversos sitios del país. La sala de mineralogía posee un fragmento de un meteorito caído en el pueblo de Allende, Chihuahua datado en una edad de 4,500 millones de años. Otra sala notable es la relativa al del **Sistema Tierra**. Los interiores del museo albergan, también hermosos emplomados, como aquel que representa las labores en el interior de una mina, obra del vitralero alemán Zetler. Los muros de los corredores exhiben, **10 cuadros de José María Velasco**, alusivos a la vida desarrollada en los diferentes períodos geológicos, además se encuentran varios dibujos del Dr. Atl sobre las diversas etapas de erupción del volcán Paricutín. El visitante puede consultar una biblioteca especializada en la materia, o bien observar audiovisuales en una sala de proyección. Regularmente se celebran conferencias y mesas redondas.

Jaime Torres Bodet 176, Colonia Santa María La Ribera. 🚇 Buenavista

** **MUSEO DE HISTORIA NATURAL**   **Pl. 8 Loc. 3-A**
2a. Sección del Bosque de Chapultepec

Original conjunto de 10 bóvedas semiesféricas, que alojan el interesante museo, dedicado a exhibir a través de 9 salas; la evolución del universo, el orígen de nuestro planeta, el desarrollo de la vida y la biodiversidad. Las salas comprenden: **El Universo, La Tierra, Orígen de la Vida, Taxonomía, Ecología, Evolución, Biología General, Biogeografía y El Hombre**, todo ello expuesto mediante dioramas, pinturas, fotografías, maquetas, gráficas, esquemas y dibujos. Un taller de taxidermia, biblioteca especializada, sala de proyección, y una colección de 25,000 animales disecados, complementan el vasto acervo del museo, inaugurado el 24 de octubre de 1964. Los proyectos y obras estuvieron a cargo de los arquitectos Leonides Guadarrama y Ernesto Valdez, con la asesoría de la Escuela de Ciencias Biológicas del Politécnico.

2a. Sección del Bosque de Chapultepec. 🚇 Constituyentes

* **MUSEO DE LA ANTIGUA ESCUELA DE MEDICINA DE LA UNAM Pl. 2 Loc. 1-A**
Centro Histórico

Interesantes instalaciones que muestran una **visión histórica de la medicina en México**, desde la herbolaria aplicada por los habitantes del México Antiguo, hasta los tiempos actuales. Alojado en lo que fuera previamente Escuela Nacional de Medicina y en tiempos de la colonia, **Palacio del Tribunal del Santo Oficio de la Inquisición**. Entrando al espléndido recinto se encuentra el patio principal a partir del cual se accede, tanto a la planta baja como la alta, a las diez salas donde se exhiben y explican los avances de la medicina, las secciones en que se ha dividido el recorrido por el museo, comprenden; Una introducción general abarcando la medicina prehispánica y colonial, la herbolaria indígena que reúne las plantas curativas más utilizadas, la época prehispánica y el éxito alcanzado por la cultura del México Antiguo en el conocimiento médico, la influencia de la medicina europea en el siglo XVI, los avances e instrumentos quirúrgicos durante los siglos XVII y XVIII, aludiendo a ilustres científicos y médicos, los aportes trascedentales en el siglo XIX, desarrollados principalmente por los médicos franceses y finalmente el desarrollo excepcional de la ciencia médica durante el siglo XX. Muy atractiva resulta la reconstrucción museográfica de una botica del siglo XIX, gracias a la preservación realizada por la familia Essesarte, médicos destacados de la época. También se encuentra el escritorio del notable histólogo español Santiago Ramón y Cajal. El museo fue fundado en 1956 y estuvo inicialmente, en Ciudad Universitaria, en los años 90 se alojó aquí. Dispone de una biblioteca especializada con más de 30,000 volúmenes y un archivo histórico.

República de Brasil 33, esq. con Venezuela, Centro Histórico. 🚇 Zócalo

** MUSEO DE LA BASÍLICA DE GUADALUPE   Pl. 16 Loc. 3-D
Villa de Guadalupe

Espléndido museo, conserva un rico acervo artístico, donde la **iconografía guadalupana** es el tema medular. Se halla dispuesto a un costado de la nave mayor de la antigua Basílica de Guadalupe. Consta de 3 salas, que exhiben un verdadero tesoro de arte colonial. Destacan las colecciones pictóricas de artistas novohispanos, como; **Cristóbal de Villalpando, Miguel Cabrera, Juan Correa, Juan Cordero (ya del siglo XIX), Sebastián López de Arteaga, Nicolás Rodríguez Juárez, Juan Antonio Arriaga, José Rodríguez Carnero, Baltazar Echave Ibia** y trece óleos de autores anónimos, al parecer españoles. Se pueden apreciar, también imágenes realizadas en plata, marfil y en madera estofada y policromada. A la entrada se observan una enorme cantidad de exvotos, que son pequeñas pinturas sobre lámina, que los fieles realizan para dejar testimonio de la ayuda recibida o peticiones concedidas por la virgen. Hay, además un hermoso retablo dorado, de estilo barroco churrigueresco y otro con las cuatro operaciones, cuyos ovalos son obra de Miguel Cabrera. Entre otros objetos interesantes, se conserva una sillería finamente tallada, procedente del siglo XVIII. La sala capitular alberga una colección gráfica mexicana y extranjera, que comprenden desde el siglo XVII hasta el XX. Se puede visitar la antesacristía, la cámara de los prelados, la **Biblioteca Boturini** y el salón de cabildos, en la capilla del antiguo templo se observa un maravilloso altar de plata repujada.

Villa de Guadalupe, Delegación Gustavo A. Madero. 🚇 La Villa Basílica

* MUSEO DE LA CARICATURA   Pl. 2 Loc. 2-A
Centro Histórico

Se aloja en la planta baja del **antiguo Colegio de Cristo**, joya de la arquitectura colonial. El acervo del museo está expuesto en dos salones, ahí, numerosas caricaturas son testimonios de la aguda crítica y mordaces creaciones de autores de principios del siglo XX y contemporáneos, algunas de estas caricaturas aparecían en periódicos y revistas. Se pueden apreciar reproducciones de trabajos de José Guadalupe Posada, Leopoldo Méndez, Alberto Beltrán, entre otros. El museo fue creado el 19 de marzo de 1987. Entre sus servicios cuenta con una librería especializada en el tema y regularmente se presentan exposiciones temporales de destacados moneros mexicanos.

Donceles 99, Centro Histórico. 🚇 Zócalo

** MUSEO DE LA CIUDAD DE MÉXICO   Pl. 3 Loc. 2-A
Centro Histórico

Alojado en el señorial **Palacio de los Condes de Santiago de Calimaya**, fastuosa residencia colonial de estilo barroco, construido entre 1779 y 1781. El museo se articula alrededor de los patios del edificio, **en varias salas se expone una visión histórica, geográfica, social y cultural de la metrópoli**. El acervo lo integran planos, maquetas, pinturas y fotografías así como documentos de gran interés. Un decreto presidencial le dio origen, el 30 de julio de 1960, para eso, un grupo de técnicos y especialistas, conjugaron sus esfuerzos en la restauración, adecuación del inmueble así como elaborar el guión museográfico, inaugurándose oficialmente el 31 de octubre de 1964. Hay una biblioteca especializada en temas históricos, artísticos y descriptivos de la ciudad. Grandes salas sirven para exposiciones temporales. Pudiéndose también visitar **en el último nivel, el estudio pictórico de Joaquín Clausell, notable pintor impresionista mexicano**, quien plasmara, a manera de bosquejos y ensayos, pinturas sobre las paredes de su taller, allá por los años 20.

Pino Suárez No. 30, Centro Histórico. 🚇 Zócalo

* MUSEO DE LA CHARRERÍA   Pl. 4 Loc. 4-C
Centro Histórico

Conjunto arquitectónico que forman el **Antiguo Convento e Iglesia de Nuestra Señora de Monserrat**. Después de múltiples obras de remodelación y restauración, el recinto fue ocupado en 1979, para ser sede del **Museo de la Charrería**, que anteriormente tenía sus instalaciones en la **Casa Chata** de Tlalpan. El museo ocupa el claustro y la nave del antiguo templo. Integran su acervo: una valiosa colección de indumentaria charra, implementos necesarios en la montura, sombreros, armas, arreos, sillas galonadas de plata y todo tipo de atuendos propios de la charrería. Parte del diseño de interiores, se ve enriquecida por una colección de litografías alusivas al llamado deporte nacional típico.

Isabel la Católica 108 esquina Izazaga. Centro Histórico. 🚇 Isabel la Católica

* MUSEO DE LA INDUMENTARIA (SERFIN)   Pl. 4 Loc. 1-B
Centro Histórico

Muestra una excelente colección de **Indumentaria Indígena Mexicana**. El edificio que acoge al museo, formó parte de la residencia del próspero minero José de la Borda, construída en el siglo XVIII. Este rico acervo vernáculo pertenece a un banco y fue inaugurado en 1985, con un lema especial **La Tejedora de Vida**. Aquí son expuestas las aportaciones de más de 50 comunidades indígenas de todo el país; el diseño, confección, evolución de técnicas de hilado, procesos de producción de la lana, algodón, seda, así como el teñido de las telas. Mediante maniquíes, murales, fotografías y cédulas explicativas se describen los símbolos y el uso del color, como expresión de la vestimenta indígena. Son curiosos los bustos escultóricos que muestran los usos del reboso. El recinto se ve embellecido con el mural de simbolismos; **Poema de una Tejedora**.

Madero 33, Centro Histórico. 🚇 Allende

* MUSEO DE LA LUZ   Pl. 2 Loc. 2-C
Centro Histórico

Inaugurado en 1996, en lo que fue el **Antiguo Templo de San Pedro y San Pablo**. Este **museo interactivo** y de carácter didáctico esta compuesto de nueve secciones, donde la temática principal es la importancia de la luz en nuestras vidas. Así se abordan los conocimientos sobre la **óptica, la física de la luz, sus implicaciones prácticas, la fisiología de la visión, las artes** y un panorama histórico sobre el estudio del fenómeno lumínico. En las instalaciones del museo se puede visitar y observar un magnífico mural, llamado: El Arbol de la Ciencia, pintado por Roberto Montenegro.

El Carmen y San Ildefonso, Centro Histórico. 🚇 Zócalo

MUSEO DE LA PLUMA   Pl. 16 Loc. 2-B
Col. Lindavista

Único en su género en el país. Fundado en diciembre de 1997. Aloja una colección superior a los 5,000 piezas, procedentes de diversos países y fabricados en diferentes épocas. Se exhiben, también otros objetos relacionados con la escritura, como tinteros, lapiceros y escribanías. La gama de materiales con que están hechas es sorprendente, así hay algunas confeccionadas en hueso, que fueron utilizadas por los primeros humanos, como las primeras plumas fuente, de 1885. La primera pluma atómica, llamada así, desde 1945. Son especialmente interesantes aquellas que pertenecieron a personajes relevantes, como a Maximiliano de Habsburgo, Diego Rivera, Octavio Paz, Emilio Azcárraga o a Carlos Monsiváis. Algunas de ellas se utilizaron en algún evento histórico, como los manguillos que fueron empleados por los Constituyentes, cuando se firmó la Constitución de 1917.

Av. Wilfrido Massieu casi esq. Av. Instituto Politécnico Nacional Col. Lindavista
🚇 Lindavista

** MUSEO DE LA SECRETARIA DE HACIENDA   Pl. 2 Loc. 3-B
Centro Histórico

Alojado en una espléndida construcción virreinal, del que fuera el **Palacio del Arzobispado en México**. Reune el **Acervo Patrimonial de la Secretaría de Hacienda y Crédito Público**. Inaugurado en noviembre de 1994, muestra de manera permanente, una impresionante colección pictórica, que por concepto de impuestos, los artistas plásticos pagan con obra, llamado **Pago en Especie**, además de pinturas, se exhiben esculturas, mobiliario, objetos y artes decorativas de los siglos XVII al XX. Resaltan las obras de artistas como: Juan de las Ruelas, Juan Correa, Tiburcio Sánchez, Diego Rivera, Rufino Tamayo, Antonio Ruiz **El Corzo**, Pedro Coronel, Lola Cueto, Raúl Anguiano, Angelina Beloff, Roberto Montenegro, Francisco Moyao, Ignacio Asúnsolo, Luis Nizhisawa, entre otros. En la planta baja se encuentra un **Museo de Sitio** donde se aprecia parte del basamento de la **Pirámide de Tezcatlipoca**, recinto ceremonial de gran importancia para los aztecas. Además se exhiben piezas de la cultura mexica, en los pasillos del inmueble. El proyecto cultural del museo incluye exposiciones temporales de artes plásticas y múltiples eventos musicales, con reconocidos intérpretes.

Moneda 4, Centro Histórico. 🚇 Zócalo

** MUSEO DE LAS CIENCIAS UNIVERSUM   Pl. 13 Loc. 4-C
Ciudad Universitaria, Centro Cultural Universitario.

Recinto interactivo, cuya finalidad aparte de mostrar nuestro universo físico a través de catorce salas, es educar por medios muy didacticos. Es un espacio cultural, productor de vivencias y estimulador de la creación, donde el visitante experimenta, observa y analiza los más diversos fenómenos físicos, manipulando voluntariamente cientos de aparatos y mecanismos, dispuestos en las salas, que abordan las diferentes disciplinas científicas, como; las matemáticas, la astronomía, energía, biodiversidad, biología humana, alimentación, lo relativo a la salud humana, entre otros aspectos científicos y de vital interés. Otras actividades de servicio del museo, incluyen impartición de talleres, teatro, conferencias, en un edificio anexo conocido como **La Casa de la Ciencia**. Universum fue fundado a sugerencia de destacados científicos de la Universidad Nacional Autónoma de México, en diciembre de 1992, ellos mismos se avocaron al diseño y a la asesoría en la operación de los **más de 800 equipos interactivos**, dirigidos principalmente a los niños y jóvenes visitantes.

Insurgentes 3000, Centro Cultural Universitario

* MUSEO DE LO INCREÍBLE DE RIPLEY   Pl. 7 Loc. 3-C
Colonia Juárez

En una curiosa construcción, semejante a un castillo medieval, se aloja este museo, que forma parte de una gran cadena de establecimientos alrededor del mundo, que aluden a la colección de objetos insólitos realizados durante más de cuarenta años, por el artista, reportero, explorador y coleccionista americano; **Robert Leroy Ripley**. El museo es de propiedad particular, fue inaugurado el 15 de noviembre de 1992, en él se puede ver una variada colección de ejemplares singulares, réplicas de objetos o seres insólitos, figuras de cera mostrando sus peculiaridades y otros testimonios compilados por Ripley y que le dieran una especial celebridad, por medio de publicaciones y columnas periodísticas con el título de **¡Aunque usted no lo crea!**, su fama empezó a crecer desde 1929, cuando sus vivencias y rarezas acumuladas, le fueron publicadas en forma de libro, logrando vender más de medio millón de ejemplares, estableciendo un record, entre los libros más vendidos en su época. Ese rico legado se mantiene activo, prácticamente alrededor del mundo y sigue creciendo de manera contínua. Este museo también consigna una gran cantidad de éstos hechos asombrosos y sorprendentes de actualidad.

Londres 4, Colonia Juárez. 🚇 Insurgentes y Cuauhtémoc

* MUSEO DEL AUTOMÓVIL   Pl. 18 Loc. 3-B
San Pablo Tepetlapa, Delegación Coyoacán

Conjunta alrededor de 100 vehículos de distintas marcas, modelos y fechas de fabricación. El visitante encontrará seguramente su ejemplar de predilección. Llaman la atención un camión marca Brother, de 1926, antes de trasformarse en Graham Paige., o el Ford **A** 1930, de fabricación limitada o el Mino Morris, célebre por el aporte que dieron sus constructores a la industria automotriz, con su motor transversal, hay multitud de modelos de mediados del siglo XX, de los llamados clásicos.

División del Norte 3572, San Pablo Tepetlapa. Tren Ligero Registro Federal.

** MUSEO DEL CARMEN   Pl. 12 Loc. 3-B
San Angel

Localizado en el majestuoso escenario que fuera el **Conjunto Conventual del Carmen**, con sus vistosas cúpulas recubiertas de azulejo de Talavera. El museo consta de un valioso acervo de **arte, mobiliario y objetos ornamentales del virreinato**, sobretodo de los siglos XVII y XVIII. Destacan pinturas de **Cristóbal de Villalpando, Juan Correa, Luis Juárez y Luis Berrueco**, interesantes esculturas de madera y un conmovedor Cristo de pasta de caña. En la sacristía se conservan muebles y diversas piezas de uso religioso. A los lados del presbiterio de la iglesia hay sendos camerines y relicarios. Los retablos expuestos son en su mayoría del siglo XVII. El cuarto de lavamanos o antesacristía es un bello recinto con deslumbrante bóveda de estilo mudéjar, lambrines y piletas que están recubiertas de azulejos de Talavera poblana. Descendiendo a la cripta, se encontrarán, aún conservadas, unas **Momias**. Andando por el claustro y el jardín podrá tener una visión de la magnificencia del convento, construido entre 1615 y 1617 por el fraile carmelita fray Andrés de San Miguel, quien era un destacado arquitecto, que incluso escribió un tratado referido a la arquitectura en la Nueva España.

Revolución, esquina con Monasterio, San Angel.

* MUSEO DEL EJÉRCITO   Pl. 5 Loc. 4-B
Centro Histórico

Situado en un bello rincón de la majestuosa Plaza Tolsá, se halla este interesante museo, en el que se permite conocer la historia del país, destacando en ella la **Historia del Ejército Mexicano**. Este recinto es complemento del **Museo de Historia Militar** alojado en el **Antiguo Colegio Militar de Popotla**, siendo inaugurado el 15 de septiembre de 1992, se ubica en lo que fuera la **Capilla del Convento de Betlemitas**, cuya arquitectura es de un estilo barroco sobrio, construida en el siglo XVII. La nave de la capilla está ocupada por las diferentes secciones del museo, que expone fundamentalmente armas que corresponden a las sucesivas etapas históricas de México. Comprendiendo las guerras en el México Antiguo, la conquista española, el ejército virreinal, el ejército insurgente, las luchas por el poder en el siglo XIX, la consumación de la Independencia, la invasión norteamericana, la batalla del 2 de abril y la del 5 de mayo de 1862. Se exhiben además insignias actuales, un capítulo relativo a la industria militar mexicana, ejemplares de heráldica y numismática. Muros y mamparas están cubiertas con óleos, con retratos de los Niños Héroes y escenas de batallas. Diversos apoyos museográficos, como monitores y computadoras, hacen realmente atractiva y apasionante su visita. La entrada al inmueble está precedida por una plazuela donde se yerguen tres obras en relieve del escultor Jesús F. Contreras, que representan a los reyes, Izcóatl, Nezahualcóyotl y Totoquinautzin, firmantes de la Triple Alianza, confederación militar de enorme poder, durante el siglo XV, del México Prehispánico.

Tacuba y Filomeno Mata, Centro Histórico. 🚇 Bellas Artes

MUSEO DEL FUEGO NUEVO
Col. Ampliación Veracruzana Delegación Iztapalapa

Pl. 18 Loc.2-C

Museo arqueológico que conserva una interesante colección de piezas prehispánicas, formado básicamente con donaciones hechas por Rafael Alvarez Pérez. Se exhiben figuras confeccionadas en cerámica, puntas de flecha, raspadores, objetos percutorios, restos humanos y algunas esculturas trabajadas en tezontle, la exposición se complementa, con cuadros, tablas y esquemas explicativos, de las culturas que habitaron la región en el México Antiguo. Se hace también una pormenorizada explicación de los aspectos geográficos e históricos del **Cerro de la Estrella** y sus alrededores.

Carretera Escénica al Cerro de la Estrella, Col. Ampliación Veracruzana, Del. Iztapalapa.

** MUSEO DEL NIÑO PAPALOTE
2a. Sección del Bosque de Chapultepec

Pl. 8 Loc. 3-B

Bello, interesante y divertido, dedicado a la población infantil. Es un **Museo Interactivo**, donde se aprende mucho, tocando, manipulando y jugando con más de 400 exhibiciones, divididas en cinco secciones: **Nuestro Mundo, Cuerpo Humano, Conciencia, Expresiones** y **Comunicaciones**. Estas instalaciones fueron inauguradas en los terrenos que antes ocupara la Fábrica Nacional de Vidrio en 1993. Ofrece también a los visitantes equipo conectado a Internet, salas; de monitoreo atmosférico, biodiversidad de México, riqueza natural y la llamada **Casita de las Tortugas**, donde se conoce la vida de estos curiosos animales, hay un taller arqueológico, en que se practica la exploración de la cultura maya, además cuenta con una **Megapantalla**, de 17 m. de alto por 25 de ancho para proyecciones documentales. Los adultos pueden acudir cualquier día de la semana a excepción del fin de semana, ya que se requiere llevar algún niño.

Av. Constituyentes 268, 2a. Sección del Bosque de Chapultepec. 🚇 Constituyentes.

** MUSEO DEL PALACIO DE LAS BELLAS ARTES
Centro Histórico

Pl. 6 Loc. 2-D

Dentro de la majestuosidad del **Palacio de Bellas Artes** se hallan sus instalaciones, tanto las salas de exposiciones temporales, como el área de los murales, estos últimos se exhiben en los andadores del primer y segundo piso del Palacio, son impresionantes obras de los pintores mexicanos más notables del siglo XX, ellas son: La Nueva Democracia, Víctimas de la Guerra, Víctimas del Fascismo, Apoteosis de Cuauhtémoc, y Tormento de Cuauhtérnoc pintadas entre 1944 y 1951, por **David Alfaro Siqueiros**. Las obras de: El Hombre Contralor del Universo, La Revolución Rusa, La Dictadura, Danza de los Huichilobos, Músico Folclórico y Turístico y La Leyenda de Agustín Lorenzo; pintadas entre 1933 y 1936, por **Diego Rivera**, La Katharsis; plasmada por **José Clemente Orozco** en 1934., Nacimiento de la Nacionalidad y México de Hoy, trabajadas en 1952 y 1953, por **Rufino Tamayo**. La Humanidad se Libera de la Miseria, pintada en 1960 por **Jorge González Camarena**; El Angel de la Paz, obra de **Roberto Montenegro** y un fresco de **Manuel Rodríguez Lozano**. Las salas de exposiciones temporales exhiben frecuentemente las obras plásticas de reconocidos artistas tanto nacionales como extranjeros en grandes retrospectivas, así también muestras de las artes aplicadas y decorativas.

Av. Juárez y Eje Central Lázaro Cárdenas, Centro Histórico. 🚇 Bellas Artes.

** MUSEO DEL TEMPLO MAYOR
Centro Histórico

Pl. 2 Loc. 3-B

Magno recinto complementario de la **Zona Arqueológica del Templo Mayor**, construido exprofeso para alojar la extraordinaria colección de objetos encontrados en las excavaciones realizadas en la zona, entre 1978 y 1982. El museo está enclavado dentro del propio centro ceremonial, su acervo tiene el propósito de reproducir, en su concepción, el edificio principal del recinto sagrado de México-Tenochtitlan. Obra del arquitecto Pedro Ramírez Vázquez, quien lo terminó en 1982, siendo inaugurado poco después. A lo largo de 10 salas, se exhiben en una magistral museografía, los temas relacionados con el dios Huitzilopochtli, en sus primeras salas y al dios Tláloc, se alojan más de siete mil piezas, muchas de ellas todavía estudiándose. Muy interesante resulta observar la maqueta representativa, frente a la entrada, que recrea las construcciones que aloja el **Templo Mayor**, en el segundo piso se exhibe, frente a una enorme ventana, el monolito de la **diosa Coyolxauhqui**, cuya magnífica talla en roca, pesa 8 toneladas y mide 3.05 x 3.25 m. de diámetro, representa una trágica leyenda, simbolizada en el cuerpo de la mujer completamente desmembrada.

Seminario 8, Centro Histórico. 🚇 Zócalo.

MUSEO DEL ZAPATO EL BORCEGUÍ
Centro Histórico

Pl. 4 Loc. 1-B

Unico en México por su peculiar colección de más de 1,000 ejemplares de tamaño natural y alrededor de 15,000 miniaturas confeccionadas en diferentes materiales. Los modelos que se exhiben son del siglo XVIII hasta los más recientes, procedentes de muchos países, entre ellos: España, Francia, Italia, Marruecos, Turquía, Yugoslavia, Corea y Estados Unidos. El museo se fundó en 1991, y ocupa la planta alta de una empresa zapatera, del mismo dueño.

Bolívar No. 27, Centro Histórico. 🚇 Allende y Bellas Artes.

** MUSEO DOLORES OLMEDO PATIÑO
La Noria, Xochimilco

Pl. 18 Loc. 3-C

Emplazado en lo que fue un antiguo casco de hacienda, del siglo XVI, el museo exhibe **la colección más importante de la producción artística de Diego Rivera**, integrada por más de 140 trabajos del muralista y pintor, **25 obras relevantes de Frida Kahlo** y 43 grabados y dibujos de Angelina Beloff, fina ilustradora y artesana rusa. También se pueden apreciar la impresionante **colección de más de 600 piezas prehispánicas** procedentes de diversas culturas del México Antiguo. Esto alojado en magníficas instalaciones, de cuidada museografía, donde se alterna con la muestra de muebles de alta ebanistería, objetos de la época colonial y una singular colección de ejemplares, representantes de las artes populares de nuestro país, que incluye **cerámica, vidrio, judas, máscaras y lacas**. Hermosos jardines, por donde deambulan graciosos patos, elegantes pavorreales y sorprendentes perros xoloitzcuintles, preceden el acceso al museo, inaugurado en septiembre de 1994, a partir del impresionante acervo de la coleccionista y promotora de las artes plásticas Dolores Olmedo Patiño.

Av. México 5843, La Noria, Xochimilco, Estación de Tren Ligero La Noria.

MUSEO ESCULTÓRICO GELES CABRERA
El Carmen, Coyoacán

Pl. 11 Loc. 3-C

Aquí se exhibe la obra de la artista mexicana Angeles Cabrera, cuyos trabajos los ha realizado en madera, cantera rosa, piedra chiluca, terracota, bronce, chatarra, lámina de cobre, alambre, plástico y papel periódico. Desde un principio se pronunció contra el estilo figurativo y la volumetría costumbrista, para explorar otras propuestas plásticas. El recinto del museo está provisto de varios nichos, donde se alojan sugestivas piezas escultóricas.

Xicoténcatl 181, esquina Corina, El Carmen, Coyoacán.

* MUSEO ESTUDIO DIEGO RIVERA
San Angel

Pl. 12 Loc. 3-A

Casa convertida en museo, donde Diego Rivera vivió con Frida Kahlo realizando gran parte de su obra artística. La construcción fue realizada por el arquitecto Juan O'Gorman, dentro de un estilo funcionalista radical, en 1930, por encargo de Rivera. El lugar fue proyectado para que fuera su taller de trabajo, por lo que se prestó gran atención a la iluminación natural. Se puede apreciar el inmueble y la ambientación, tal como lo dejó el artista al morir. El museo está dividido en tres salas de exhibición; **El Estudio del Pintor, su Iconografía** y una **Sala de Exposiciones Temporales**. Fue fundado el 16 de diciembre de 1986 y fue adscrito al INBA. Llaman la atención los objetos con los que trabajó Rivera, como sus pinceles, caballetes, pigmentos, así como el entorno cotidiano, cuando estaba trabajando; figuras prehispánicas, fotografías de amigos, multicolores judas, se pueden ver algunos lienzos inconclusos montados sobre grandes caballetes. El museo cuenta, además, con servicios de talleres, cursos, conferencias, exposiciones temporales y visitas guiadas.

Diego Rivera y Altavista, San Angel

** MUSEO FRANZ MAYER
Centro Histórico

Pl. 6 Loc. 2-C

Especializado en **Artes Aplicadas**, es el más importante en el país por el número de colecciones y su variedad. Su acervo asciende a más de 9,000 piezas y 20,000 azulejos, a parte

Museo Franz Mayer

de poseer una vasta biblioteca especializada en artes aplicadas. La singular tarea de colectar este riquísimo conjunto de especímenes artísticos, se debe al financiero y anticuario alemán Franz Mayer, quién radicó en México de 1905 hasta su muerte, acaecida en 1975. En su testamento, anunció la donación de éste tesoro al pueblo de México. Las colecciones llaman la atención por su gran variedad y riqueza, cubriendo aspectos de la producción artística y artesanal, de épocas que comprenden del siglo XVI hasta el XX. El museo ocupa una antigua construcción colonial, recientemente acondicionada, que funcionó por mucho tiempo como el **Hospital de San Juan de Dios**. El acervo se distribuye en nueve salas, **Introducción, Pinacoteca, Talavera, Sala de Artes Decorativas en la Nueva España, Objetos Importados de Europa y Oriente, Escultura Virreinal Mexicana, Cerámica Internacional, Platería y Sala de Ambientaciones**. Destacan las más de 1,250 piezas de plata, de las cuales 640 son religiosas, el mobiliario, las pinturas de Zurbarán, Ribera, Zuloaga y Sorolla, por la escuela española, tapices franceses, alfombras de tres continentes, relojes, la cristalería, las magníficas esculturas estofadas hechas en México y un hermoso biombo realizado por Juan Correa, entre otras maravillas decorativas.

Av. Hidalgo 45, Centro Histórico. 🚇 Hidalgo y Bellas Artes

* MUSEO JOSÉ LUIS CUEVAS
Centro Histórico   Pl. 2 Loc. 3-C

El museo exhibe aproximadamente tres mil obras, en su mayoría pinturas, esculturas, dibujos y grabados, de los cuales una tercera parte son obra del propio artista José Luis Cuevas. Se aloja en lo que antiguamente sirvió como **Claustro del Convento de Santa Inés**. A finales de los años 80 fue remozado y acondicionado, para ser inaugurado el 8 de junio de 1992. Al iniciar el recorrido, por el interior, asombra la impresionante escultura titulada: **La Giganta**, obra de Cuevas, trabajada en bronce y que se localiza al centro del patio, que se halla cubierto por techo de plástico transparente. Por sus salas se exponen obras de varios autores, destacando : David Alfaro Siqueiros, Roberto Montenegro, Wilfredo Lamm, Roberto Matta, Carlos Mérida, Mathías Goeritz, Vicente Rojo y en la **Sala Erótica** José Luis Cuevas presenta su obra en torno al tema. Además hay dibujos de Rembrandt y 80 grabados de temas eróticos de Pablo Picasso.

Academia 13, Centro Histórico. 🚇 Zócalo.

* MUSEO MURAL DIEGO RIVERA (MUSEO DE LA ALAMEDA) Pl. 6 Loc. 2-B
Centro Histórico

Recinto construido exprofeso para resguardar y exhibir el mural de Diego Rivera; **Sueño de una Tarde de Domingo en la Alameda Central**, que anteriormente se encontraba en el vestíbulo del otrora famoso Hotel del Prado, afectado severamente por el sismo ocurrido el 19 de septiembre de 1985, por el cual tuvo que ser demolido. La obra mural fue trasladada en una labor delicada, aplicando sofisticadas técnicas de desplazamiento, al edificio que actualmente lo acoge. El acervo del museo consta, de dicho mural, de 72 m. realizado entre 1947 y 1948, al fresco. Se muestran documentos, cartas, bocetos, dibujos y fotografías referidas al proceso creativo del mural. Así como una explicación textual y gráfica de las maniobras realizadas para trasladar la obra del hotel a este recinto. En un segundo nivel, se alojan salas de exposiciones temporales, dispone de un amplio balcón para apreciar desde una perspectiva superior a este impresionante mural, que Rivera pintara por encargo de la Secretaría de Bienes Nacionales, actualmente Secretaría de Patrimonio y Fomento Industrial. En él se presenta un resumen de la historia de México y de la participación del artista en la misma, en un momento fugaz en la popular Alameda Central, el documento narrativo se extiende cronológicamente, de izquierda a derecha, empezando con un grupo de conquistadores, en toda la obra se representan personajes importantes e influyentes y miembros del proletariado durante el porfiriato, políticos y hombres de empresa del México posrevolucionario se observan en el extremo derecho, como culminación de esa visión onírica histórica del artista.

Balderas y Colón, Centro Histórico. 🚇 Hidalgo.

***MUSEO NACIONAL DE ARTE
Centro Histórico   Pl. 5 Loc. 3-B

Instalado en el majestuoso **Palacio de Comunicaciones**, este museo muestra más de **400 años de la plástica mexicana**, del siglo XVI a la primera mitad del siglo XX. Inaugurado en 1982, su acervo lo constituyen más de 700 obras expuestas en sus 26 salas, distribuídas cronológica y conceptualmente. Comprenden pintura y escultura principalmente. El recorrido inicia con algunos ejemplares del arte prehispánico, como preludio en la conformación del arte mexicano. Se abordan pictóricamente el manierismo y el barroco caracterizado principalmente, por temas religiosos, destacando José Xuárez, Baltasar de Echave Orio, Alonso López de Herrera, Baltasar de Echave Ibía, Luis Xuárez y Juan Correa. Se continúa con los llamados pintores de la Maravilla Americana; Luis Cabrera, Antonio de Torres, José de Ibarra, entre otros. Se sigue con la gran colección de obras, de los pintores de la Academia de San Carlos, en sus diferentes fases; Pedro Patiño Ixtolinque, Manuel Tolsá, José María Guerrero, Rafael Ximeno y Planes, José María Estrada, Joaquín Ramírez y el extraordinario paisajista José María Velasco, el retratista guanajuatense Hermenegildo Bustos, Juan Cordero, Manuel Ocaranza, Leandro Izaguirre entre otros. Del siglo XX se encuentran obras del Dr. Atl,

Francisco Goitia, Diego Rivera, Siqueiros y José Clemente Orozco. En el vestíbulo de la planta baja, se exponen magníficas esculturas, sobresaliendo **Malgré Tout** de Jesús F. Contreras, dos gladiadores de José María Labastida y **Después de la Orgía**, de Fidencio L. Nava. En el hermoso inmueble se puede visitar también el **Salón de Recepciones**, donde destaca la obra de los decoradores italianos Coppedé. El palacio fue construido entre 1904 y 1911 por el arquitecto italiano Silvio Contri.

Tacuba 8, Centro Histórico. 🚇 Bellas Artes

***MUSEO NACIONAL DE ANTROPOLOGÍA

Pl. 8 Loc. 1-C

Bosque de Chapultepec

Considerado uno de los museos más importantes del mundo, por su enorme acervo y su diseño museográfico. Edificio de proporciones majestuosas, exhibe la más impresionante colección de **objetos y joyas del México Antiguo Prehispánico**. Las dependencias y 23 salas de exposición permanente están organizadas alrededor de un imponente patio, con un enorme paraguas que se eleva del centro. Semejante en dimensiones e inspirado en el **Cuadrángulo de las Monjas de Uxmal**. La obra estuvo encabezada por el arquitecto Pedro Ramírez Vázquez, para ser inaugurada el 17 de septiembre de 1964. Las salas se distribuyen en: 12 de arqueología en la planta baja y 11 de etnología en la planta alta. El edificio se halla rodeado de exhuberantes jardines por donde se puede caminar, después de apreciar los salones que presentan: **El Origen y Evolución del Hombre, Orígenes Antropológicos de Mesoamérica y México, El Preclásico del Altiplano Central y La Cultura Teotihuacana, La Cultura Tolteca, La Cultura Azteca, Las Culturas Zapoteca y Mixteca, Cultura Maya y Las Culturas del Occidente, Noroeste y Norte de México**. Una riquísima colección de piezas arqueológicas, textos, mapas, dioramas, dibujos y planos, ilustran al visitante acerca de las culturas ancestrales del país. La planta alta se avoca a la etnografía de las más de 56 minorías nativas del país, abordando sus características físicas, organización social y política, vida familiar, costumbres, indumentaria, alimentación y prácticas religiosas. A lo largo del recorrido se exponen también, obras plásticas contemporáneas de artistas como: Tamayo, Anguiano, Camarena, Covarrubias y Rina Lazo, con temas alusivos a la mexicanidad.

Paseo de la Reforma y Gandhi, Bosque de Chapultepec. 🚇 Chapultepec

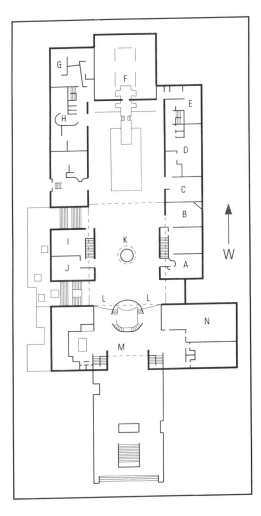

**MUSEO NACIONAL
DE
ANTROPOLOGIA**
(planta baja)

SALAS

A Introducción a la Antropología

B Los Orígenes

C Preclásico del Altiplano Central

D Teotihuacán Clásico

E Tolteca

F Preclásico Tardío

G Oaxaca

H Golfo de México

I Norte

J Occidente

K Paraguas

L Entrada y Salida

M Vestíbulo

N Area de Exposiciones Temporales

MUSEO NACIONAL DE ARQUITECTURA INBA　　　　Pl. 6　Loc. 2-D
Centro Histórico

Ubicado en el cuarto piso del **Palacio de las Bellas Artes**, a lo largo de un andador circundante al vacío del hall. Inaugurado el 26 de enero de 1984. Exhibe planos originales, dibujos, fotografías y una semblanza histórica, relativa a la construcción del Palacio, que originalmente fue llamado **Teatro Nacional**. Sus instalaciones sirven regularmente como galería de exposiciones temporales, donde se presentan las obras de destacados arquitectos, tanto nacionales como extranjeros, a través de planos, maquetas y fotografías.
　　　4° Piso del Palacio de Bellas Artes, Av. Juárez y Eje Central Lázaro Cárdenas, Centro Histórico. 🚇 Bellas Artes.

** **MUSEO NACIONAL DE HISTORIA**　　　　Pl. 8　Loc. 2-D
Chapultepec

Sirve de escenario el célebre e histórico **Castillo de Chapultepec** a este aleccionador museo, creado por decreto presidencial el 3 de febrero de 1939. Una vez realizado los trabajos de restauración, adaptación y remodelación del castillo, es inaugurado el 27 de septiembre de 1944. **Comprende la historia de México, desde la conquista española, hasta la Constitución de 1917**. De gran sentido didáctico, se exponen a lo largo de 20 salas; objetos militares, indumentaria, numismática, muebles, instrumentos musicales, armas, documentos, banderas, mapas, planos, pinturas, dibujos, etc, que ambientan los aspectos más relevantes de la vida política, económica y social del país. El museo está dividido de la siguiente forma: la **Conquista Espiritual, Mapas de la Ciudad de México, Carruajes, Desarrollo de la Ciudad de México, Galería de Virreyes, Guerra de Independencia**; en esta sección se encuentra un magnífico mural alusivo al tema, de **Juan O'Gorman, La República 1821-1856; La Reforma y El Triunfo de la República 1857-1867** que lo pintó en 1961 con un mural de **José Clemente Orozco**; El Triunfo de Juárez, trabajado en 1948, **La Revolución de 1910**, otro **Mural de O'Gorman**; Madero Abandonando el Castillo de Chapultepec, de 1963. **Documentos de la Revolución**, con un **Mural de Jorge González Camarena**; Carranza y la Constitución de 1917, pintado en 1967. En otra planta se hallan las salas de Exhibiciones Temporales, El siglo XIX, El Salón de las Malaquitas, Otra de Arte Religioso Colonial y del Siglo XIX, Retratos Coloniales, Cerámica Colonial, Joyería y Trajes Mexicanos Coloniales y del siglo XIX. Hay una sala especial, para albergar **Pinturas de David Alfaro Siqueiros** alusivas a la Revolución Mexicana, pintados en 1967. Obras de Edmundo Solares y Gabriel Flores son también expuestas.
　　　Castillo de Chapultepec, 1a. Sección de Chapultepec. 🚇 Chapultepec

* **MUSEO NACIONAL DE LA ACUARELA**　　　　Pl. 12　Loc. 3-D
Coyoacán

Interesante muestra de la **Historia de la Acuarela** en México, desde la época prehispánica hasta nuestros días. Instalado en una antigua residencia en el corazón de Coyoacán, la exposición permanente exhibe ricas representaciones de más de 40 artistas nacionales, sobresaliendo obras de Saturnino Herrán y Leandro Izaguirre, de gran fuerza expresiva. El museo fue abierto al público en 1987 a instancias del maestro acuarelista Alfredo Guati Rojo. Las obras de artistas contemporáneos destacan por su gran calidad interpretativa, considerando la dificultad que implica trabajar con ésta técnica pictórica.
　　　Calle Salvador Novo 88, Coyoacán. 🚇 Miguel Angel de Quevedo.

** **MUSEO NACIONAL DE LA ESTAMPA**　　　　Pl. 6　2-D
Centro Histórico

En este recinto se expone el procedimiento empleado para estampar imágenes y el proceso histórico de la estampa y el grabado en México. Hay nueve salas de exposición temporal y dos permanentes. La obra gráfica expuesta comprende desde la época prehispánica, con sellos de barro cocido que se utilizaban para plasmar sobre tela, papel, piel o cerámica, etc, cubriendo, tambien, el período colonial donde se puede apreciar el grabado en madera de los siglos XVI y XVII y en cobre, del siglo XVIII, se aborda generalmente la tematica religiosa, las obras del siglo XIX representan los trabajos ejecutados por maestros de la Academia de San Carlos, donde destacan: **Picheta, Manilla, el celébre grabador José Guadalupe Posada**. Las diversas técnicas que se exhiben incluyen: litografía, xilografía, aguafuerte, agua tinta, punta seca, linografía, suelografía, mezotinta, barniz blando, buril, talla dulce, madera negra, colografía, mixografía, serigrafía y neografía. En el grabado contemporáneo son dignas de mencionar las obras de Jean Charlot y los trabajos del **Taller de la Gráfica Popular**, donde se admiran la producción de Orozco, Siqueiros, Beloff, Bracho, Moreno Capdevila y Mexiac, entre otros. Este espléndido acervo se aloja en una construcción eclética de la etapa porfiriana de sencillas líneas arquitectónicas, en cuyo interior, además, sobresale un bello vitral que cubre el tragaluz del patio, diseño del artista Salvador Pinoncelly.
　　　Av. Hidalgo 39, Plaza de la Santa Veracruz, Centro Histórico. 🚇 Bellas Artes.

* **MUSEO NACIONAL DE LA REVOLUCIÓN**　　　　Pl. 7　Loc.3-D
Colonia Tabacalera

Alojado en el sótano del imponente **Monumento a la Revolución**, este interesantísimo museo inaugurado el 20 de noviembre de 1986, exhibe mediante materiales gráficos, documentos y objetos, **una visión histórica de la Revolución Mexicana**. El acervo es expuesto permanentemente e incluye: **Cincuenta Años en la Historia de México, 1867-1917**. En nueve salas se ilustran mapas, dioramas, fotografías, periódicos, colección de billetes, carrozas, baúles, armas, utensilios de cocina, imprentas y uniformes, complementados con maquetas, murales, videos y películas, que ambientan la crónica revolucionaria, impresa en breves explicaciones textuales. En tres fases es descrito este proceso histórico, un primer período va de la **República triunfante,** al ocaso de la dictadura porfiriana (1867-1906): El triunfo del liberalismo y Leyes de Reforma, la escisión liberal, los inicios del porfirismo, características de la banca, Primera Ley General de Instituciones de Crédito, las tiendas de raya y el ocaso de la dictadura. Un segundo período, comprende la defensa de la libertad y la democracia (1906-1913): El Partido Liberal Mexicano, El Partido Antirreleccionista, el estallido de la Revolución, la presidencia de Francisco I. Madero, El pacto de la Embajada y la Decena Trágica. El último período, va de la instauración de la dictadura de Victoriano Huerta, a la promulgación de la Constitución Federal. en 1917.

Plaza de la República, sótano oriente del Monumento a la Revolución, Colonia Tabacalera, 🚇 Revolución.

** MUSEO NACIONAL DE LAS CULTURAS   Pl. 2 Loc. 3-B
Centro Histórico

Emplazado en un edificio novohispano de estilo barroco, donde estuviera la **Casa de Moneda**, se encuentra este **museo que tiene un carácter didáctico**, preserva piezas originales y reproducciones de distintas civilizaciones y culturas del mundo. Inaugurado el 4 de diciembre de 1964, el recinto alberga un acervo eminentemente **etnográfico**, se muestran objetos tales como: cerámica, indumentaria, arte popular, orfebrería y elementos artesanales de uso diverso, son interesantes las máscaras y utensilios de uso cotidiano, que se exhiben en salas destinadas a los países africanos y la de Oceanía, que incluye la colección más importante que existe en América Latina. Las piezas expuestas están acompañadas de tablas cronológicas, con los acontecimientos más sobresalientes en la historia de cada una de las culturas referidas. Las colecciones están distribuídas en más de 20 salas, organizadas de la siguiente manera; **Arqueología de América, Prehistoria, Mesopotamia, Egipto, Grecia** y **Roma, Japón, China, Africa, Oceanía, Aínos, Sureste de Asia, Polonia, Rumania, Norteamérica, Bulgaria, Federación Rusa, Países Balcánicos, Mundo Árabe,** entre las más importantes. El vestíbulo del museo aloja en sus muros, el mural **La Revolución del pintor Rufino Tamayo**, concebido en 1938. Se ofrecen, además, servicios al visitante como una biblioteca especializada y librería. Frecuentemente presenta exposiciones temporales de interés general y ofrece cursos al público, así como talleres y ciclos de cine.

Moneda 13, Centro Histórico. 🚇 Zócalo.

* MUSEO NACIONAL DE LAS CULTURAS POPULARES   Pl. 11 Loc. 3-B
Coyoacán

Recinto que destaca por su **museografía dinámica**, al tratar aspectos variados de las culturas populares. A decir de su fundador y primer director el antropólogo Guillermo Bonfil, la creación del museo obedeció a la necesidad de reconocer la creatividad y las iniciativas culturales de los sectores populares de México, con el fin de rescatarlas, estimularlas y darlas a conocer con todo su valor, como parte fundamental y muy rica del patrimonio nacional. Fundado el 24 de septiembre de 1982, se aloja en una antigua residencia, acondicionada con áreas verdes, en terrenos que en algún tiempo fueron la vieja **Aduana de Coyoacán**. **Todas sus exposiciones son temporales**, las diferentes actividades giran en torno a un tema central, que varía aproximadamente cada seis meses, son acompañadas por conferencias, encuentros programas radiofónicos, y otras actividades culturales. Al entrar al museo sorprende la presencia de un **enorme árbol de la vida** de Metepec, de más de cinco metros de altura, hecho en barro y ricamente policromado. El andar y maravillarse de las creaciones populares, se torna muy agradable y placentero.

Av. Hidalgo 289, Coyoacán.

** MUSEO NACIONAL DE LAS INTERVENCIONES   Pl. 11 Loc. 3-C
Churubusco

Instalado en lo que fuera el **Convento de Nuestra Señora de la Asunción de Churubusco**, el museo inaugurado el 13 de septiembre de 1981, tiene como propósito fundamental, ilustrar las agresiones e invasiones extranjeras sufridas por México. Cuenta con 14 salas que se encuentran divididas en cuatro etapas: la primera abarca de fines del siglo XVIII a 1839, donde España es la parte atacante, la segunda de 1839 a 1853, en lo que los Estados Unidos invaden y se anexan más de la mitad del territorio nacional, la tercera de 1853 a 1872, los antecedentes y la intervención francesa y la cuarta, corresponde a la Revolución e intervención norteamericana en 1914. Las salas muestran cañones, diversas armas, banderas, mapas, planos, dibujos, pinturas y litografías que ilustran gráficamente las diferentes intervenciones. El museo cuenta además con una sala de exposiciones temporales y una importante colección de arte religioso novohispano, donde destacan obras de Luis Xuárez, Juan Correa y Alfonso López de Herrera. En las afueras del exconvento se ubican el monumento a los **Héroes de Churubusco** y la estatua de bronce dedicada al Gral. Pedro Anaya quien fue capturado, luego de la batalla frente a los norteamericanos, en 1847, justamente en este lugar, que fue fortaleza del ejército mexicano.

20 de Agosto y Gral. Anaya, San Diego Churubusco. 🚇 General Anaya.

** MUSEO NACIONAL DE SAN CARLOS   Pl. 7 Loc. 2-D
Colonia Tabacalera

Ubicado en lo que fue el antiguo **Palacio del Conde de Buenavista**, obra neoclásica del insigne escultor y arquitecto valenciano Manuel Tolsá. El museo fue fundado el 12 de junio de 1968, partiendo su acervo de las colecciones pertenecientes a la **Antigua Academia de San Carlos**. En él se halla la **más rica colección de arte europeo en México**. Sus salas albergan obras góticas, renacentistas, manieristas, barrocas, neoclásicas y románticas, abarcando desde el siglo XVI, hasta principios del siglo XX. Se pueden apreciar óleos provenientes de España, Italia, Francia, Holanda, Inglaterra, el antiguo Flandes y Alemania. De su rica colección destacan **La Cena de Emaús**, atribuída a Zurbarán; el **Aquelarre de los Caprichos**, de Goya; **La Adoración de los Magos**, de Berruguete; **La Sagrada Familia**, de Botticelli; **Adán y Eva**, de Lucas Cranach; **Las Siete Virtudes**, de Peter de Kempener; el **Retrato de Hombre Desconocido**, de Frans Hals; **La Partida de San Pedro Nolasco para Barcelona**, de Zurbarán; **Retrato de un Elector**, de Lucas Cranach, y retablos trípticos de Luis Borrassá. Son admirables obras, también, de Watteau, Fragonard, Ingres, Rubens, Daumier, Thomas Lawrence, Joshua Reynolds, Tintoretto, Lucas Giordano y Alfonso Cano. Además se aprecian excelentes lienzos, de aquellos maestros europeos que trabajaron en México, durante la segunda mitad del siglo XIX, como Pellegrín Clavé y Eugenio Landesio. El museo presenta regularmente exposiciones temporales de grandes maestros y de las escuelas europeas, sobre todo anteriores al siglo XX. Se imparten, asimismo, cursos magistrales sobre los autores y estilos expuestos.
Puente de Alvarado 50, Col. Tabacalera. 🚇 Hidalgo y Revolución.

***MUSEO NACIONAL DEL VIRREINATO   Pl. 19 Loc. 1-B
Tepotzotlán, Estado de México

En una joya de la arquitectura barroca mexicana se encuentra este museo, que acoge **La más importante colección de arte colonial de México**. El escenario que da albergue a verdaderos tesoros no podía ser mejor; **El Excolegio de San Francisco Javier**, con su hermosa iglesia, exquisitos interiores y plácidos claustros y huertas. Las colecciones expuestas van desde el **arte religioso, las artes decorativas, hasta el arte popular novohispano,** y están organizadas en varias salas. Entre las obras sobresalientes, destacan las pinturas de Cristóbal de Villalpando, describiendo la vida y obra de San Ignacio de Loyola en una veintena de lienzos, los enormes cuadros de Miguel Cabrera, en el interior de la iglesia, la exquisitez de los óleos de Juan Correa y Martín de Vos. Una extensa colección de esculturas domina todos los ámbitos del exconvento, trabajadas en plata, barro, estofados, madera, pasta de caña de maíz y cera., cautivan las tallas en marfil provenientes de las islas Filipinas. En la espaciosa huerta se puede apreciar el **Monumento Original de la Fuente del Salto del Agua**, que alguna vez estuvo en la Ciudad de México, hoy se puede ver una réplica. Cuenta además, con una biblioteca histórica con más de 4,000 ejemplares. Es también muy interesante visitar la **Sala de Herrería**, donde se exhiben espadas, llaves y estribos, elaboradas en hierro forjado. Los muebles, de todo tipo, se hallan dispersos por las salas y andadores., y naturalmente la visita a los **retablos churriguerescos dorados**, es inevitable.
Plaza Miguel Hidalgo y Plaza Virreinal, Tepotzotlán, Estado de México.

** MUSEO RUFINO TAMAYO   Pl. 8 Loc. 2-D
Chapultepec

Se sitúa en una bella construcción moderna, obra de los arquitectos Teodoro González de León y Abraham Zabludovsky, cuyas cualidades importantes son la de mimetizarse dentro del Bosque de Chapultepec, gracias a su volumetría exterior escalonada, con taludes cubiertas de vegetación. El espacioso escenario interno acoge las **obras de más de 150 artistas contemporáneos**, de todo el mundo y naturalmente la obra del gran maestro Rufino Tamayo, quién junto con su esposa Olga reunieron la vasta colección, constituída por pinturas, esculturas, dibujo, grabado, fotografía y tapiz, que donaron al pueblo de México y la cual es expuesta aquí, en varias salas denominadas; **Grandes Maestros, Maestros del Individualismo, Expresionismo Abstracto, Rufino Tamayo, Abstracción Informal, Neoconcretismo, Ambiente escultórico, Arte Cinético y Arte Postconceptual**. El museo fue inaugurado el 29 de mayo de 1981, en él se pueden apreciar obras de Pablo Picasso, Salvador Dalí, Joan Miró, Francis Bacon, Antonio Tapies, Victor Vassarely, Hiroshi Okada, Feliciano Bejar, Magritte, Chirico, Cuevas, Gerszo y Goeritz, entre otros. Regularmente se exponen las obras de reconocidos artistas plásticos, tanto nacionales como extranjeros, se ofrecen además actividades multidisciplinarias, como conferencias, representaciones teatrales, espectáculos de danza contemporánea, conciertos, cursos y talleres y visitas guiadas.
Paseo de la Reforma y Gandhi, Bosque de Chapultepec. 🚇 Chapultepec.

** MUSEO SOUMAYA   Pl. 12 Loc. 4-B
San Angel

Peculiar museo, se encuentra en el segundo piso de un centro comercial y cultural. Preserva una extraordinaria muestra de arte mexicano y universal, tanto en pintura, escultura y gráfica como de artes aplicadas, en su mayoría de los siglos XV al XX. Inaugurado en diciembre de 1993, sus colecciones se alojan en 5 salas, en una de ellas se encuentra una de las tres colecciones más importantes en el mundo, relativa a la producción artística de **Auguste Rodin**, donde se podrá ver más de 70 de sus obras, entre ellas: **El Beso, El Pensador** y **La Edad de Bronce**. Hay otra sala dedicada al **Arte Barroco** básicamente novohispano, donde hay obras de Juan Correa, Miguel Cabrera y Cristóbal de Villalpando. En la sala llamada del **Retrato Mexicano**, están expuestas obras del género, de los siglos XVII al XIX, tanto en su expresión académica, como popular. En otras colecciones destacan las obras de Emile Antoine Bourdelle, que incluye máscaras de Beethoven y Heracles El Arquero y tambien trabajos de Camille Claudel, donde se pueden apreciar; **El Vals, La Ola** y **El Retrato de Rodin**. Algunos de los muros del recinto muestran **Dos murales de Rufino Tamayo** Naturaleza Muerta; con sus tradicionales sandías, y El Día y La Noche. Sus instalaciones albergan también exposiciones temporales, presentaciones de libros, conferencias y mesas redondas. Se imparten, además, cursos y talleres relativos a las artes plásticas y las humanidades. Como extensión de sus actividades culturales, el museo cuenta con una sala externa, en **Plaza Cuicuilco**, avocada a la presentación de exposiciones temporales.

Plaza Loreto, Av. Revolución y Río Magdalena, Eje 10 Sur, Tizapán, San Angel.

* MUSEO TECNOLÓGICO DE LA C.F.E.   Pl. 8 Loc. 3-B
2a. Sección de Chapultepec

Moderno edificio rodeado de extensos jardines, donde se muestra el desarrollo de la ciencia y sus aplicaciones a la industria, el transporte y las comunicaciones. **El museo es interactivo** lo que permite comprender, de manera práctica, los distintos procesos relacionados con la industria eléctrica, electromagnetismo y la física en general. Fundado por la Comisión Federal de Electricidad en 1970. Cuenta con tres pisos, en los que se exhiben maquinaria y artefactos científicos, en las salas dedicadas a la electricidad, el transporte, la física, la iluminación ahorradora de energía. Los jardines de alrededor exhiben maquetas, vagones y locomotoras, torres de perforación, generadores y máquinas diversas. Además cuenta con biblioteca, auditorio y un restaurante, que es réplica de una antigua casa de máquinas.

2a. Sección de Chapultepec. 🚇 Constituyentes.

* MUSEO UNIVERSITARIO DEL CHOPO   Pl. 7 Loc. 2-C
Santa María La Ribera

Ubicado en una singular construcción de hierro y vidrio, que recuerda la arquitectura eiffeliana, se halla este foro de expresión para las diferentes inquietudes artísticas de la juventud, que se manifiestan en exposiciones temporales de pintura, escultura, grabado, fotografía y performance. Además, conciertos de rock y jazz se suceden regularmente. También funciona como centro docente, donde se imparten diversos cursos relativos a las artes plásticas y escénicas, literatura, fotografía, apreciación cinematográfica, entre otras muchas actividades, dirigidas al público en general. El museo es una dependencia de la Universidad Nacional Autónoma de México y fue inaugurado el 25 de noviembre de 1975 en lo que fuera el Museo de Historia Natural del Chopo por muchos años, hasta que dejó de funcionar como tal en los años 60.

Enrique González Martínez 10, Col. Santa María La Ribera.
🚇 Revolución y San Cosme.

Museo Universitario del Chopo

** MUSEO UNIVERSITARIO CONTEMPORÁNEO DE ARTE   Pl. 13 Loc. 1-B
Ciudad Universitaria

Se ubica frente a la explanada central de Ciudad Universitaria. Fundado en 1970 con el fin de reunir el material artístico y tecnológico, producido por las diferentes instituciones dependientes de la Universidad Nacional. Su concepción de museo es esencialmente dinámica, destinado principalmente a exposiciones temporales con los más diferentes enfoques, desde las artes populares hasta los científicos. Conserva una magnífica colección de artesanías de distintas partes del mundo, donado principalmente por los países que participaron en la Olimpiada Cultural de 1968, dispone además de algunas colecciones antropológicas de especial interés, como las de Raúl Kanfer y William Spratling. En la realización de exposiciones temporales, destacan su rica museografía, apoyada con material audiovisual, conferencias y mesas redondas.

Ciudad Universitaria, a un lado de la Facultad de Arquitectura.

* NORIA LA   Pl. 18 Loc. 3-C
Xochimilco

Extenso predio bardeado, donde actualmente se aloja el Museo Dolores Olmedo. En este sitio vivió el último rey de los Xochimilcas, don Martín Zarón de Alvarado, en una antigua construcción levantada entre 1567 a 1569. En tiempos recientes se le conoció como Quinta de la Noria. Se halla rodeado de robustos muros, se muestran todavía, elementos coloniales en su arquitectura, hay una interesante capilla, un hermoso jardín se extiende a lo largo y ancho del museo, por él se ve andar arrogantes pavorreales y curiosos perros xoloitzcuintle.

Av. México 5843, La Noria, Xochimilco, Tren Ligero; La Noria.

***PALACIO DE BELLAS ARTES Pl. 6 Loc. 2-D
Centro Histórico

Monumental y majestuoso palacio, **máximo recinto para la exposición y expresión de las artes en México**, los más grandes cantantes de ópera, nacionales y extranjeros, los mejores solistas del mundo; las orquestas sinfónicas más prestigiadas; famosos directores; obras de arte de la pintura y la escultura de los grandes maestros, todas las expresiones artísticas del ser humano tienen, en el momento de su más elevado nivel; el marco magnífico del Palacio de Bellas Artes. Uno de los símbolos de la ciudad, arraigado por siempre a la imagen cultural de México, este imponente edificio debió su proyecto originalmente; al arquitecto italiano Adamo Boari, quien dirigió desde un principio las obras, en 1905 hasta 1913, cuando por motivos de la Revolución Mexicana, tuvieron que ser suspendidas temporalmente. Es hasta 1932, cuando al arquitecto Federico Mariscal, le es encargado su culminación, e inaugurado oficialmente el 29 de septiembre de 1934. El estilo arquitectónico del palacio, conjuga el art nouveau, de su primera etapa constructiva, en el exterior, con el art déco de la segunda etapa, principalmente en el interior. Su belleza y encanto se deja ver en todos los detalles, en sus grupos escultóricos del exterior, del remate de la cúpula elipsoidal, hasta los elementos decorativos y funcionales como; lámparas, puertas, ventanería, plafones, barandales, etc. **El teatro** exhibe un maravilloso **plafond** y **telón** de belleza indescriptible. Así son, también reveladores los magníficos murales de los más grandes maestros de la pintura mexicana del siglo XX, que se muestran en sus pasillos, de los diferentes niveles.

Av. Juárez y Eje Central Lázaro Cárdenas, Centro Histórico. Ⓜ Bellas Artes

Palacio de Bellas Artes

** PALACIO DE COMUNICACIONES Pl. 5 Loc. 4-B
Centro Histórico

Majestuoso edificio de imponente fachada, del estilo llamado ecléctico, en donde impera la tendencia neorrenacentista, de gran ostentación, manifestado en su herrería, enormes ventanales, elegantes ornatos y los bellos detalles y pinturas al temple del interior. Construido entre 1904 y 1911 bajo la dirección del arquitecto italiano Silvio Contri, en lo que fuera anteriormente el **Hospital de San Andrés**. Sede del **Museo Nacional de Arte**, anteriormente estuvo instalada la **Secretaría de Comunicaciones y Transportes**, el Archivo General de la Nación, y más recientemente la Oficina de Telégrafos. El edificio es un ejemplo magistral de armonía en la proporción con que combina la piedra gris de su fachada, la espléndida herrería de la Fundidora de la Pignone de Florencia, y la madera de los marcos y ventanas. Al penetrar en el edificio se observa el fastuoso vestíbulo, con techumbre encasetonado y moldurado, apoyado en columnas pareadas de capitel compuesto., De ahí se puede acceder al **Patio de los Leones**, donde dos estatuas de éstos animales flanquean una escalera. Al regresar al vestíbulo es de admirarse la **magna escalera de 2 rampas**, de mármol lechoso, a la que otorga telón de fondo un ventanal que forma un medio cilindro, bellos leones en bronce señalan el arranque de la escalera, el último nivel de ésta, es coronada en el techo con una hermosa pintura de Carlo Coppedé, con el tema de; La paz desterrando a la guerra. Asombra también por su delicadeza y elegancia; la **Sala de Recepciones**, en el último piso, rica en decorados, muebles y pinturas, obras de la familia Coppedé de Italia.

Tacuba 8, Centro Histórico. 🚇 Bellas Artes.

** PALACIO DE CORREOS   Pl. 5 Loc. 4-A
Centro Histórico

Bella y suntuosa construcción, uno de los más elegantes edificios públicos levantados durante el porfirismo. De un **estilo ecléctico** conjuga diversas modalidades arquitectónicas, tanto en su exterior como en su interior, el aspecto general es de estilo renacentista florentino, con arcos polilobulados y otros conopiales, otros elementos recuerdan el gótico isabelino, otros muestran la influencia plateresca, las ventanas decoradas por parteluz tienen el sello árabe, detalles del barroco en las columnillas salomónicas y el decorado art nouveau, en el interior. Obra dirigida por el arquitecto italiano Adamo Boari, quien contó con el valioso apoyo del ingeniero Gonzalo Garita, tanto en la cimentación como en la construcción misma. La edificación se llevó a cabo entre 1902 y 1907, en lo que fue el **Hospital Real de Terceros** de la orden franciscana, inaugurado el 17 de febrero de 1907, por el entonces presidente general Porfirio Díaz. Con sus 28 metros de altura fue uno de los más altos de su época. Llama la atención el extraordinario trabajo realizado en el labrado de piedra, de los marcos de ventanas, columnas, celosías y frisos, donde contrasta la herrería decorativa de la Fundidora de la Pignone, de Florencia, Italia. El interior es también, excepcionalmente rico en su decoración; mesas, mostradores, buzones y ventanillas son de gran calidad. Destaca de sobremanera la **magnífica escalera de múltiples rampas**. En el primer piso se encuentra el **Museo Postal** y la **Biblioteca Postal**, donde puede admirarse una serie de pinturas de Bartolomé Gallotti, pintor italiano. En sus amplias salas suelen presentarse exposiciones temporales, de artes plásticas y relativas al servicio postal.

Tacuba y Eje Central Lázaro Cárdenas, Centro Histórico. 🚇 Bellas Artes

** PALACIO DE ITURBIDE   Pl. 4 Loc. 1-B
Centro Histórico

Obra maestra de la arquitectura civil novohispana considerado el más valioso construido en la Ciudad de México, durante el siglo XVIII. De un estilo barroco, profusamente decorado en su fachada. Llamado así porque de 1821 a 1823 fue lugar de residencia del efímero emperador Agustín de Iturbide, quien de allí partió a su coronación como emperador el 21 de julio de 1822, y también de allí salió al destierro, después de ver frustrados sus sueños imperiales. El palacio fue mandado a construir por los condes de San Mateo Valparaíso, marqueses de Jaral de Berrio, para que lo habitara su hija, la obra estuvo a cargo del arquitecto Francisco Guerrero y Torres, quien lo levantó de 1779 a 1784. El edificio posteriormente perteneció al marqués de Moncada, fue él quien dio alojo a Iturbide. La preponderancia de líneas rectas, buen gusto y profusión de la ornamentación del palacio, produjo siempre la impresión de poder y riqueza, llamando la atención a propios y extraños. Tiene tres pisos, el primero muy alto, con entresuelo, el segundo presenta balcones salientes con barandales de hierro forjado y el tercero formado por una galería con arquerías

molduradas, que separan dos torreones en los extremos. Destaca a primera vista la suntuosa portada, considerada la más rica que se haya labrado durante la época virreinal, lleva un arco rebajado, pilastras ricamente decoradas, dos curiosos atlantes y una guardamalleta de escepcional belleza. El interior muestra un señorial patio, rodeado de esbeltas columnas, que soportan arcos de medio punto. Aquí se realizan con frecuencia magnas exposiciones, dedicadas a las artes plásticas y decorativas.

Madero 17, Centro Histórico. 🚇 Bellas Artes

** PALACIO DE LOS DEPORTES   Pl. 18 Loc. 2-C
Ciudad Deportiva

Monumental obra arquitectónica concebida por el arquitecto catalán Félix Candela. Sede durante los XIX Juegos Olímpicos, realizados en México, de los deportes de basquetbol y gimnasia. Realizado durante 1968 bajo la dirección del mismo Candela y los arquitectos Enrique Castañeda Tamborrell y Antonio Peyrí. Es una enorme **estructura geodésica** con claros de 160 metros y una altura en su punto central de 45 metros. Tiene una planta circular, cubierta totalmente por una bóveda metálica, formada por una retícula de armaduras de acero con arcos, que siguen la dirección de los círculos máximos de una esfera. Lo que resulta en 121 cuadros, con formas piramidales tetragonales o paraboloides hiperbólicos. Su apariencia se debe a tejas de cobre que la recubren. En su interior hay pista de competencias o de exhibición con un diámetro de 80 metros, se destaca admirablemente que el interior está **desprovisto de columnas de sustentación**. Tiene un aforo para 20 000 espectadores. Y es sede regular de eventos deportivos y exposiciones. En su explanada se puede apreciar el grupo escultórico **Osa Mayor**, de Mathías Goeritz arquitecto y artista alemán que radicó en México.

Av. Río Churubusco y Eje 3 Sur, Ciudad Deportiva. Ⓜ Velódromo

** PALACIO DE MINERÍA   Pl. 5 Loc. 4-B
Centro Histórico

Magnífico edificio, la **mejor muestra de la arquitectura neoclásica** en la Ciudad de México. Obra del arquitecto y escultor valenciano Manuel Tolsá, quien proyectó y dirigió sus obras, de 1797 a 1813. Dio albergue inicialmente al **Real Seminario de Minas**, que tenía como fin la enseñanza y el desarrollo de esa industria, tan fundamental en la vida económica novohispana. El edificio ocupa una superficie de 7,606 metros cuadrados y está construido en su fachada con roca de cantera gris. Consta de dos niveles principales, más un entresuelo., en su fachada principal que se extiende por 90 metros, destaca la **portada**, que se abre en tres arcos separados por columnas dóricas, arriba se aprecia un balcón corrido con balaustrada, remata con un magno frontón adosado a un enorme cubo, el observatorio. A lo largo de la parte superior del edificio, corre una balaustrada, interrumpida por macetones pareados. Al interior se haya un majestuoso patio, de planta cuadrada rodeado por arcadas que, en el primer nivel están apoyados en pilares de sillares almohadillados y en el segundo por esbeltas columnas pareadas de capitel jónico. Al fondo del patio arranca una **imponente escalera de doble rampa** que lleva a la **Capilla**, donde se observan bellas pinturas del español **Rafael Ximeno y Planes**, alusivas a la Virgen. El amplio recinto sirve como sede a varias asociaciones profesionales, es centro de superación académica y acoge anualmente a la **Feria Internacional del Libro**. Como hecho interesante, en el acceso al interior se exhiben **Cuatro grandes Meteoritos** procedentes del norte del país, y que fueron mandados a instalar sobre pedestales, en 1893.

Tacuba 5, Centro Histórico. Ⓜ Bellas Artes

** PALACIO DEL AYUNTAMIENTO   Pl. 2 Loc. 4-A
Centro Histórico

Sede del Gobierno del Distrito Federal, su aspecto es de un estilo neocolonial, cuyas obras fueron realizadas por el arquitecto Manuel Gorozpe, entre 1906 y 1910. Inicialmente constaba de dos niveles y fue construido en el siglo XVIII, después de que un motín popular lo incendió y lo destruyó en 1692. En el siglo XVI fue una construcción de una sola planta, donde se alojaban las oficinas del cabildo, la carcel municipal, un granero, un mercado de carnes y la primera casa de moneda. Luego de sucesivas transformaciones, a lo largo de los siglos, adquirió su imagen actual. La fachada es de cantera labrada, con un mirador que sobresale a cada extremo. La planta baja muestra en su exterior el **Portal de la Diputación**, decorado con grandes tableros de azulejos que representan los escudos de Coyoacán, sede del primer Ayuntamiento en el Valle de México. Otros; el de la fundación de la Ciudad de México., de Cristóbal Colón., de Hernán Cortés, fundador de los primeros Ayuntamientos en la América Continental., el de la Ciudad de México, otorgado por Carlos V y el de la Villa Rica de la Veracruz, sede del primer ayuntamiento en la América Continental. En el interior son interesantes la **Escalera** y los **Patios** rodeados de arquerías. Se recomienda visitar la **Sala de Cabildos**, sede del Consejo Consultivo de la Ciudad. Enfrente de este edificio se encuentra uno semejante, también ocupado por oficinas del Gobierno del Distrito Federal, su construcción data de 1941 y 1948, cuya arquitectura buscó armonizar con lo neocolonial de los edificios que rodean al Zócalo.

Plaza de la Constitución, Centro Histórico. Ⓜ Zócalo

***PALACIO NACIONAL   Pl. 2 Loc. 4-B
Centro Histórico

Recinto del poder político por excelencia. A través de los siglos pasaron por sus habitaciones, salones y andadores las autoridades virreinales, gobernantes, presidentes y hasta el efímero emperador Maximiliano de Habsburgo. Construido con las piedras de las **Casas Nuevas de Moctezuma**, el emperador azteca vencido por las huestes de Hernán Cortés, quién se reservara los solares para su residencia. **El antiguo Palacio Virreinal** sufrió múltiples transformaciones con

el curso del tiempo, antes y después del terrible tumulto popular acaecido el 8 de junio de 1692, durante el cual se incendió casi totalmente. Reedificado en 1693 y 1694 por el virrey Gaspar de Sandoval, cambió su aspecto de fortaleza, a la de un palacio. El inmueble sin embargo siguió sufriendo grandes transformaciones, las más importantes realizadas durante el imperio de Maximiliano y los gobiernos de Porfirio Díaz y Plutarco Elías Calles, cuando se le agregó un tercer piso, obra dirigida por el arquitecto Petriccioli. El aspecto actual es de un estilo neobarroco, de 200 metros por lado, considerado el edificio más extenso de la República, aloja principalmente la oficina de la Secretaría de Hacienda. Al iniciar el recorrido por el Palacio, se recomienda visitar y observar el **mural de Diego Rivera,** llamado: **La Epopeya de México**, pintado en el cubo de la escalinata, entre 1929 y 1935. Hay otros bellos murales suyos en la ala norte del patio central, con temas relativos a la vida de los antiguos mexicanos. Otras áreas interesantes son: **El Recinto Homenaje a Juárez, La Escalera de la Emperatriz, El Recinto Parlamentario, El Patio de Honor, La Galería de los Presidentes, La Galería de los Insurgentes, El Salón Panamericano, El Salón de los Embajadores, El Salón Azul, El Salón Comedor,** entre otras.

Plaza de la Constitución, Zócalo, Centro Histórico. 🚇 Zócalo

* **PANTEÓN DEL TEPEYAC**   Pl. 16 Loc. 3-D
   Villa de Guadalupe

   Cementerio localizado en la cima del cerro del Tepeyac, es de especial interés, ya que allí se encuentran sepultados personajes célebres de la vida pública mexicana, como gobernantes, empresarios, hombres de letras, científicos, políticos, historiadores, etc. **Algunos de los mausoleos levantados en honor de los difuntos, son magníficas obras tanto en su costrucción, como en su decorado**. Se pueden reconocer personalidades como; el canónigo don Juan María García Quintana y Roda, fundador del panteón, muerto en 1865, Manuel María Contreras, presidente del ayuntamiento de México, gran colaborador en las obras del desagüe de la ciudad, Gabriel Mancera, destacado filántropo hidalguense; Filomeno Mata, periodista antiporfiriano; Rafael Lucio, médico especialista en lepra; Félix Zuloaga, militar y expresidente de México; Lorenzo de la Hidalga, arquitecto, gran exponente del eclecticismo; Antonio Martínez de Castro, jurista y constituyente de 1857; Antonio López de Santa Anna, siete veces presidente de la República; Manuel Orozco y Berra, gran historiador; Alfredo Chavero, Ilustre historiador; Victoriano Agüeros, destacado impresor y periodista; los hermanos Juan y Ramón Agea, arquitectos; Rafael Angel de la Peña, hombre de letras y matemático; Joaquín Arcadio Pagaza, hombre de letras; Protasio Tagle, abogado y político; Emilio Dondé, arquitecto y profesor de la Academia Nacional de Bellas Artes; don Manuel Lisandro Barrillas, general y expresidente de Guatemala; entre otros.

   Villa de Guadalupe, Gustavo A. Madero. 🚇 La Villa Basílica

** **PARQUE DE JUEGOS MECÁNICOS DE CHAPULTEPEC**   Pl. 8 Loc. 3-B
   2a. Sección del Bosque de Chapultepec

   Centro de diversiones destinado tanto a menores, como adultos que gustan del vértigo, la velocidad, los alardes de destreza y en general las emociones fuertes. A través de numerosos juegos mecánicos, el paseante tendrá momentos inolvidables, sobre todo con el atractivo principal; **La Montaña Rusa**, aunque hay otros juegos que vale la pena subirse como; **El Cascabel, El Dragón, La Nao de China, La Rueda Doble, El Tornado, La Casona del Terror** y la tradicional **Rueda de la Fortuna**. El parque fue construido en 1964, inaugurándose el 24 de octubre del mismo año, la instalación de los juegos originales estuvo a cargo de la empresa Amusement Devises Co. de Dayton, Ohio, E.U.A. El visitante encontrará además, lugares para comer y varios expendios de comida rápida y bebidas refrescantes. En los alrededores también se puede disfrutar de un día de campo, rodeado de áreas verdes y fuentes.

   Bulevar Adolfo López Mateos(Anillo Periférico), 2a. Sección del Bosque de Chapultepec. 🚇 Constituyentes

* **PARQUE DE LOS CIERVOS**   Pl. 19 Loc. 2-A
   Atizapán de Zaragoza, Estado de México

   En un área aproximada de 38 hectáreas, usted podrá disfrutar del verdor de sus abundantes álamos, encinos, pinos, alcanfores, eucaliptos, sauces y tejocotes, que son el escenario de una gran cantidad de venados, borregos cimarrones, guacamayas y en la vecina **Presa San Juan** está poblada de gansos y patos. La entrada al parque está provista de torreones,. Cuenta con todas las comodidades para el paseante; palapas, comedores, bancas, asadores y para el juego y el recreo se hallan; dos toboganes, pista de patinaje, chapoteadero, diversos juegos infantiles y también se puede acampar. Realzan el atractivo del parque, la gran cantidad de flores brotando en los amplios prados.

   Vía Dr. Jorge Jiménez Cantú, Atizapán de Zaragoza, Edo. de México.

*** **PARQUE ECOLÓGICO DE XOCHIMILCO**   Pl. 18 Loc. 3-C
   Xochimilco

   Inmenso parque situado en la parte norte del antiguo canal de Cuemanco, modernas instalaciones hacen muy placentero el paseo por su extenso **Lago de Huetzalin**, por sus jardines y el **arbotetum Juan Badiano**. Diseñado sobre una superficie de 165 hectáreas, se incorporan actividades de recreación familiar, con áreas verdes para días de campo, conciertos al aire libre, vialidades escénicas, espacios para investigación etnobotánica agrícola y zonas en las que se reproducen el ecosistema lacustre de Xochimilco, con su flora y fauna acuáticas. Es muy recomendable visitar el **Mercado de Flores y Plantas**, considerado como uno de los más grandes del mundo. Cuenta además con un **Centro de Información a Visitantes**, en el cual funcionan diversas salas de exposiciones, auditorio, visitas guiadas, en el patio central se escenifica, con una maqueta, la región suroriental del Valle de México, en la azotea donde se localizan éstas áreas, funciona como un **mirador**, desde donde se tiene una vista panorámica del parque.

Anillo Periférico Sur, Xochimilco.

* **PARQUE ECOLÓGICO DEL PEDREGAL**   Pl. 13 Loc. 3-C
   Ciudad Universitaria

Peculiar reserva ecológica, cuyo sustrato lo constituye la **lava emitida por el volcán Xitle**, hace unos 2,400 años. La vegetación desarrollada sobre la roca volcánica ubicada a unos cuantos kilómetros hacia el sur del parque es realmente impresionante por su variedad, incluye: cactáceas, helechos, arbustos de características únicas en el país. El caminar por este pedregal resulta difícil, sin embargo se puede contemplar a partir del **Espacio Escultórico**, muy cerca del **Centro Cultural Universitario**, o bien tomar la **Senda Ecológica** que es una estupenda vía que muestra la reserva, donde dibujos y textos explicativos, grabados en placas metálicas, orientan al visitante, ella se halla en el costado norte del **Museo Universum**. Hay áreas habilitadas para el descanso y para hacer días de campo. En sí **Ciudad Universitaria** se halla inmersa en este fascinante paisaje volcánico.

Av. Insurgentes Sur y Circuito Mario de la Cueva, Ciudad Universitaria

PARQUE ESPAÑA   Pl. 9 Loc. 2-A
Col. Roma, Condesa e Hipódromo

Dentro de una zona de mucho bullicio y rodeado de transitadas avenidas, se halla este arbolado parque, que invita al descanso, en esta estridente urbe. Creado en los años 30, ha sido un verdadero pulmón para las colonias colindantes, de la Condesa, Hipódromo y la Roma. Tiene una biblioteca pública y destaca un **monumento al General Lázaro Cárdenas**, obsequiado en 1974 por la emigración republicana de España. La obra estuvo a cargo del escultor español Julián Martínez Sotos y el pedestal fue obra de los arquitectos Azorín. En los alrededores del jardín se puede observar la variada arquitectura de sus edificios; desde el estilo ecléctico de los 20, al art déco, el funcionalismo, hasta las construcciones de estilo internacional.

Entre Av. Nuevo León y Sonora, Col. Roma, Condesa e Hipódromo. Ⓜ Sevilla

Parque España

* **PARQUE LINCOLN**   Pl. 8 Loc. 1-B
   Polanco

Ubicado en el corazón de la zona residencial de Polanco, amplio y agradable para el paseo de los vecinos, cobijado bajo la sombra de sus fresnos, palmeras y pinos y refrescado por dos grandes estanques que contienen fuentes. Creado a finales de los años 30, el parque conserva sus bancas de estilo art déco. La cultura y la recreación, están manifiestos, en el **Teatro Angela Peralta**, construido por el arquitecto Enrique Aragón Echegaray en 1936, la **Torre del Reloj**, donde regularmente se presentan exposiciones y la **Galería La Casita**, se pueden apreciar diversas esculturas expuestas por los andadores, de artistas contemporáneos, sobre la avenida Julio Verne se encuentran grandes estatuas de Abraham Lincoln y Martin Luther King. Hay diversos juegos infantiles, columpios, resbaladillas, etc. En los alrededores se pueden observar construcciones residenciales, con el característico estilo arquitectónico de Polanco, llamado **Colonial Californiano** y en otros casos **Neocolonial**, cafés y restaurantes rodean en parte a este bonito parque.

Julio Verne y Luis G. Urbina, Polanco. Ⓜ Auditorio

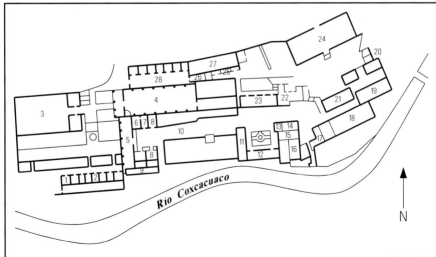

* PARQUE LIRA   Pl. 8 Loc. 4-C
Tacubaya

Bello y placentero jardín, alguna vez propiedad privada, ahora convertido en parque público. En sus casi 6 hectáreas puede uno pasear entre su exuberante flora tropical de altura. Sus prados y sus andadores ondulantes y en desniveles invitan al paseo sosegado y al relajamiento, bajo las sombras de los abundantes árboles. Su origen se remonta al siglo XVIII, cuando era parte de la **residencia de la condesa de Rábago**, años más tarde formó parte del patrimonio de los condes de la Cortina. En 1843, la residencia, cuyos vestigios se pueden observar en la parte superior, junto con **La Casa de la Bola** y el **espacio ajardinado**, fueron adquiridos por don Eustaquio Barrón, el pórtico de esa mansión puede admirarse aún, sobre la avenida Parque Lira. Ya a principios del siglo XX, el parque fue vendido a Ignacio de la Torre, yerno de Porfirio Díaz, el siguiente dueño fue un yucateco de apellido Siderol. Los últimos propietarios, antes que el predio fuera expropiado por el gobierno del presidente Lázaro Cárdenas, fueron los empresarios textileros Vicente y Enrique Lira Mora, de su apellido paterno proviene el nombre del parque y de la avenida que le da acceso.

Av. Parque Lira y Gobernador Vicente Eguía, Tacubaya. 🚇 Tacubaya

PARQUE LUIS G. URBINA, *PARQUE HUNDIDO*   Pl. 10 Loc. 3-B
Nochebuena

Espléndido y acogedor lugar, para el descanso, el ejercicio y el recreo. Una enorme riqueza arbórea la convierte en un verdadero pulmón, en ésta transitada zona de la ciudad, ubicado en un área donde antiguamente estuvo la **Fábrica de Ladrillos Nochebuena**, la constante extracción de arena para la elaboración de tabiques, produjo el desnivel que caracteriza este lugar, por lo que se le conoce como el **Parque Hundido**. Con la finalidad de beneficiar y dar un sitio de recreamiento a los vecinos de Mixcoac, se aprovechó el terreno, se sembraron miles de árboles y en septiembre de 1931, se inauguró con el nombre de **Parque Nochebuena**, al transcurrir de los años cambió su apelativo, con el que es conocido comunmente, a partir de 1972, fue remodelado y recibió el nombre del poeta mexicano Luis Gonzaga Urbina. Destaca un inmenso **Reloj Floral**, fabricado en Zacatlán, Puebla, de 10.4 metros de diámetro que da las horas musicalmente. A lo largo de sus andadores se muestran numerosas reproducciones de esculturas prehispánicas, representativas de las culturas; del Altiplano, Oaxaca, maya, olmeca, totonaca y huasteca. Para quienes gustan de la música clásica, pueden visitar el **Audiovideorama** localizado al poniente del parque, también en una de sus esquinas, se puede apreciar una estatua ecuestre del héroe de la Independencia Vicente Guerrero.

Av. Insurgentes Sur y Porfirio Díaz, Col. Nochebuena. 🚇 Mixcoac

* PARQUE MOLINO DE FLORES   Pl. 20 Loc. 2-D
Texcoco, Estado de México

Atractivo sitio de recreo, acondicionado para quienes quieran pasar un día de campo, cuenta con juegos infantiles y asadores, el parque tiene una extensión de 49 hectáreas, cubierto

Plano de la Exhacienda

1 Tienda de raya	11 Monturas	21 Administración
2 Horno de pan	12 Caballerangos	22 Casa de visitas
3 Machero	13 Bodega	23 Colegio
4 Tinacal	14 Iglesia de San Joaquín	24 Troje No. II
5 Pórtico	15 Curato	25 Casa de servicios
6 Portero	16 Molino (1585)	26 Herrería
7 Talabartero	17 Casa Principal	27 Troje No. I
8 Cochera	18 Troje No. III	28 Rancherías
9 Caballerizas	19 Molinos	
10 Calzada Principal	20 Tanque de agua	

de oyameles, ahuehuetes, pirules, eucaliptos, fresnos y arbustos, lo cruza un río llamado Coxcacuaco. Sobresalen los restos de lo que fue la antigua **Hacienda Molino de Flores**, propiedad de los marqueses de Salvatierra, se pueden visitar la **Iglesia de San Joaquín**, que era de uso exclusivo de los patrones de la hacienda, la **Tienda de Raya**, las **Trojes**, en una de ellas se hallan pinturas al fresco, que trata el tema de la explotación del maguey, caminar entre estas ruinas realmente es muy disfrutable. El parque es administrado por el ayuntamiento del municipio de Texcoco.

Texcoco, Estado de México.

PARQUE MÉXICO (PARQUE SAN MARTÍN)   Pl. 9 Loc. 2-A
Col. Hipódromo

Agradable espacio verde, localizado en el corazón de la colonia Hipódromo, fue de hecho, de 1910 a 1920, el interior del óvalo del antiguo **Hipódromo de la Condesa**. Rehabilitado como parque, en 1927 por los urbanistas y arquitectos José Luis Cuevas y Enrique Aragón Echegaray. Es una magnífica área para el paseo y el reposo, rodeado de una arboleda exuberante. De estilo peculiar resultan sus fuentes y bancas, obras del arquitecto Leonardo Noriega, así también pueden apreciarse algunas esculturas interesantes de José Gómez Echeverría. Destaca el teatro al aire libre, primero en su tipo en la ciudad, **Teatro Charles A.Lindberg**, inaugurado en 1927, diseño del arquitecto Javier Stávoli. Un estanque en donde pasean gansos y patos hacen más ameno el sitio, que es rodeado por construcciones residenciales, con el estilo arquitectónico peculiar de la zona; el art déco, destacando obras de insignes arquitectos mexicanos, como: Francisco Serrano, Juan Segura y Luis Barragán. A un costado del parque se halla un busto dedicado al Doctor Albert Einstein, realizado por la escultora Tosía y que fue donado por la comunidad israelí, radicada en México.

Av. México y Sonora, Colonia Hipódromo. 🚇 Chilpancingo

* PARQUE NACIONAL CERRO DE LA ESTRELLA   Pl. 18 Loc. 3-C
Iztapalapa

Antigua eminencia volcánica, de **gran valor histórico, etnográfico y religioso**. La zona fue desde épocas prehispánicas, lugar significativo en la vida de los pueblos naturales de la Cuenca de México. En la cima del cerro se celebraba un sorprendente ritual cada 52 años, que culminaba con el fin de siglo indígena y el inicio de otro ciclo, el **Fuego Nuevo**. Aquí erigió Moctezuma Xocoyotzin, un templo llamado **Ayauncalli**, Casa de la Niebla, para celebrar en 1507, el último ritual cíclico del Fuego Nuevo, en la época prehispánica. Declarado parque nacional el 14 de agosto de 1938, la zona goza de 1,100 hectáreas de varios atractivos; **El Museo Arqueológico del Fuego Nuevo**, un **Mirador**, dotado de un balcón, desde donde se observa gran parte de la ciudad., en la cima del cerro, de 200 metros de altura, se pueden apreciar vestigios de la **Pirámide del Fuego Nuevo**, que se supone fue construida hace unos 4,000 años.

Acceso por la Calz. Ermita Iztapalapa, Iztapalapa. 🚇 Cerro de la Estrella

PARQUE NACIONAL DE LOS REMEDIOS   Pl. 19 Loc. 3-B
Naucalpan, Estado de México

Extensa área de bosque, compuesto de eucaliptos y cedros, cubre una extensión de 400 hectáreas, fue creado por decreto presidencial el 15 de abril de 1938, ubicado sobre una colina. En sus cercanías se halla el célebre **Santuario de la Virgen de los Remedios** y no muy lejos, el **Acueducto de los Remedios**.

Calz. de los Remedios y Vía Adolfo López Mateos, Naucalpan de Juárez, Edo. Mex.

* PARQUE NACIONAL DEL AJUSCO   Pl. 18 Loc. 4-A
Delegación Tlalpan

Extensa zona boscosa, donde abundan los pinos y oyameles, **ubicado en las estribaciones de la montaña del Ajusco, cuya cima se eleva a 3,929 metros sobre el nivel del mar**, siendo la cima más alta del Distrito Federal. El parque es templado, en invierno frío y húmedo, **lugar ideal para realizar días de campo, hacer largas caminatas, practicar deportes y el excursionismo**. En sus alrededores se observan los productos volcánicos arrojados por los volcanes vecinos, destacando el del Xitle, que hizo erupción hace unos 2,400 años. En sus partes altas hay abruptas cañadas, sin embargo las corrientes acuosas son escasas. En días claros se puede divisar la enorme mancha urbana de México, cuando al anochecer; asombran los millones de sus luces que tililan a lo lejos. El paseante podrá paladear también los exquisitos antojitos, que se expenden en numerosos locales rústicos, como son: las quesadillas de hongos, huitlacoche, flor de calabaza, chicharrón, quesillo, sesos, etc. o las sopas de hongo o de médula, entre otros platillos.

Carretera Ajusco Picacho, Delegación Tlalpan.

PARQUE NACIONAL DEL TEPEYAC   Pl. 16 Loc. 2-D
Santa Isabel Tola, Delegación Gustavo A. Madero

Parque creado por decreto presidencial el 18 de febrero de 1937, tiene una extensión de 294 hectáreas. Se extiende en las **estribaciones de la Sierra de Guadalupe**, al norte de la ciudad. Cubierto principalmente de eucaliptos, pirules y casuarinas, cuenta con mesabancos para disfrutar de un día de campo o bien tomar un paseo, observando el panorama de la zona norte. Situado cerca de la **Villa de Guadalupe**, también se puede visitar el **Acueducto de Guadalupe**, notable obra hidráulica novohispana, que corre en la parte inferior del parque. Acceso por donde inicia la Autopista México Pachuca.

Av. de las Torres, Santa Isabel Tola, Delegación Gustavo A. Madero. 🚇 Indios Verdes

** PARQUE NACIONAL DESIERTO DE LOS LEONES   Pl. 18 Loc. 3-A
Delegación Cuajimalpa

Sitio de belleza excepcional, donde **domina el paisaje montañoso y la exuberancia de la vegetación alpina** en una interminable secuencia de colores, que van desde los verdes oscuros de las coníferas, los naranjas rojizos de encinos, hasta los colores claros de los matorrales y flores silvestres del bosque. Creado como **Parque Nacional**, por decreto expedido por el entonces presidente de la República, Venustiano Carranza el 15 de noviembre de 1917, convirtiéndose así en el **Primer Parque Nacional del País**, cubre una extensión de 1867 hectáreas. Sobresale entre la espesura de esbeltísimos cedros de más de 35 metros de altura, el **Convento del Desierto de Santa Fe o de los Leones**, construido entre 1606 y 1611, por los monjes carmelitas, bajo la dirección de fray Andrés de San Miguel. Construido a base de bloques pétreos, sus dependencias se ordenan en torno a una serie de patios, se recomienda visitar los sótanos y la **Capilla de los Secretos**, donde se da un curioso fenómeno acústico, cuando en una de sus esquinas se habla en voz baja, las palabras son escuchadas claramente en los otros tres rincones. La jardinería del convento es muy bella e invita a la reflexión y el descanso profundo, en las cercanías se pueden visitar una serie de ermitas, 3, que dependían del monasterio. Hay diversas zonas recreativas, ideales para hacer días de campo, simplemente descansar o realizar caminatas, como la **Zona de Cruz Blanca**. Hay locales para comer, o bien instalarse en mesabancos, abundantes por el camino principal. Es un lugar frío por lo que se recomienda ir bien abrigado.

A 23 Kilómetros de la Ciudad, por carretera a Toluca.

* PARQUE NACIONAL FUENTES BROTANTES   Pl. 14 Loc. 3-B
Tlalpan

Ubicado en las partes bajas de la serranía del Ajusco, es un paseo público tradicional, su principal atractivo son los **manantiales** que brotan, rodeados de árboles, aunque la mayoría de ellos han sido entubados y sus aguas aprovechadas para surtirlas a la ciudad. El acceso es a través de una estrecha calzada, que asciende serpenteante desde la avenida Insurgentes Sur. Hay sitios acondicionados para el descanso, tomar alimentos o realizar un día de campo, bajo los frondosos árboles. Por sus cómodos andadores se puede practicar el trote o bien una caminata. Hay estacionamiento. El parque tiene una extensión de 129 hectáreas y fue creado por decreto, el 28 de septiembre de 1936. Este bello lugar fue motivo para que el pintor impresionista mexicano Joaquín Clausell, lo plasmara en sus lienzos, a principios del siglo XX. Muy cerca se halla Tlalpan, sitio urbano de gratísima imágen por donde se puede pasear plácida y relajadamente, entre sus tranquilos jardines y calles.

Av. Insurgentes Sur y Camino a las Fuentes Brotantes, Delegación Tlalpan.

* PARQUE NATURAL LOS DINAMOS   Pl. 18 Loc. 3-A
Delegación Magdalena Contreras

Localizado en las estribaciones de la Serranía del Ajusco, marca la entrada de una impresionante cañada por donde corre el **Río Magdalena**, rodeado de bosque de coníferas y encinos. Debe su nombre a las máquinas transformadoras de energía mecánica en energía eléctrica, que se encuentran instaladas a lo largo del río. Lugar propicio para excursionar, realizar caminatas o bien pasar un día de campo, bajo la frondosidad del bosque y en contacto con el fresco ribereño.

Camino a los Dínamos de Contreras, Delegación Magdalena Contreras.

PARQUE NAUCALLI   Pl. 19 Loc. 3-B
Naucalpan, Estado de México

Confortable y placentero, se extiende por 43 hectáreas, cubierto de prados y abundantes árboles; pinos, cedros, encinos, oyameles, fresnos, eucaliptos, pirules, alcanfores, álamos, sauces y truenos. **Muy adecuado para pasar un día de campo y organizar fiestas infantiles**. Cuenta para el entretenimiento y el recreo, del **Agora Nahucalli** estructura piramidal, donde se celebran actividades artísticas y culturales, así como el **Foro Felipe Villanueva** sede de la Orquesta Sinfónica del Estado de México y recinto que acoge diversas manifestaciones artísticas. Para los niños existen pista de patinaje sobre ruedas, ciclopista, área para tiro con arco, aparatos gimnásticos y diversos juegos infantiles. Goza, también de un invernadero.

Blvr. Avila Camacho (Anillo Periférico) y Blvr. del Centro, Naucalpan de Juárez, Estado de México.

* PARQUE TEZOZOMOC   Pl. 18 Loc. 1-B
Prados del Rosario, Delegación Azcapotzalco

Bello e interesante, este **parque representa la Topografía y Orografía del Valle de México (Cuenca de México) y sus lagos hacia finales del siglo XVI**, a través de un recorrido alrededor de un pequeño lago, dispuesto al centro del parque. El paseante podrá tener una visión de la evolución histórica y ecológica de manera asequible y atractiva. El parque tiene una superficie de 30 hectáreas y fue concebido como un espacio cultural y recreativo en medio de una zona densamente poblada y también bordeada de una zona industrial. El proyecto y obra estuvo a cargo de los arquitectos Mario Schjetnan, José Luis Pérez y Jorge Calvillo, quienes se llevaron cuatro años en su realización, de 1978 a 1982. Consta además de instalaciones deportivas, pista de patinaje sobreruedas, ciclopista, cafetería, mirador, jardín de esculturas, auditorio, gimnasio al aire libre, juegos infantiles y zonas para días de campo.

Entre las avenidas Hacienda El Rosario, Hacienda de Sotelo, Calz. de las Armas y Av. Cempoaltecas, Col. Prados del Rosario. 🚇 El Rosario

***PARQUE Y BOSQUE DE CHAPULTEPEC   Pl. 8 Loc. 2-C
Chapultepec, Delegación Miguel Hidalgo

Ancestral zona boscosa, **el lugar de recreo más visitado de la ciudad**, sitio histórico de relevancia nacional. Sus longevos ahuehuetes permanecen como apacibles testigos de las tradiciones y sucesos en él acontecidos desde tiempos prehispánicos. **Paseo dominical preferido por millones de capitalinos** y de las poblaciones vecinas, donde el esparcimiento, el descanso y la cultura hallan sus mejores espacios. El repertorio de atractivos prácticamente es inagotable, no bastando días completos para su disfrute. El visitante hallará grandiosos museos como, el **Museo Nacional de Antropología**, el **Museo Nacional de Historia**, el **Museo de Arte Moderno**, el **Museo Rufino Tamayo**, el **Museo de Historia Natural**, el **Museo Tecnológico de la C.F.E.**, el **Museo del Niño El Papalote**, o bien sitios de intensa diversión como: **Centro de Convivencia Infantil Benito Juárez, La Feria, con la Montaña Rusa, el Parque Marino Atlantis** o el **Parque Acuatico El Rollo**, o pasear a través de los circuitos ferrocarrileros, de la 1a. y 2a. sección del Bosque, remar por sus **lagos**. Maravillarse del reino animal, en sus novedosas instalaciones del **Zoológico Alfonso L. Herrera**, o simplemente caminar por sus extensos andadores y senderos bajo la sombra de las copas de los frondosos fresnos, cedros, ahuehuetes, truenos, etc. Deleitándose de las decenas de fuentes y monumentos escultóricos, dispersos en el bosque. Visita muy recomendable es al **Castillo de Chapultepec**, desde donde tendrá una vista panorámica del parque y parte de la Gran Urbe. El visitante encontrará numerosos sitios para comer y hacer un día de campo.

Paseo de la Reforma y Circuito Interior. 🚇 Chapultepec y Auditorio

* PARQUE Y BOSQUE DE SAN JUAN DE ARAGÓN   Pl. 18 Loc. 1-C
San Juan de Aragón, Delegación Gustavo A. Madero

Amplísima zona verde al noreste de la ciudad, rodeada de la unidad habitacional homónima, densamente poblada. Ocupa lo que fueron los antiguos potreros de la **Exhacienda de San Juan de Aragón**, donde surgiría el pueblo de San Juan de Aragón. El parque fue inaugurado el 20 de noviembre de 1964, se halla arbolado principalmente de eucaliptos, pirules y casuarinas. Consta de un interesante **Zoológico**, con más de 1,200 animales, de 84 especies provenientes de África y el resto de América, en ellos figuran: leones, tigres de Bengala, elefantes, jirafas, chimpancés e hipopótamos. Además hay delfinario, acuario, un lago artificial, donde se puede remar. Se complementa con numerosas canchas deportivas, centros recreativos infantiles y áreas de convivencia.

Eje 3 Norte y Av. José Loreto Fabela, San Juan de Aragón. 🚇 Bosque de Aragón

PARROQUIA DE LA SANTA CRUZ   Pl. 18 2-C
Iztacalco

Edificación de estilo churrigueresco, en su interior los muros están ornamentados con grecas y numerosas figuras humanas y animales, en superposición de planos.
Calle Santa Cruz, Barrio La Cruz, Iztacalco. 🚇 Iztacalco

* PARROQUIA DE SAN ANDRÉS APÓSTOL   Pl. 18 Loc. 4-D
San Andrés Mixquic

Sitio de atractivo singular por ser un destacado ejemplo, de **Atrio funcionando como Panteón**. La parroquia, cabeza de este monumento colonial, fue fundada por los frailes agustinos Jerónimo de San Esteban y Jorge de Avila en 1536. Aunque la construcción del actual templo, data de 1620, destaca el admirable trabajo artesanal sobre roca volcánica de la portería, la parroquia descansa sobre una amplia plataforma, tal vez de origen prehispánico. El atrio panteón es famoso en la zona, ya que año tras año, se celebra el **Día de Muertos** que prácticamente se convierte en la feria de la localidad, con gran festividad, donde todos sus habitantes participan con ofrendas.
Independencia y Plutarco Elías Calles, San Andrés Mixquic, Tláhuac.

* PARROQUIA DE SAN JACINTO   Pl. 12 Loc. 4-B
San Angel

Iglesia de reducidas dimensiones y de fachada sobria, parte de lo que fue un convento fundado en el siglo XVI por los dominicos. Cuenta con un **bello atrio**, donde se exhibe una singular cruz atrial. Al interior se conserva una **crática**, reja de madera de excelente talla, que cierra la entrada de una capilla lateral y por supuesto, un retablo central dorado, de estilo barroco anástilo del siglo XVIII, con la imagen de San Jacinto en lo alto, incluye dos óleos con pasajes de la vida de

San Antonio, se encuentra también, una pila bautismal de onix, de gran mérito artístico. En uno de sus costados aunque modificado, se halla el antiguo claustro del convento, que conserva su encanto y apacibilidad.

Plaza de San Jacinto, San Angel.

** PARROQUIA DE SAN JUAN BAUTISTA   Pl. 11 Loc. 4-B
Coyoacán

Atractivo templo en la parte céntrica de Coyoacán, parte de lo que fue un grandioso **Convento Dominico**. Asentamiento originalmente franciscano, desde 1524, hacia 1582 se levantó el antiguo convento, zona cedida por frailes franciscanos a los dominicos, quienes ejecutaron la obra, bajo la dirección de fray Ambrosio de Santa María. Transformado en innumerables ocasiones, como la segregación de su atrio y huerta, para convertirlas en las actuales: **Plaza Hidalgo y Jardín Centenario**, hasta la alteración de su nave basilical, en 1929, en una sola gran nave. La portada es muy sobria, inspirada en el estilo renacentista, se puede apreciar la portería del convento, con ocho arcos y otro gran arco escarzano central hacia el interior. A la izquierda de la portada se admira un interesantísimo portal con un arco de medio punto, ricamente decorado. Hacia el poniente resalta una arquería aislada, arcos atriales sobre la plaza, con bellos bajorrelieves. En el interior es interesante observar la crujía del coro, el resto forma parte de las modificaciones realizadas en 1929, sobresaliendo pinturas de Fabregat, a lo largo de muros y techumbre ejecutadas en 1933. Es digna de destacar y de conocer la **Capilla del Santísimo**, originalmente fue **Capilla del Rosario**, donde se puede contemplar el retablo salomónico, realizado a principios del siglo XVIII, cuyas pinturas están dedicadas a los misterios gloriosos. Se recomienda visitar también el **Claustro** que ostenta arquerías de medio punto, sobre columnas toscanas y donde perduran, aún, sus encasetonados en los corredores.

Jardín Centenario y Plaza Hidalgo, Villa Coyoacán.

* PARROQUIA DE SAN LUCAS EVANGELISTA   Pl. 18 Loc. 2-C
Iztapalapa

Es el templo principal de Iztapalapa, edificado en 1664, resultan de gran interés sus puertas principales, elaboradas por indígenas, quienes tallaron antiguos símbolos aztecas, aunque se hallan en muy mal estado de conservación. Templo de planta basilical, tiene una capilla lateral con cubierta de losa plana. Ha sufrido muchas modificaciones, las más importantes en 1928, 1951 y 1978. En 1977 se reconstruyó su retablo, lo único original son sus muros perimetrales. Al interior se puede admirar un magnífico púlpito, también se conserva un interesante lienzo que representa la Inmaculada Concepción, coronada por la Trinidad, además se pueden observar pinturas en las paredes con escenas de la vida de Jesús, obra del pintor Anacleto Escutia, plasmadas en 1875.

Calle Hidalgo N° 7, Barrio San Lucas (Centro) Iztapalapa. 🚇 Iztapalapa

PARROQUIA DE SAN PEDRO   Pl. 18 Loc. 2-A
Cuajimalpa

Construcción colonial erigida en el siglo XVI, fue reconstruida entre 1628 y 1755. Su torre norte se levantó en 1785 y la del sur en 1925. Son notables las imágenes de San Pedro, el **Señor de la Columna**, la de San Miguel y la Virgen de Guadalupe. El templo tiene muros robustos, posee una hermosa cúpula, cubierta de azulejos, todos estos elementos de la época colonial.

Av. Juárez y Veracruz, Cuajimalpa.

PARROQUIA DE SANTA MARÍA MAGDALENA   Pl. 18 Loc. 3-A
La Magdalena Contreras

Curiosa iglesia con bella fachada frontal, decorada a base de argamasa, con figuras geométricas que recuerdan al estilo mudéjar. Construida hacia 1763, de estilo barroco rico, consta de una sola nave y techumbre con bóvedas. Presenta una torre de tres cuerpos. El interior aloja tres retablos barrocos: el principal dedicado a Santa María Magdalena y los laterales aluden a la Virgen de Guadalupe y a Ecce Homo, mientras en el ábside se conserva una representación del Padre Eterno, presumiblemente del siglo XVII.

La Magdalena y Benito Juárez, La Magdalena Contreras.

* PARROQUIA DE TACUBAYA   Pl. 8 Loc. 4-C
Tacubaya

Interesante muestra de la arquitectura colonial, que se ubica en el poniente de la ciudad, es parte de lo que fue el **Convento Dominico de la Candelaria**, una antigua parroquia edificada en 1556 por fray Lorenzo de la Anunciación, precedió a ésta, que a su vez se emplazó sobre un primitivo templo mexica, dedicado a la diosa Cihuacóatl. Aunque en múltiples ocasiones ha sido alterado el templo conserva más o menos su disposición original, el atrio se mantiene similar en su tamaño, que es extenso, a la derecha de la iglesia se puede apreciar lo que era la **Capilla Abierta**, hoy modificada para otros usos, el claustro exhibe sus arquerías, en donde se muestran tallados los nombres de algunos barrios o pueblos dependientes de Tacubaya y cuyos habitantes trabajaron en su construcción.

Av. Revolución 190, Tacubaya. 🚇 Tacubaya

Tlalpan

Sus orígenes se remontan a 1532, como una modesta construcción levantada por los primeros misioneros, en 1547, los dominicos se establecen aquí, fundando un convento, pero es hasta 1647 cuando erigen el convento definitivo y la **Iglesia de San Agustín**, que es la que subsiste. Su planta es basilical y sus dos naves laterales están separadas por arcos de medio punto. La techumbre se compone de bóvedas de arista construidas con tezontle, hacia el centro del crucero se eleva una cúpula octogonal sobre pechinas con ventanas en el cimborrio. Cuenta con 4 capillas, destacando la **Capilla del Rosario**, con un **hermoso retablo churrigueresco**, del siglo XVIII, construido por la cofradía de la Virgen. Además se puede apreciar varios lienzos interesantes, como el **Descendimiento de Cristo** óleo anónimo de 1784, y otros más que se encuentran en la sacristía. A un costado de la iglesia se puede observar el antiguo claustro, aunque muy modificado, conserva su arquería de medio punto, con una bonita fuente al centro decorado con azulejos.

Calles de Madero e Hidalgo, Tlalpan.

* **PARROQUIA VIEJA DE LOS INDIOS**   Pl. 16 Loc. 3-D
Villa de Guadalupe

Lugar histórico dentro de la tradición guadalupana, ya que **aquí se apareció la Virgen de Guadalupe al indio Juan Diego**. Se puede apreciar en esta sencilla construcción la cimentación de construcciones pasadas como la **Ermita Zumárraga o Ermitilla**, dedicada el año de 1531. Posteriormente la erección de la **Ermita Montufar**, dedicada en 1556 que estuvo en pie hasta 1622. La actual edificación fue realizada de 1647 a 1649 por Luis Lasso de la Vega, aquí estuvo enterrado el mismo constructor, también Juan Diego y su tío Juan Bernardino. En consecuencia se trata de la necrópolis de los principales personajes del guadalupanismo, además fue lugar que dio alojo del 25 de mayo de 1695 al 30 de abril de 1709, a la imagen de la Virgen después de reconstruirse la capilla y mientras se terminaba su nuevo santuario, es decir la actual Basílica de Guadalupe.

Villa de Guadalupe, Gustavo A. Madero. 🚇 La Villa Basílica

***PASEO DE LA REFORMA**   Pl. 7 Loc. 3-D
Centro Histórico, Col. Juárez y Col. Cuauhtémoc

La más bella y suntuosa de las avenidas de la ciudad, de gran importancia en la vida económica de la capital y del país, aloja en sus márgenes grandes edificios modernos, que albergan instituciones financieras, bancos, hoteles e innumerables comercios sombreados por las copas de los cientos de árboles, que se hallan en sus prados y camellones. De gran longitud, cubre desde la Unidad Nonoalco-Tlatelolco hasta su entronque con la Autopista a Toluca, cruzando parte del Centro Histórico, el centro financiero, comercial, hotelero y recreativo de las colonias Juárez y Cuauhtémoc, el espléndido Bosque de Chapultepec, rodeado de museos y sitios de diversión y descanso, cruzando en su sector poniente, con la residencial y señorial Lomas de Chapultepec. Trazada en 1864, a instancias del entonces emperador Fernando Maximiliano de Habsburgo, en su primer tramo, con el fin de acortar la distancia de recorrido entre su residencia, en el Castillo de Chapultepec, al Palacio Nacional. El proyecto quedó en manos del ingeniero austriaco, Alois Bolland Kuhmackl; el paseo se llamó inicialmente: **Paseo de la Emperatriz**, aludiendo a su esposa Carlota; posteriormente cambió a **Paseo del Emperador**. A la caída del 2o. imperio, se le denominó **Paseo Degollado**; en la época del presidente Juárez, se le bautizó con el nombre actual. A lo largo del tramo más céntrico, se hallan los monumentos de **Colón, Cuauhtémoc, El Angel** y la **Diana Cazadora**. Por iniciativa del historiador Francisco Sosa, se colocaron, **estatuas de mexicanos ilustres en parte de su recorrido**.

Colonias Juárez, Cuauhtémoc, Centro Histórico. 🚇 Hidalgo

PERISUR   Pl. 14 Loc. 1-A
Jardines del Pedregal de San Angel

Centro Comercial de extenso surtido de productos, compuesto de 4 grandes tiendas departamentales y de decenas de comercios, que venden los más diversos productos, desde golosinas, hasta sofisticados equipos de cómputo, abundan las boutiques, restoranes, bancos y sitios de recreo, así como cines. Este centro, creado en 1980, fue el inicio de una acelerada comercialización de esta parte de la ciudad, convertida en un gran polo de desarrollo en todos los ámbitos.

Av. Insurgentes Sur y Anillo Periférico, Jardines del Pedregal de San Angel.

** **PINACOTECA VIRREINAL**
Centro Histórico

Al costado poniente de la **Alameda Central** se encuentra, lo que fuera parte del **Convento de San Diego de Alcalá**, hoy recinto que aloja **La más importante colección de pintura virreinal mexicana**. Las obras de los más reconocidos exponentes pictóricos de la Nueva España e incluso, maestros extranjeros radicados aquí, son expuestos en 8 salas. Sumando más de 200 lienzos que abarcan desde el siglo XVI hasta inicios del siglo XIX. A través de una sencilla museografía, el visitante podrá admirar obras de gran formato, en su mayor parte, tratando temas religiosos primordialmente. El origen de esta impresionante colección, proviene de las piezas que pertenecieron a los conventos desaparecidos y que fueron rescatadas en el siglo pasado por Bernardo Couto, para que formaran parte de la Academia de San Carlos, que de ahí pasaron a la naciente pinacoteca, inaugurada el 8 de agosto de 1964. Dignas de destacar son las obras pertenecientes a **Andrés de la Concha, Luis Xuárez, Sebastián López de Arteaga** y **Baltasar de Echave Orio**, herederos de la tradición renacentista del siglo XVI, las miniaturas de **Luis Lagarto**, las pinturas barrocas de **Cristóbal de Villalpando, Antonio Rodríguez, Nicolás Correa** y **Juan Rodríguez Juárez**, de los siglos XVII y XVIII, del siglo XIX se conservan retratos de Manuel Tolsá y Jerónimo Antonio Gil, pintados por **Rafael Ximeno y Planes**. En lo que fue la Capilla de la Virgen de los Dolores se encuentran dos murales realizados, por el pintor **Federico Cantú** entre 1949 y 1954, uno de ellos inspirado en la evangelización de los indios y otro llamado **Los Angeles Músicos**. Toda la colección pasó al Museo Nacional de Arte.

* PLANETARIO LUIS ENRIQUE ERRO   Pl. 16 Loc. 2-A
Unidad Profesional del Politécnico, Zacatenco

Formado por una cúpula hemisférica de 20 metros de diámetro, cuya superficie interior sirve como pantalla en la que se **proyecta la bóveda celeste**, mediante un sofisticado sistema de proyectores, ubicado hacia el centro de la esfera, que es el centro de la sala que cuenta con 450 butacas reclinables y giratorias. El espectador se podrá maravillar, de las reproducciones de los fenómenos celestes, como los eclipses, las auroras boreales, las lluvias de estrellas, el paso de los cometas, las fases de la luna y por supuesto toda la mecánica celeste; movimientos de los planetas y la sucesión de las constelaciones, entre otros fenómenos interesantes. En el vestíbulo y en los alrededores de la sala de proyección, se puede visitar una **exposición didáctica de la historia de la astronomía y de la astronáutica**. Regularmente se llevan a cabo sesiones audiovisuales y cursos relativos a la astronomía.
    Av. Wilfrido Massieu esq. Luis Enrique Erro, Unidad Profesional Zacatenco. 🚇 Politécnico

***PLAZA DE LA CONSTITUCIÓN EL ZÓCALO   Pl. 2 Loc. 4-A
Centro Histórico

Enorme y majestuosa, símbolo de la nación, es **la más importante de las plazas mexicanas**. Allí se congregaba el pueblo en las ceremonias religiosas del México antiguo, en las juras de los virreyes, durante la colonia, y se reune en las festividades patrias del 15 y 16 de septiembre, principalmente. Así también lugar de eterno ir y venir de miles de transeúntes; turistas, vendedores ambulantes, manifestantes, promotores de las tradiciones vernáculas, etc. Esta plaza ha recibido varias denominaciones en su larga historia de más de cinco siglos; Plaza Principal, Plaza del Palacio, Plaza Mayor, Plaza de Armas, **Plaza de la Constitución** y **Zócalo**, éste último porque en 1843 se tenía proyectado construir el Monumento a la Independencia, diversos problemas imposibilitaron seguir la obra, mientras se había construido un basamento ó **Zócalo**, que permaneció muchos años al descubierto, por lo que la población aludía al lugar, como el Zócalo. Considerada como una de las más extensas del mundo, la rodean: **La Catedral Metropolitana** y el **Sagrario Metropolitano** por el norte, al oriente **El Palacio Nacional**, al sureste, el **Edificio de la Suprema Corte de Justicia de la Nación**, al sur los **Edificios del Gobierno del Distrito Federal** y al poniente el **Portal de Mercaderes**, con locales ocupados por joyeros, en su planta baja y los hoteles de la Gran Ciudad de México y Majestic, en las plantas altas y al noroeste el **Edificio del Nacional Monte de Piedad**. Varias plazuelas vecinas se anexan a esta gran plaza, en cuyo centro se eleva una altísima asta con el lábaro patrio.
    Llegada por 5 de Mayo y 20 de Noviembre, Centro Histórico. 🚇 Zócalo

* PLAZA DE LA REPÚBLICA   Pl. 7 Loc. 3-C
Colonia Tabacalera

Extensa explanada rodeada de edificios, en cuyo centro se eleva el imponente **Monumento a la Revolución**, levantado sobre la estructura del que iba ser el **Palacio Legislativo** y cuya obra fue abandonada a causa de la Revolución. El arquitecto Carlos Obregón Santacilia transformó la obra original y la culminó en 1938. El monumento se halla rodeado de áreas verdes y andadores. En la parte norte se puede ver el edificio que aloja el **Frontón México**, construido entre 1927 y 1929 por el arquitecto Joaquín Capilla, con influencia art déco, corriente artística muy de moda en esa época, donde se aprecian la ornamentación de tendencia nacionalista en los relieves de su fachada. En el sótano del Monumento a la Revolución se puede visitar el interesante **Museo de la Revolución**.
    Av. de la República, Colonia Tabacalera. 🚇 Revolución

* PLAZA DE LA SANTA VERACRUZ   Pl. 6 Loc. 2-C
Centro Histórico

Singular espacio, situado en desnivel con relación a la Alameda Central, que se halla enfrente. De pequeñas dimensiones, tiene una forma rectangular, se formó al unir los atrios de los dos templos colocados frente a frente. De orígen novohispano, en 1875 llevó el nombre de Morelos, ya que había una escultura del héroe, mandada a colocar ahí en 1865 por instrucciones de Maximiliano, la estatua permaneció hasta 1926, cuando fue trasladada a la Colonia Morelos.

Esta agradable plaza consta de tres fuentes de cantera negra y áreas verdes, con algunas bancas, sirve de acceso a los **Templos de la Santa Veracruz** y **San Juan de Dios**, construcciones coloniales de bellas portadas barrocas, al **Museo Franz Mayer**, interesantísimo recinto que aloja ricas colecciones de artes decorativas y al **Museo de la Estampa**, edificio porfiriano de sencilla fachada, que aloja colecciones de grabados, desde el siglo XVI hasta la actualidad.

Av. Hidalgo, Costado norte de Alameda Central, Centro Histórico. 🚇 Hidalgo y Bellas Artes

PLAZA DE LA SOLIDARIDAD   Pl. 6 Loc. 2-B
Centro Histórico

De reciente creación, esta plaza ocupa el espacio que ocupara hasta el 19 de septiembre de 1985, el **Hotel Regis**, célebre por su ambiente nocturno y lugar de hospedaje de personajes renombrados, incendiado y derribado durante los sismos acaecidos en esa fecha. El nombre de la plaza le viene de la exaltación de solidaridad desbordante con que la población se entregó en auxilio desinteresado, a todos aquellos afectados por los sismos. Inaugurado el 19 de septiembre de 1986, aloja en su centro un **monumento alusivo a la solidaridad**, consta de un jardín arbolado, con bancos y una explanada donde frecuentemente se observan mesas sobre los que se juega **ajedrez**. Al costado norte, se localiza el **Museo Mural Diego Rivera** edificado especialmente para albergar el mural **Sueño de un domingo en la tarde en la Alameda**, del gran pintor, rescatado del también destruido Hotel del Prado, por los mismos sismos.

Av. Juárez y Balderas, Centro Histórico. 🚇 Hidalgo

** PLAZA DE LAS TRES CULTURAS   Pl. 1 Loc. 1-B
Unidad Nonoalco Tlatelolco

Extensa planicie de concreto, de una hectárea aproximadamente, llamada así porque en su entorno se observan los elementos arquitectónicos representativos de tres etapas históricas de México: la época prehispánica, representada por las estructuras del basamento del **Templo Mayor de Tlatelolco**, la cultura del virreinato, se muestra en el **Conjunto Conventual Franciscano**, ubicado al oriente de los basamentos prehispánicos, y el México contemporáneo, expresado en los edificios de la **Unidad Habitacional de Nonoalco Tlatelolco**, construida entre 1960 y 1963. Lugar de tristes recuerdos: por los sangrientos hechos ocurridos, el 2 de octubre de 1968, cuando elementos paramilitares atacaron violentamente a la población estudiantil reunida en una manifestación., sucesos que conmovieron a la opinión pública nacional e internacional. Sin embargo, el trágico destino de esta zona, aún no había finalizado, en septiembre de 1985, el mayor terremoto ocurrido en la historia de la ciudad, cobró numerosas víctimas, entre los vecinos del conjunto habitacional, sobre todo del cercano edificio Nuevo León, demolido después del siniestro por el estado ruinoso en que quedó, después del siniestro. Cerca de la plaza se levanta una placa, donde se recuerda la defensa de Tlatelolco el 13 de agosto de 1521, ante los embates de los conquistadores españoles, siendo el último reducto de la oposición mexica, cayendo Cuauhtémoc en manos del invasor. Se admira al fondo, también el alto edificio de la Secretaría de Relaciones Exteriores, obra del arquitecto Pedro Ramírez Vázquez.

Av. Eje Central Lázaro Cárdenas, Unidad H. Nonoalco Tlatelolco. 🚇 Tlatelolco

* PLAZA DE LORETO   Pl. 2 Loc. 2-C
Centro Histórico

La tercera de las plazas tradicionales del Centro Histórico, bulliciosa y de añeja imágen colonial, esta plaza se remonta hacia mediados del siglo XVI, cuando se hallaba en los límites de la antigua ciudad, con escasas construcciones en sus alrededores. A principios del siglo XVIII se asienta la comunidad de monjas **Carmelitas Descalzas** fundando un convento, en el costado oriente de la explanada cuyo templo se habría de llamar **Santa Teresa la Nueva**. En el costado poniente, en las esquinas, subsisten dos residencias construidas entre 1739 y 1742, por el arquitecto José Eduardo de Herrera. Al norte se encuentra el imponente **Templo de Loreto**, construido en estilo neoclásico, entre 1809 y 1816, con una grandiosa cúpula, la mayor construida en la ciudad durante la colonia. Al centro de la plaza se encuentra, desde 1925, una fuente que se hallaba en el Paseo de Bucareli, esquina Barcelona, cuya autoría se debe a Manuel Tolsá. Muy cerca de aquí, en el costado sur, se puede observar **la primera sinagoga edificada en México**, hacia 1934. En el extremo sur se ubica la estatua del educador y hombre de letras Erasmo Castellanos Quinto.

Calles Justo Sierra, Mixcalco, San Ildefonso, San Antonio Tomatlán, Centro Histórico.
🚇 Zócalo

***PLAZA DE SANTO DOMINGO   Pl. 2 Loc. 2-A
Centro Histórico

Una de las plazas más bellas y originales de México, de las existentes en el Centro Histórico es la que conserva su mayor grado de integridad, es la segunda en importancia después de la Plaza de la Constitución o Zócalo. Tiene una extensión de 150 metros de largo por 50 de ancho, conserva aún su entorno arquitectónico virreinal que se remonta a los inicios de la primera traza de la ciudad, donde estuviera el **Palacio de Cuauhtémoc**. El espacio fue respetado por los frailes dominicos cuando tomaron posesión de su costado norte, en 1525, fundando el **Convento de Santo Domingo**, donde proviene el nombre de la plaza. El lugar ha sido escenario de multitud de actos, ceremonias, verbenas populares, mítines, festivales, procesiones de Viernes Santo, aún de recibimiento, durante la colonia, de nuevos virreyes. Cinco siglos de historia, hacen de este espacio único y especialmente admirable en los inmuebles que lo rodean., Al norte el **Templo de Santo Domingo**, construido entre 1720 y 1736, al noreste, el **Antiguo Palacio de la Inquisición**, levantado entre 1732 y 1736, al oriente la **Antigua Aduana**, erigido en un tiempo muy corto, de 1730 a 1731, al poniente se alza **El Portal de los Evangelistas** construcción del siglo XVII, donde escribanos o mecanógrafos, establecidos en una mesa, realizan escritos, ya sea a gente analfabeta o quienes necesitan llenar un documento a máquina, al sur se aprecian otras construcciones coloniales, la de la esquina, que perteneció al mayorazgo de Medina. Al centro de la plaza se alza una fuente dedicada a la **Corregidora Josefa Ortíz de Domínguez**, obviamente con su estatua sedente.

Av. República de Brasil y Belisario Domínguez, Centro Histórico. 🚇 Zócalo

** PLAZA DE TOROS MÉXICO   Pl. 10 Loc. 3-B
Ciudad de los Deportes

El mayor coso taurino en el mundo, con una capacidad para albergar a más de 50 000 espectadores. Un día de **corrida** convierte sus gradas y tendidos en un abigarrado conjunto de espectadores, que compiten en colorido, hasta con los ternos de los lidiadores. Llamada **la fiesta taurina crea un ambiente único en las festividades deportivas y de espectáculos multitudinarios**. Inaugurado el 5 de febrero de 1946 con una corrida en la que torearon: Manuel Rodríguez **Manolete**, Luis Procuna y Luis Castro **El Soldado. Magníficas esculturas tauromáquicas** resaltan en los alrededores de la mejestuosa construcción, un total de 26., sobresalen: **El Encierro** del artista español Alfredo Just, de bronce y descansando sobre un pedestal de cantera. Efigies de grandes maestros de la tauromaquia, mexicanos y españoles, antiguos y contemporáneos, lucen también; Pedro Romero, Antonio Fuentes, Juan Belmonte, Juan Silveti, Rodolfo Gaona, **Chicuelo, El Soldado**, Lorenzo Garza, Manuel Granero, **Joselillo, Manolete**, Luis Procuna, Carlos Arruza, Luis Briones, Silverio Pérez y Eduardo Liceaga. Otras esculturas representan detalles de la lidia taurina, como la **Larga Cordobesa, Oreja y Rabo y Las Banderillas**.

Entre Maximino Avila Camacho y Holbein, Ciudad de los Deportes. 🚇 San Antonio

** PLAZA GARIBALDI   Pl. 5 Loc. 2-B
Centro Histórico

Amplia explanada rodeada de restaurantes y bares típicos, su principal atractivo es la **Música de Mariachis**, ejecutada por la gran cantidad de grupos, que ofrecen sus servicios a lo largo de la plaza y en los interiores de los restaurantes. Centro vernáculo por excelencia, además de mariachis el visitante podrá escuchar diversas variedades musicales del folclor del país, como; **música norteña, jarochos, huastecos** y hasta **boleros rancheros**. Los días más ambientados son los fines de semana, día especial es el 22 de noviembre, día de Santa Cecilia, patrona de los músicos, cuando la plaza se convierte en una gran fiesta, con juegos pirotécnicos y festejos únicos. En sus cercanías se halla el **Mercado de San Camilito**, lugar donde el visitante puede paladear los ricos platillos mexicanos, como; el pozole, la pancita, la birria, tostadas, quesadillas, tacos y muchos antojitos más. El origen musical de la plaza se encuentra vinculado con el músico **Cirilo Marmolejo**, quien en 1920 introdujo a la capital; el primer conjunto de mariachis, en una zona que anteriormente estuvo poblada de carpas y centros nocturnos Con los años la tradición musical se fue arraigando de manera profunda a este barrio. Sobre la explanada se pueden ver las efigies de destacados cantantes mexicanos, como: Pedro Infante, José Alfredo Jiménez y Lola Beltrán, entre otros. De fácil acceso, la plaza cuenta con un estacionamiento subterráneo y encontrará, además, locales donde se venden artesanías a precios módicos.

Av. Eje Central Lázaro Cárdenas y Honduras, Centro Histórico. 🚇 Garibaldi

* PLAZA JOSÉ MARÍA MORELOS Y PAVÓN   Pl. 1 Loc. 3-A
Centro Histórico

Espaciosa y agradable plaza, precede a la grandiosa **Ciudadela**, la extensión originalmente era mayor, pues la Ciudadela estaba rodeada totalmente por amplias áreas ajardinadas. Sobresale dentro de la zona arbolada de fresnos y eucaliptos, una glorieta donde se levanta uno de los monumentos más interesantes de la ciudad; el dedicado a don José María Morelos y Pavón, el gran libertador., El basamento y pedestal de cantera son obra del arquitecto Carlos Noriega, quien dirigió su construcción, del 16 de marzo de 1911 al 2 de mayo de 1912, cuando fue inaugurado. La escultura de bronce fue encargada a fundir a Alemania. En las esquinas del zócalo se hallan cuatro poderosos cañones, al que se acceden por pequeñas escalinatas. En los alrededores del jardín se pueden, también visitar dos pequeñas fuentes, en una de ellas se yergue la figura femenina de Palas Atenea, con un casco y espada, trabajado en bronce, como alegoría al trabajo y el otro momumento, también con figura femenina, sosteniendo una hélice y un laurel, alegoría del progreso. La plaza fue escenario de una cruenta lucha, durante los sangrienti días de la **Decena Trágica**, en febrero de 1913 cuando los generales sublevados: Félix Díaz y Manuel Mondragón, tomaron como su cuartel a la Ciudadela y lucharon contra el ejército leal al Presidente Madero, cuyo desenlace final fue su derrocamiento y posterior asesinato. Enfrente, hacia el norte, se halla el **Mercado de Artesanías de la Ciudadela**, donde el visitante encontrará gran variedad de recuerdos, a precios bajos.

Entre Av. Balderas y Enrico Martínez, Centro Histórico. 🚇 Balderas

** PLAZA MANUEL TOLSÁ
Centro Histórico

Pl. 5 Loc. 4-B

Suntuoso espacio rodeado de hermosas construcciones de singular interés. En su centro se ubica una de las más bellas y célebres esculturas de la ciudad: **El Caballito** nombre cariñoso, con que se conoce a la estatua ecuestre de Carlos IV, rey de España. El traslado de este monumento en 1979, de su anterior emplazamiento, en Paseo de la Reforma y Av. Juárez, a ésta plaza, dió orígen al nombre del ilustre escultor y arquitecto valenciano, autor de la estatua, a ésta explanada, que reúne también, otra de sus magistrales obras; el **Palacio de Minería**, magnífico ejemplo de arquitectura neoclásica esta ubicado en el costado sur. Al suroeste, se destaca la belleza del **Palacio de Correos**, obra en el más rico estilo ecléctico del arquitecto Adamo Boari, construida entre 1902 y 1907. Al poniente, se eleva el **edificio Garantías**, elegante y de tendencia afrancesada, construido entre 1908 y 1909 por el ingeniero militar José Espinosa y Rondero. Al norte descolla el majestuoso **Palacio de Comunicaciones**, sede del **Museo Nacional de Arte**, que recrea algunos lineamientos renacentistas, obra proyectada y dirigida por el arquitecto italiano Silvio Contri, edificada entre 1904 y 1911. Al noreste se encuentra la sede del **Senado de la República**, construcción sobria en cuyo interior, se pueden apreciar los murales del pintor jalisciense Jorge González Camarena, en el exterior se levanta un monumento, con la estatua de Sebastián Lerdo de Tejada, expresidente de México, obra en piedra del escultor Federico Canessi. En la parte sureste de la plaza se alza el antiguo **Templo de Betlemitas**, donde se aloja el **Museo del Ejército y de la Fuerza Aérea**. Caminar por las callecitas aledañas resulta muy placentero.

Tacuba y Cjón. de la Condesa, Centro Histórico. 🚇 Bellas Artes

** POLIFORUM CULTURAL SIQUEIROS
Colonia Nápoles

Pl. 10 Loc. 1-C

Impresionante e impactante integración plástica en una singular construcción poliédrica. Aquí el controvertido artista David Alfaro Siqueiros, uno de los tres grandes del muralismo mexicano, plasmó junto con más de treinta artistas nacionales y extranjeros, una de las obras más logradas de la pintura y escultura contemporánea mexicana. Esta magna obra se inició en la década de los sesentas y se culminó en 1974. Comienza en una planta elíptica y culmina en otra octagonal, el edificio consta de veinte lados, cada uno de los cuales está cubierto por pinturas, son el complemento del tema central pintado por Siqueiros dentro del inmueble y que trata sobre **La Marcha de la Humanidad**. El fresco es sumamente vivo y cubre una superficie de 2,400 metros cuadrados, ejecutada sobre paneles de asbesto cemento con aplicaciones metálicas y de pintura acrílica.

El primer nivel del edificio aloja almacenes, el segundo, el **Foro de la Juventud**, la danza y el folclor formado por un teatro circular, con capacidad para 800 personas, al que rodean el **Foro de las Artesanías** y la galería de arte; el tercero, el **Foro Nacional**; que es una galería de arte contemporáneo y el cuarto, el **Foro Universal**; donde se alojó el magno mural de la **Marcha de la Humanidad**. Hay un largo muro en el exterior, donde Siqueiros homenajeó a sus colegas: Orozco, Rivera, el Dr. Atl, José Guadalupe Posada y a Leopoldo Méndez.

Hay también una **monumental cerca**, donde el artista ensambló diversos elementos que formaban parte de la herramienta y otros instrumentos del trabajo general.

Av. Insurgentes Sur y Filadelfia. Col. Nápoles.

Poliforum Cultural Siqueiros

* PORTAL DE MERCADERES   Pl. 2 Loc. 4-A
Centro Histórico

Al costado poniente del **Zócalo** se halla este comercial y bullicioso andador. Se extiende desde la calle 16 de Septiembre, hasta Madero, los 26 arcos de medio punto apoyados en pilares almohadillados, le dan acceso a este portal construido en el siglo XVI, cuando el Ayuntamiento acordó, permitir a los vecinos de la Plaza Mayor, disponer de 21 pies de terreno enfrente de su casa, para que construyeran portales. Su función fue principalmente comercial, con la creación, inicialmente, de cajones, posteriormente hubo establecimientos de escribanos reales y públicos. Actualmente aloja joyerías y la añeja **Sombrerería Tardan** que fue fundada en 1847. En su parte superior hay un par de hoteles de cómodo alojamiento, con amplias terrazas donde se puede contemplar, la magnificencia de la **Plaza de la Constitución** y los espléndidos edificios que la rodean.

Poniente de la Plaza de la Constitución, Centro Histórico. 🚇 Zócalo

* PORTAL DE SANTO DOMINGO   Pl. 2 Loc. 2-A
Centro Histórico

Vistoso portal colonial, construido en 1685, forma el costado poniente de la **Plaza de Santo Domingo**, consta de un andador, que corre de las calles de República de Cuba a Belisario Domínguez, sobresalen una serie de columnas toscanas trabajadas en cantera, que sostienen por medio de zapatas, un segundo nivel, donde se observan puertas ventanas, enmarcadas en chiluca con balcones estrechos provistos de barandales de hierro forjado, en las esquinas se pueden contemplar interesantes hornacinas, con San José y el niño Jesús, en el extremo norte, y la Virgen de Guadalupe al sur. Al inicio del período colonial fue solar del conquistador Cristóbal de Oñate, cuya residencia también tenía un portal, anterior al actual, razón por la que se le conocía como **Portal de Oñate**. El presente es también conocido como **Portal de los Evangelistas**, nombre tradicional y popular de los escribanos, establecidos en este sitio pocos años después de la Independencia, donde llegaron de la Plaza del Volador, de donde fueron desplazados y anteriormente habían estado en el **Portal de Mercaderes**. Estos servidores están dedicados a redactar cartas y oficios y mecanografiar todo tipo de escritos, desde mensajes amorosos, hasta documentos formales y oficiales, antes eran muy socorridos por la numerosa población analfabeta. A éstos peculiares personajes se agregan al portal, grandes cajones con imprentas donde a precios módicos se realizan invitaciones, participaciones, tarjetas de navidad, etc. convirtiendo a este deambulatorio en lugar muy bullicioso.

Plaza de Santo Domingo, Centro Histórico. 🚇 Zócalo

REAL SEMINARIO DE MINAS   Pl. 2 Loc. 3-C
Centro Histórico

Interesante construcción colonial, restaurada y remozada en 1992 y 1993. Aquí estuvo el antecedente del Real Tribunal de Minería, que se instalaría hacia 1811, en el actual Palacio de Minería. Creado por iniciativa de los mineros de La Nueva España, el Real Seminario de Minas tuvo como objetivo, lograr que nunca faltaran sujetos conocidos y educados desde su niñez e instruidos en toda la doctrina necesaria para el más acertado laborío de las minas. Sus actividades empezaron en 1783, siendo su primera carrera profesional la de perito facultativo y beneficiador de metales, cuyos cursos se iniciaron el 1o. de enero de 1792. Anteriormente el edificio había pertenecido al **Hospital de San Nicolás**.

República de Guatemala 80. Centro Histórico. 🚇 Zócalo

* RESERVA ECOLÓGICA DEL PEDREGAL   Pl. 13 Loc. 3-B
Ciudad Universitaria

Sobre un impresionante campo de lava, se levantó la Ciudad Universitaria, cuyo paisaje se ha preservado en sus alrededores y sobre todo en la parte sur, en donde se puede maravillar del rico ecosistema desarrollado en el agreste terreno volcánico, dentro del peculiar espacio, convertido en reserva ecológica. Se puede disfrutar a través de un recinto muy especial llamado **Espacio Escultórico**, obra sin precedentes en la plástica contemporánea, ésta no invade la reserva, sino que interviene para destacar la naturaleza. Sobre una plataforma de forma anular, de 120 metros de diámetro, se distinguen 64 módulos poliédricos en losa de concreto, con una altura de cuatro metros. En esta obra intervinieron escultores contemporáneos como; Federico Silva, Mathías Goeritz, Manuel Felguérez, Sebastián, Hersúa y Helen Escobedo.

Circuito Mario de la Cueva, Ciudad Universitaria.

RESIDENCIA PRESIDENCIAL DE LOS PINOS   Pl. 8 Loc. 3-C
Chapultepec

Residencia Presidencial, ubicada al costado sur del Bosque de Chapultepec. Habitada inicialmente, a partir de 1934, por el presidente Lázaro Cárdenas, ésta se ha ido ampliando y mejorando de acuerdo a las necesidades y el gusto de cada jefe de estado. El conjunto residencial y las oficinas administrativas que la albergan, están en parte de lo que fuera el **Rancho de la**

Hormiga cuyos propietarios, la familia De la Torre, lo tuvieron desde 1692. Hacia 1858 la propiedad fue adquirida por el Dr. José Pablo Martínez del Río, quien mandó plantar numerosos árboles frutales; cedros y sobre todo **pinos**, de ahí el nombre de la residencia. En la época de Maximiliano, el gobierno compró la finca, para ampliar y embellecer el Bosque de Chapultepec. Por algunos años la finca fue recuperada por la familia Martínez del Río, quienes empezaron a construir parte de la actual residencia. Durante el gobierno del presidente Venustiano Carranza fue expropiada. Ya transformada se convirtió en la residencial oficial del presidente., en sus jardines se halla el antiguo **Molino del Rey**, que fue sitio defendido durante la invasión norteamericana de 1847, por el ejército mexicano. Reestructurado y ampliado, forma parte de las instalaciones del cuartel de los Guardias Presidenciales.

Calz. Molino del Rey y Av. Constituyentes. 🚇 Constituyentes

** ROTONDA DE LOS HOMBRES ILUSTRES   Pl. 8 Loc. 4-A
Panteón Civil de Dolores

Sección especial del **Panteón de Dolores** donde descansan los **restos mortales de muchos de los más grandes personajes de la historia de México**. Los mausoleos y tumbas están colocados a lo largo de dos círculos concéntricos que envuelven una explanada, en cuyo centro destaca un pebetero. La historia de la Rotonda se remonta a 1875, cuando por iniciativa del entonces presidente, Sebastián Lerdo de Tejada, se aprovechó un terreno de 4,372 metros cuadrados, del Cementerio de Dolores que había sido inaugurado en 1872, para ahí sepultar y honrar a los mexicanos que se hubieran distinguido en los campos de batalla, en las artes y en las ciencias. No fue, sin embargo, inaugurada hasta el 21 de marzo de 1876, durante el gobierno del general Porfirio Díaz, cuando se inhumó el cuerpo del teniente coronel Pedro Letechipia. En 1973 fue remodelado y a la fecha se hallan alrededor de un centenar de sepulcros, de insignes mexicanos, que destacaron en sus respectivas disciplinas: políticos, militares, artistas, científicos, educadores, como; Virginia Fábregas (actriz), Alfonso Caso (arqueólogo), Francisco Sarabia (aviador), Nabor Carrillo (científico), Agustín Lara (músico), Alfonso Reyes (escritor), José María Luis Mora (historiador), Mariano Escobedo (militar), Gabino Barreda (educador), José Clemente Orozco, Diego Rivera y David Alfaro Siqueiros (pintores) y Sebastián Lerdo de Tejada (estadista), entre otros muchos. Llama la atención la heterogeneidad de los estilos artísticos de los monumentos.

Panteón de Dolores, Av. Constituyentes y Sur 128.

* RUTA DE LA AMISTAD   Pl. 14 Loc. 1-C

En octubre de 1968 se llevaron a cabo en nuestro país los **XIX Juegos Olímpicos**, paralelamente se realizó la **olimpiada cultural**, comprendiendo exposiciones de obras selectas del arte mundial, festivales de danza clásica, moderna y folklórica, reunión internacional de escultores, encuentro internacional de poetas, festival de pintura, entre otras muchas actividades culturales. Como testimonio de esta celebración ha quedado a lo largo de un tramo de 17 kilómetros de la **parte sur del Anillo Periférico**, la llamada **Ruta de la Amistad**, en cuyos costados se levantaron esculturas monumentales de concreto, **obras de arte contemporáneo**, sus dimensiones varían en tamaño, entre 5.70 y 18.00 metros de altura. Son 17 esculturas de 17 escultores, de 15 diferentes países, fueron invitados por el Comité Organizador de los Juegos Olímpicos y por el escultor Mathías Goeritz, director del proyecto. La distancia entre cada monumento, varía de 1 a 1.5 Kms. el primero está frente a la Unidad Independencia y el último, cercano al Canal de Cuemanco; siguiendo este orden se tienen las obras de los siguientes autores y su nacionalidad correspondiente: Angela Gurría (México), Willi Gutmann (Suiza), Miloslav Chlupac (Checoslovaquia), Kioshi Takahashi (Japón), Pierre Szekeli (Francia), Gonzalo Fonseca (Uruguay), Constantino Nivola (Italia), Jacques Moeschal (Bélgica), Grzegorz Kowalski (Polonia), José María Subirachs (España), Clement Meadmore (Australia), Herbert Bayer (Estados Unidos), Joop J. Beljon (Holanda), Itzhak Danziger (Israel), Oliver Seguin (Francia), Mohamed Melehi (Marruecos) y Helen Escobedo (México); todos ellos enviaron las maquetas correspondientes, para ser construidos en México, durante 1968.

Anillo Periférico Sur, Blvr. Adolfo Ruiz Cortines.

***SAGRARIO METROPOLITANO   Pl. 2 Loc. 3-A
Centro Histórico

Asombrosa muestra del arte churrigueresco en México, constituye una de las manifestaciones más hermosas de labrado en piedra, que se hallan realizado en la Nueva España. Es realmente una maravilla del arte sacro. Es la segunda obra de estilo barroco churrigueresco que se ejecutó en el país, después del Retablo de los Reyes de la Catedral de Jerónimo de Balbas. Se colocó la primera piedra de su construcción el 14 de febrero de 1749, realizado bajo el proyecto y dirección del arquitecto andaluz Lorenzo Rodríguez quien la terminó en febrero de 1768. Se desplanta sobre la forma de cruz griega, donde se alzan dos naves que se cruzan en el centro, sosteniendo una cúpula, en sus ángulos se forman capillas y dependencias del templo, que es la **Parroquia de la Catedral Metropolitana**, comunicándose con esta, por una puerta ricamente decorada. El exterior está constituído por tres majestuosos muros, exuberantemente decorados, de bellas siluetas trabajados en tezontle, la piedra volcánica que caracterizaría a los edificios construidos en el periodo virreinal. En los lados sur y oriente, **maravillosas portadas** se disponen simétricamente a los lados de la puerta, a base de estípites pareadas con nichos, entre ellas. De tal forma que estas **portadas semejan retablos**. No hay espacio que no haya sido trabajado, la profusión de imágenes incluye esculturas de los apóstoles y doctores de la iglesia en los dados de las estípites, arcángeles y querubines, frutos, rosas y multitud de conchas. Al interior llama la atención una magnífica pila bautismal, con tazón de bronce.

Plaza de la Constitución, Zócalo, Centro Histórico. 🚇 Zócalo

** SANTUARIO DE LOS REMEDIOS   Pl. 19 Loc. 3-B
Naucalpan, Estado de México

Santuario de gran renombre y veneración en México desde 1575. Situado en la cima de una colina cubierta por árboles. Su historia está íntimamente relacionada a la de la conquista. La tradición oral comenta que uno de los soldados de Hernán Cortés, capitán Juan Rodríguez de Villafuerte cargaba siempre consigo una pequeña imagen de 27 centímetros de altura, tallada y estofada, de la Virgen, que le había obsequiado en Flandes un hermano suyo de la orden agustina. Esta imagen la perdió durante la huida de los españoles, en la célebre Noche Triste. La Virgencita fue encontrada posteriormente al pie de un maguey por un indígena de nombre Ce Cuahutli. El lugar resultó refugio seguro para Cortés y desde ahí emprendería la revancha hacia Otumba, donde en encarnizada batalla el soldado Juan de Salamanca derriba al cihuacatl o abanderado y consumaría una gran victoria de Cortés. El 30 de abril de 1574 se acordó levantar en este sitio una capilla a la Madre de Dios. Hacia 1628 se construiría un templo mayor, agregándose bóvedas y cúpula. El acceso se hace a través de un amplio atrio, en cuyo ángulo sureste se alza el templo. Con planta de cruz latina con cruceros de poco fondo, cubierta con bóveda de cañón con lunetos, el ábside es rectangular y está cubierto con bóvedas de arista. En la cabecera del presbiterio, enmarcado por un gran vano, se recorta el **ciprés que aloja la Virgen de Nuestra Señor de los Remedios**, de pequeño tamaño, muy venerada en la época virreinal, era llevada a la Catedral de México en las grandes calamidades. Durante la guerra de Independencia el ejército realista, la eligió como su generala.

Calz. de los Remedios, Los Remedios, Naucalpan, Estado de México.

SANTUARIO DEL SEÑOR DEL STO. SEPULCRO DE JERUSALEN   Pl. 18 Loc. 2-C
EL SEÑOR DE LA CUEVITA, IZTAPALAPA

La tradición oral señala, que hacia 1687 los pobladores de la villa oaxaqueña de Etla, llevaron a restaurar a la Ciudad de México la imagen del Cristo muerto, que se veneraba en su localidad. Al transitar por el Cerro de la Estrella, pasaron la noche al pie del mismo, cuando despertaron, notaron que la imagen había desaparecido. Buscando por todos lados, la hallaron en una cueva del cerro, de donde ya no pudieron moverla, es decir, el Señor deseaba permanecer ahí. Los vecinos de la localidad la acogieron como patrón y le edificaron una ermita. En 1833, sucedió una grave epidemia de cólera, los pobladores invocaron la protección del **Señor de la Cuevita** y al cesar la peste, como agradecimiento erigieron el **Santuario** cuya terminación fue en 1875. La iglesia es de planta rectangular, mide 41 metros de largo, 10.6 de ancho y 25m. de altura. Atrás del presbiterio está la cueva que cuenta la tradición. En el ciprés del templo se conserva la urna con la **imagen de Cristo en el sepulcro** y la imagen del **Señor de la Cuevita**, hecha de pasta de caña de maíz, está en el camerino del altar principal y una réplica suya, llamada el peregrino, se halla en una cavidad aledaña. Hay además óleos pintados sobre los muros por Anacleto Escutia en 1875. El santuario es sede de la Vicaría Episcopal de San Pablo.

Calz. Ermita Iztapalapa 1271, Barrio San Pablo. 🚇 Iztapalapa

* SECRETARÍA DE COMUNICACIONES Y TRANSPORTES   Pl. 9 Loc. 4-D
Colonia Narvarte

Complejo de modernos edificios, sede de la Secretaría de Comunicaciones y Transportes, construidos entre 1953 y 1955 por los arquitectos Carlos Lazo, Raúl Cacho y Augusto Pérez Palacios. Estas construcciones sobresalen por las **fachadas decoradas en mosaicos de piedra multicolores**, representando diversos ámbitos de la vida económica, religiosa, cultural, social y sobre todo el progreso técnico del país. Así sobresalen las obras de Juan O'Gorman, donde representa la cosmogonía azteca; en la fachada que da hacia la calle de Xola, la independencia económica; en un edificio del patio oriente, por el lado de la avenida Universidad se muestra, El progreso material, obra de la soberanía y de la libertad. José Chávez Morado aplica la misma técnica en temas como: la conquista militar y la dominación espiritual, los caminos, el transporte, el comercio y el desarrollo del país. García Robledo homenajea, en otro mural al telegrafista Antonio Vaca Rivera, muerto en el cumplimiento de su deber. Unas esculturas interesantes que representan la tierra, el sol, el transporte, la patria, los trabajadores técnicos y los medios de difusión; son obra de Francisco Zúñiga. Hay también una estatua en bronce de Cuauhtémoc, del escultor colombiano Rodrigo Arenas Betancourt; otros artistas tambien plasmaron su obra, en esta peculiar técnica como: Monroy, J. Gordillo, Jorge Best y Arturo Estrada; cuyas representaciones se pueden ver sobre la calle de Xola. Entre los edificios destaca la **Torre Central de Comunicaciones**, inaugurada en 1968, con una altura de 106 m.

Av. Universidad, Xola, Eje Central Lázaro Cárdenas, Colonia Narvarte. 🚇 Etiopía

** SECRETARÍA DE EDUCACIÓN PÚBLICA (MURALES)   Pl. 2 Loc. 2-B
Centro Histórico

Voluminosa construcción de tres pisos, emplazado en lo que anteriormente fue el **Convento de la Encarnación**, construido a finales del siglo XVIII, por el arquitecto neoclásico Miguel Constanzó.

En 1921 la edificación fue transformada para alojar al ministerio de educación, sede del gran proyecto educativo, por iniciativa del filósofo, escritor y educador José Vasconcelos quien emprendería la gran cruzada pos revolucionaria, en favor del acceso de la educación a todos los mexicanos; sobre todo, de aquellos en condiciones precarias de vida. Fue entonces el centro donde se irradiaría toda esa gesta. Motivo por el cual Vasconcelos, ministro de Educación Pública, encargó al pintor **Diego Rivera**, decorar los muros de los andadores, cubos de las escaleras y vestíbulos de elevadores, con temas alusivos a las reivindicaciones sociales, respondiendo al mismo ideal educativo. Siendo el principal interés al visitar el inmueble, los más de 1500 metros cuadrados de frescos con el tema general; **Una Cosmografía del México Moderno**, obra magnificente plasmada entre 1923 y 1928, por el propio Rivera y sus colaboradores Jean Charlot, Amado de la Cueva y Xavier Guerrero. La construcción de tres pisos con dos patios, se halla dividido en el **Patio del Trabajo** en donde se pintaron temas relativos a las labores cotidianas y el **Patio de las Fiestas**, donde se representan acontecimientos relevantes de la vida de las comunidades mexicanas. Es digno de ver también el **Corrido de la Revolución**, que consta de 235 tableros pintados.

Calle República de Argentina 28, Centro Histórico. 🚇 Zócalo

* SECRETARIA DE SALUD
Colonia Juárez

Pl. 7 Loc. 4-A

Conjunto arquitectónico construido en el estilo **art déco**. Se compone de tres grandes bloques colocados en los tres ángulos del terreno, el edificio principal se articula con los otros dos por medio de singulares puentes, cerrando un hermoso espacio ajardinado. La construcción está constituida básicamente de roca volcánica gris de Xaltocan, fue obra del arquitecto Carlos Obregón Santacilia, quien lo levantó bajo su dirección entre 1926 y 1929, en colaboración con Juan O'Gorman. En sus fachadas resaltan grandes cabezas indígenas, labradas por el escultor Manuel Centurión. La decoración de las fachadas del conjunto muestra paneles al estilo art déco, con representaciones muy nacionalistas, siendo este complejo arquitectónico pionero de este estilo en México. Aquí destacan los **bellos frescos pintados por Diego Rivera**. En el antiguo Salón del Consejo, hoy convertido en el despacho del secretario de la entidad gubernamental, cuyo titulo es: **Salud y Vida**, ejecutados en 1929 y que representan; la pureza, la continencia, la salud, la vida, la fortaleza y el conocimiento. Además, se pueden apreciar en torno a las escalinatas de estos edificios **cuatro vitrales**, donde se representan el agua, el aire, el fuego y la tierra, los cuatro elementos naturales. Rivera también pintó unos frisos en el pabellón de laboratorios, en el costado sur del patio central, con temas sobre la microbiología, la educación y la profilaxis; obras dedicadas a la memoria del doctor Francisco Javier de Balmes.

Paseo de la Reforma y Lieja. Colonia Juárez. 🚇 Chapultepec

** SIX-FLAGS (REINO AVENTURA)
Torres de Padierna

Pl. 18 Loc. 3-B

Gran centro de diversiones, donde niños y adultos pueden disfrutar de los más de cuarenta juegos mecánicos, instalados en una extensa área arbolada. Fundado en 1982, el parque alberga peculiares sitios de interés general, como; el **Serpentarium**, que aloja diversas especies de reptiles, así también hay una curiosa granja con vacas, gallinas y borregos. Resulta divertida la pista de automóviles de radio control XRC de Hasbro, entre los variados espectáculos está el de los delfines, se completa el ambiente con desfile de carros alegóricos, siempre encontrará agradables sorpresas y promociones para el mejor disfrute del parque.

Blvr. Picacho al Ajusco, Kilómetro 1.5, Col. Torres de Padierna, Delegación Tlalpan.

* TEATRO DE LOS INSURGENTES
Colonia San José Insurgentes

Pl. 12 Loc. 1-C

Teatro construido hacia 1950 por el arquitecto Julio Prieto. Destaca la **exquisita fachada** hecha a base de mosaicos italianos, por Diego Rivera en 1953, con el tema **Historia Popular de México**. Es de una forma rectangular y ligeramente convexa, que domina una amplia zona de la calle. Una gran figura central, mostrada con una exótica máscara y unas enormes manos seductoras, representa el arte dramático; en la parte superior aparece **Cantinflas**; dando a los pobres lo que recibe de los ricos; a la derecha se observan antiguos ritos religiosos, simbolizando el arte escénico de los pueblos prehispánicos; preside esta escena el rostro de Emiliano Zapata. A la izquierda se aprecian escenas de la opresión ejercida por los conquistadores españoles, confrontados a su vez con los graves rostros de la Independencia Mexicana y la de la Guerra de Reforma. Con énfasis en los pasajes teatrales se observa un discreto retrato del dramaturgo Juan Ruiz de Alarcón. La policromía de todo el conjunto es muy atractivo, siendo la primera obra importante concebida en el **estilo pop**, del último período del artista guanajuatense. El teatro se inauguró en 1953 y fue Cantinflas quien lo estrenó con la obra; El Huevo y Yo.

Av. Insurgentes Sur 1587, Col. San José Insurgentes. 🚇 Barranca del Muerto

TEMPLO DE BALVANERA
Centro Histórico

Pl. 3 Loc. 2-B

Esta iglesia perteneció a un antiguo convento fundado en 1573 por las monjas concepcionistas, aunque la construcción actual se comenzó en 1667 y se dedicó en 1671. Originalmente fue de bóvedas. Destaca en su torre, un **hermoso cupulín decorado con azulejos de Talavera** en amarillo y azul, construido en el siglo XVIII. Gran parte de la fachada y el interior fue transformada durante el siglo XIX, las portadas laterales son de este período. El convento antiguamente fue llamado Jesús de la Penitencia, siendo una de sus principales benefactoras una rica viuda, doña Beatriz de Miranda, quien donó lo suficiente para construir el actual Templo, que fue bendecido el 21 de noviembre de 1671 por el arzobispo Fray Payo Enríquez de Rivera. En el interior se aprecian **vitrales y esculturas donadas por la iglesia maronita, rito católico de Líbano**, y acaudalados comerciantes de orígen libanés establecidos en las inmediaciones.

República de Uruguay 132, Centro Histórico. 🚇 Zócalo

* TEMPLO DE BELÉN
Centro Histórico

PI. 1 Loc. 4-A

Construcción colonial fundada por los religiosos mercedarios, quienes se establecieron en 1626 en esta parte de la ciudad, que era pantanosa y a orillas de una laguna. Hacia 1678 se realizaron las obras de construcción de un convento y el templo, que tomó el nombre de **Belén de los Mercedarios**. Hubo problemas en su cimentación, por lo que tuvieron que hacerse reparos y algunas modificaciones, abriéndose al público hasta 1735. El templo muy modificado a inicios del siglo XX, presenta un estilo barroco sobrio en sus portadas. En su interior destaca un **hermoso retablo** del siglo XVIII dedicado a la **Sagrada Familia**, en cuyo cuerpo inferior sobresalen las bellas esculturas de Santa Ana y San Joaquín; de talla de gran calidad, **obras de las más bellas** de la Ciudad de México. Hay otro retablo, también del siglo XVIII dedicado a los santos caballeros.

Arcos de Belén N° 44, esq. Doctor Vertiz, Centro Histórico. 🚇 Balderas

TEMPLO DE COACALCO (SAN FRANCISCO DE ASIS)
Coacalco, Estado de México

PI. 19 Loc. 1-C

Atractivo monumento arquitectónico construido en los siglos XVII y XVIII. Su fachada está compuesta por dos cuerpos superpuestos, más un nicho superior. Se observa en su portada una combinación de estilo barroco y neoclásico. El primer cuerpo lo constituye la puerta coronada por arco de medio punto con gran imposta, arquivolta y jambas, a cada lado hay columnas de estilo toscano, de media caña, descansan sobre pedestales con tablero. Entre las pilastras hay grandes nichos, un tablamento barroco descansa sobre las pilastras. En el segundo cuerpo, el paramento del muro alrededor de la ventana coral, está ricamente ornamentado y presenta ajaracas de estuco. Un alta torre sobresale de dos cuerpos, con planta cuadrada con chaflanes en las esquinas, remata en un cupulín con linternilla, una urbe culminando con la cruz. En el interior se puede observar un singular ciprés.

Av. Miguel Hidalgo y Severiano Reyes, Coacalco de Berriozábal, Edo. de México.

* TEMPLO DE JESÚS NAZARENO
Centro Histórico

PI. 3 Loc. 2-A

Construido en el siglo XVII, resulta muy interesante este templo, por alojar en su interior a la izquierda del presbiterio, una urna que contiene los **restos de Hernán Cortés**. Ya que fue su deseo permanecer tras su muerte, cercano a la obra que él fundara: el **Hospital de Jesús** al costado sur del Templo. Su arquitectura es sobria, la fachada poniente es barroca, mientras que hacia el norte, la portada es neoclásica. La torre del campanario está rematada por una curiosa estatua en plomo del siglo XVII, que representa al arcángel San Miguel. Destaca en el interior, un **interesantísimo mural de José Clemente Orozco** que pintó en el primer tramo de la bóveda y en el coro entre 1942 y 1944 con el tema del **Apocalipsis**, donde se representan los horrores de la guerra, mediante la injerencia del demonio.

República de El Salvador y Pino Suárez, Centro Histórico. 🚇 Zócalo

** TEMPLO DE LA CONCEPCIÓN
Centro Histórico

PI. 5 Loc. 3-B

Fue parte del **primer convento de monjas establecido en México**, fundado a instancias del arzobispo de México, fray Juan de Zumárraga, quien en 1540 recibió la cédula del emperador Carlos V y la bula del Papa Pablo III. Anterior a esta edificación hubo otra, muy afectada por la gran inundación acaecida en 1628, en toda la ciudad y que duró cinco años, por lo que fue necesario levantar una mejor y más maciza, que es la presente iglesia, cuyas obras se terminaron en 1655. El convento fue uno de los más extensos de la ciudad, pues cubría unos 21 000 metros cuadrados, constaba de varios claustros, una huerta, la **Capilla de la Concepción Cuepopan** que se encuentra enfrente y además el Templo. De un estilo barroco sobrio, sobresalen sus robustos muros apoyados en gruesos contrafuertes. **Dos portadas gemelas** destacan por su ostentación y los grandes medallones que se aprecian en sus niveles superiores.

Belisario Domínguez N° 5, Centro Histórico. 🚇 Bellas Artes

** TEMPLO DE LA PROFESA
Centro Histórico

PI. 4 Loc. 1-C

Una de las más lujosas iglesias del virreinato. Fundada en 1585 por los **jesuitas**, quienes adquirieron el solar, en medio de enconadas protestas de parte de otras ordenes religiosas. Ahí erigieron una primera iglesia en 1597, cuya consagración se realizó el 31 de julio de 1610. Estragos causados por inundaciones, sobretodo la de 1628, hizo necesario construir una mejor y más resistente, que es la actual, según proyecto del arquitecto Pedro de Arrieta quien también dirigió su levantamiento, terminándose en 1720 y dedicándose el 28 de abril de ese mismo año. **Centro de actividades de los jesuitas durante el virreinato**, La Profesa formaba parte de un vasto conjunto de oficinas, numerosas habitaciones, desde las cuales la Compañía de Jesús extendía su influencia por toda la Nueva España. Hacia 1767 fueron expulsados del virreinato, siendo adquirida por los padres del Oratorio de San Felipe Neri en 1771, nombrándola San José del Real, sin embargo la tradición ha mantenido su nombre original de La Profesa. La arquitectura del templo es de un **estilo barroco transicional**, del sobrio al exuberante, destaca majestuosamente su **Portada Principal**, ricamente decorada con motivos vegetales, ahí sobresalen nichos con esculturas de Santa Gertrudis y Santa Bárbara, flanqueados por columnas corintias y en la parte superior un relieve mostrando la visión que tuviera San Ignacio de Loyola, con Cristo cargando la cruz. El interior es de tres naves o planta basilical con abundante decoración neoclásica, el altar mayor con hermoso ciprés es obra del arquitecto y escultor Manuel Tolsá. La Profesa además, aloja una **Magnífica Pinacoteca Virreinal**.

Isabel la Católica, esquina Madero, Centro Histórico. 🚇 Allende

TEMPLO DE LA PURIFICACIÓN
Texcoco, Estado de México

Pl. 20 Loc. 2-D

Bella construcción religiosa de **estilo barroco texcocano**, levantada en la mitad del siglo XVIII, quizá alrededor de 1771, según una inscripción labrada en la portada de la capilla contigua. Destaca la **riqueza ornamental de su portada**, y de la torre del campanario. Esta iglesia fue una dependencia del Convento de Texcoco. Su planta es de cruz latina, cubierta con bóveda de cañón y una cúpula octagonal sobre pechinas en el crucero, el coro se halla en un segundo nivel, en el primer tramo. La decoración de la vistosa portada consiste primordialmente de motivos vegetales, sirven de fondo a las columnas, a las enjutas del arco trilobado que da acceso al templo. Se observa un nicho con la imagen de la Virgen en el segundo cuerpo, y un interesante óculo mixtilíneo flanqueado con curiosos personajes. En la torre del campanario, se destacan las esculturas de los arcángeles y de los Doctores de la Iglesia.

Pueblo de la Purificación, Texcoco, Estado de México.

* TEMPLO DE LA RESURRECCIÓN
Tezoyuca, Estado de México

Pl. 20 Loc. 1-D

Peculiar construcción franciscana levantada a principios del siglo XVIII. Su planta es sencilla con nave de cuatro tramos abovedados de cañón rebajado y un presbiterio estrecho, rematado por una cúpula octagonal sobre pechinas coronada por una linternilla. A un costado de la portada, se eleva el elemento arquitectónico más interesante del templo, la **Torre** de forma muy sugestiva y ricamente ornamentada, a base de motivos vegetales, angelitos, figuras geométricas y otros elementos simbólicos de la pasión de Cristo y acerca de los evangelios, hecho en argamasa. Son notables también los nichos que alojan a los apóstoles y que se hallan flanqueados por columnas salomónicas, se reconoce la imagen de San Juan.

Barrio Resurrección, Tezoyuca, Estado de México.

** TEMPLO DE LA SANTA VERACRUZ
Centro Histórico

Pl. 6 Loc. 2-D

Este ha sucedido a una serie de construcciones, cuya original se remonta a 1526, siendo uno de los templos con antecedentes más antiguos de la ciudad. Ahí se estableció la **Archicofradía de la Santa Cruz**, fundada en esa fecha por Hernán Cortés, para celebrar la llegada de sus embarcaciones a Veracruz en 1519. La actual edificación data de 1730, aunque posteriores agregados y modificaciones se realizaron en 1759 y 1764 a expensas de la Archicofradía de Caballeros y dedicado finalmente en 1764 a costa de la Archicofradía de la Santa Cruz. En la época virreinal fue la tercera en importancia después de la Catedral y el Sagrario. El templo es de un **estilo barroco churrigueresco**, como se observa en sus dos portadas, el cuerpo principal está trabajado en tezontle y sus fachadas están limitadas por contrafuertes, se alzan dos esbeltas torres hacia el poniente. Ambas portadas trabajadas en cantera, exhiben en sus cuerpos estípites de muy buena talla, en la principal destaca la imagen de la Santa Cruz y la portada lateral, que da a la Alameda, muestra una escultura en un nicho del patrono del templo, **San Blas obispo de Santander, con un niño arrodillado a sus pies**. En el interior sobresale su altar, donde se venera al **Cristo de los Siete Velos**, imagen donada por el rey Carlos V a la archicofradía, a la derecha del ábside se encuentran dos capillas, una destinada al sagrario y la otra a San Francisco Javier, cuya vida se representa en siete pinturas. Aquí se halla sepultado el insigne arquitecto y escultor valenciano Manuel Tolsá, constructor de grandes edificios de estilo neoclásico en la ciudad. Av. Hidalgo Nº 33, Centro Histórico. 🚇 Bellas Artes

***TEMPLO DE LA SANTÍSIMA TRINIDAD
Centro Histórico

Pl. 2 Loc. 3-D

Notable joya arquitectónica de estilo barroco churrigueresco, su portada principal es de las llamadas **Portada Retablo**, de una riqueza escultórica sólo comparable a la del Sagrario Metropolitano, ejecutada también por el arquitecto Lorenzo Rodríguez, autor de esta maravilla colonial durante 1755 a 1783. El templo ocupa el sitio en que los alcaldes de los sastres; Francisco de Olmos y Juan del Castillo, fundaron una ermita, hacia 1570, dedicada a San Cosme, San

Damián y San Amaro, poco después en 1580 los sastres formaron la **Archicofradía de la Santísima Trinidad**, comprometidos a erigir un templo acorde a su estatus gremial, no escatimaron recursos para su levantamiento, haciéndose una realidad. La suntuosidad de la iglesia da una idea del poder económico de tal archicofradía novohispana. La planta del templo es cruciforme, con cúpula sobre el crucero, el interior, actualmente, es más bien austero en decoración, mostrando elementos neoclásicos, en comparación con el exterior, cuya fachada asombra a propios y extraños, ejerciendo una atracción especial. La portada es de tres cuerpos: presentando un encaje de cantería, estípites, bustos, relieves de los Padres de la Iglesia, los Doce Apóstoles, así como la **Santísima Trinidad**. Sin duda una de las más bellas de la Ciudad de México, cabe destacar su torre, también, ricamente ornamentada y rematada por un cupulín con forma de la tiara papal. Además es interesante observar la **Portada lateral**, que sobresale por la profundidad con la que se labraron los relieves. El templo se encuentra en una plazoleta hundida unos 3 metros y medio.

Templo de la Santísima Trinidad

Calle de la Santísima y Emiliano Zapata, Centro Histórico. 🚇 Zócalo

** TEMPLO DE LOS SANTOS APÓSTOLES FELIPE Y SANTIAGO Pl. 17 Loc. 1-C
Azcapotzalco

Forma parte de lo que fue un vasto **complejo conventual dominico**, fundado en el siglo XVI, por el fraile fray Lorenzo de la Asunción. En 1653 un sismo muy intenso derribó media construcción, por lo que fue necesario reedificarlo, reinagurándose el 8 de octubre de 1702. Es de una sola nave, en su portada destacan tres estatuas, muy desgastadas por el intemperismo, que representan a Santo Tomás de Aquino, San Pedro Mártir y Santo Domingo de Guzmán. En un patio contiguo, se encuentran corredores cubiertos de viguería de cedro y donde se observan pinturas al fresco, con pasajes de la vida de Santo Domingo, además cuadros de caballete con imágenes de San Miguel Arcángel y la Anunciación a Santa Ana, obras ejecutadas por Nicolás Rodríguez Juárez, en el siglo XVIII. Al costado norte del templo se localiza la **Capilla del Rosario** de belleza excepcional. En el amplio atrio del exconvento se desarrolló una fragoroza batalla, durante la guerra de Independencia, el 19 de agosto de 1821, triunfando el Ejército Trigarante comandado por Anastasio Bustamante.

Av. Azcapotzalco y Tepanecos, Azcapotzalco. 🚇 Camarones

TEMPLO DE MELCHOR OCAMPO (SAN MIGUEL TLAXOMULCO) Pl. 19 Loc. 1-C
Melchor Ocampo, Estado de México

Construcción relevante en el municipio, dadas las dimensiones de su inmenso atrio y el aspecto fortificado del monumento. Es un buen ejemplo de la arquitectura colonial del siglo XVII. El atrio, circundado por una alta barda almenada, tiene capillas posas austeras y a su centro se levanta una cruz atrial, de ahí se puede contemplar la iglesia. De planta en cruz latina, de nave elevada, sobre su crucero se eleva la cúpula de planta ochavada en ocho gajos, presenta cordón en sus aristas y una esbelta linternilla. Se aprecia una elevada torre de tres cuerpos. Muy interesante resulta la **portada del templo** de estilo barroco salomónico, donde son visibles las columnas propias de este estilo. Entre las columnas del primer cuerpo se hallan estrechos nichos con esculturas de San Pedro y San Pablo. Al interior hay vistosos altares dorados, profusamente decorados, destaca entre ellos un retablo barroco en madera, también dorada, se observan, además un púlpito y pila bautismal, ambos labrados en piedra.

Plaza Juárez y 20 de Noviembre, Melchor Ocampo, Estado de México.

TEMPLO DE NAUCALPAN   Pl. 19 Loc. 3-B
Naucalpan, Estado de México

Originalmente conocido como el **Templo de San Bartolomé Apóstol**, en sus alredededores se puede apreciar los **restos de una capilla abierta**, probablemente del siglo XVI. En lo que es el atrio, se observan tres arcos de medio punto, sobre columnas de estilo románico en buen estado de conservación. Desde ahí se ve la iglesia, del siglo XVII, con nave de cruz latina, donde el crucero sostiene una cúpula de ocho gajos, con linternilla y óculo polilobado. Su bóveda es de cañón. Presenta dos capillas al interior y un retablo de estilo neoclásico. También se muestra al exterior una torre de 2 cuerpos y una **portada del siglo XVII**, en estilo barroco sobrio, cuyos elementos son: un arco de medio punto que da acceso al interior, provisto de impostas toscanas, cuyo moldurado continúa como arquivolta, el arco está flanqueado por dos pilastras toscanas. En el segundo cuerpo, ostenta un óculo octagonal, la ventana del coro, flanqueado por dos pilastras.

Cinco de Mayo y Vicente Guerrero, San Bartolo Naucalpan, Estado de México.

* **TEMPLO DE NUESTRA SEÑORA DE LA SOLEDAD**   **Pl. 3 Loc. 1-D**
Centro Histórico

Hacia 1622 se empieza a venerar una imagen de la Virgen María en este lugar, que llevaba por nombre Santa Cruz Coltzinco, donde existía una construcción muy sencilla, a cargo de los frailes agustinos. El presente templo empieza a levantarse en 1731, ya en 1753 el párroco Gregorio Pérez Cancio impulsó su construcción, encargando a los arquitectos Cayetano de Sigüenza, Ildefonso Iniesta Bejarano, Francisco Guerrero y Torres e Ignacio Castera; su ejecución. El templo consta de tres naves, divididas por robustos pilares, los cuales sostienen las bóvedas y la cúpula. **Su fachada es de estilo neoclásico**, flanqueada por dos torres, en la parte central del segundo cuerpo de la portada, se aprecia la imagen de la **Virgen de la Soledad**, enmarcada por pilastras de orden jónico pareadas. En el interior se encuentra un **óleo de la Santísima Trinidad, de Miguel Cabrera**, una hermosa imagen de la Virgen de la Soledad sobre peana de plata, llaman también la atención el púlpito y la balaustrada del coro.
Plaza de la Soledad y Calle Soledad, Centro Histórico. 🚇 Candelaria

** **TEMPLO DE NUESTRA SEÑORA DE LORETO**   **Pl. 2 Loc. 2-C**
Centro Histórico

Asombrosa construcción, **considerada el mejor ejemplo de arquitectura religiosa en el estilo neoclásico**, destaca por tener una **grandiosa cúpula**, la de mayores dimensiones construida en el país, durante la época virreinal. Sus orígenes se remontan, a una serie de construcciones precedentes, muy modestas, desde aquella humilde capilla llamada Xacalteopan, destinada a la población indígena a partir de 1612, hasta la sencilla iglesia construida y financiada por congregaciones marianas, entre 1685 y 1690. Erigida en honor a la **Virgen de Nuestra Señora de Loreto**, cuya imagen introdujo el jesuita italiano Juan Bautista Zappa a México, en 1675, la insuficiencia en el cupo de ésta, obligó a una nueva edificación en 1738, bajo el cuidado de la **Compañía de Jesús**. El deterioro sucesivo, produjo una severa afectación a la antigua iglesia, por lo que a principios del siglo XIX, el conde y rico regidor de la ciudad; Antonio de Bassoco quiso edificar un **gran templo en honor de la Virgen de Loreto**, reemplazando al anterior. Encargó a los arquitectos José Agustín Paz e Ignacio Castera su ejecución, iniciando obras en 1809 y siendo terminado y consagrado el 29 de agosto de 1816. Su fachada está compuesta de elementos tablerados e imponentes pilastras acanaladas, que flanquean la entrada y un **bello bajorrelieve, trabajado en mármol, que representa la Virgen de Loreto transportada por ángeles sobre la Santa casa de Nazareth**. En el se halla una corta nave principal con **cinco capillas nicho circundantes**, culminada por la peculiar cúpula, ladeada hacia el oriente, producto del desequilibrio de pesos, en los materiales de construcción.
Plaza de Loreto y Rodríguez Puebla, Centro Histórico. 🚇 Zócalo

* **TEMPLO DE SAN ANDRÉS**   **Pl. 20 Loc. 2-D**
Chiautla, Estado de México

El interés por este monumento colonial radica en la belleza de su **torre campanario**, una de las más bellas de la región de Texcoco. La iglesia fue parte de un convento franciscano, fundado a finales del siglo XVI, donde por algún tiempo se alojó el **padre Torquemada**. La iglesia construida en el último cuarto del siglo XVIII, es de planta de cruz latina, con bóvedas de cañón y una cúpula octagonal, el interior presenta el tradicional coro arriba del porche. Su portada se halla decorada con abundantes relieves vegetales, figuras humanas, ángeles, rematada por un frontón triangular en el que se encuentra un nicho, que da cabida a una escultura de San Andrés Apóstol. La torre, consta de dos cuerpos, el primero cuadrado, el segundo octagonal y un tercero, de reducidas dimensiones, también octagonal, están ricamente decoradas, exornadas con flores y guirnaldas de argamasa.
Av. del Trabajo, Chiautla, Estado de México.

** **TEMPLO DE SAN ANTONIO DE PADUA**   **Pl. 20 Loc. 2-D**
Texcoco, Estado de México

Es la iglesia más importante del complejo de construcciones conventuales de Texcoco. Conjunto que después del de San Francisco en la ciudad de México, fue el más antiguo de la **Provincia Franciscana del Santo Evangelio**. Fundado en 1524, la iglesia actual fue construida en la última década del siglo XVII, destacando en primera instancia su torre y dos portadas, fabricadas por esas fechas. La planta de la iglesia es de cruz latina con bóvedas de cañón arriba de los cuatro tramos de su única nave, cruceros y de ábside rectangular, está coronado por una cúpula octagonal sobre pechinas en el crucero, tiene su coro arriba del pórtico. En el interior están alojados dos magníficos retablos dorados y una tribuna.
Av. Constitución y Nicolás Bravo, Texcoco, Estado de México.

* TEMPLO DE SAN ANTONIO TOMATLÁN   Pl. 1 Loc. 3-D
Delegación Venustiano Carranza

Esta pequeña iglesia data de los tiempos de la colonia, construida en 1740 a partir de las limosnas recogidas por el vecino José Antonio Graizeta, de este antiguo barrio indígena. Su única nave es sencilla, sostenida por muros de tezontle, divididos por arcos formeros y cubierta de vigas. La fachada frontal presenta en su segundo nivel un interesante bajorrelieve, que representa a San Antonio de Padua. Al interior se accede por una entrada con arco ochavado flanqueado por pilastras, ahí se pueden observar **tres retablos barrocos**, entre ellos, el mejor conservado, dedicado a la Virgen de Dolores, en un estilo barroco churrigueresco. Desde 1867 el templo es parroquia.

Calle Bravo 23, Centro Histórico. 🚇 Morelos

* TEMPLO DE SAN BERNARDO   Pl. 4 Loc. 2-D
Centro Histórico

Interesante iglesia colonial de admirables **portadas barrocas**, profusamente decoradas con finos ornatos, de remembranza plateresca. Formó parte de un amplio **convento de monjas**, originalmente concepcionistas que provenían del Convento de Regina Coeli. Su construcción se inició en 1685 y se dedicó en 1690. Modificándose posteriormente por su intenso deterioro, en 1777. Hacia 1861 las monjas fueron exclaustradas por la secularización de los bienes del clero. Debido a la transformación y ampliación de varias vialidades del Centro de la Ciudad en 1938, se vio afectada nuevamente, por la apertura de la avenida 20 de Noviembre, donde su trazo incluía la destrucción parcial del templo, razón por la cual una de las portadas laterales, típicas en los monasterios de monjas, fue desmontada bloque por bloque y reconstruida en la citada avenida, girando entonces noventa grados, de su posición original. La belleza de las portadas se debe a las obras ejecutadas por el maestro cantero; Nicolás de Covarrubias en 1689, son gemelas, una mira al norte y la otra hacia el oriente, diferenciándose en los conjuntos escultóricos de los segundos cuerpos. En la portada oriente, destaca una Virgen de Guadalupe, labrada en tecali, de hermosa factura y la portada norte ostenta la imagen esculpida de San Bernardo, en ambos casos el enmarcamiento de sus nichos, es ornamentada de manera exuberante. Hacia el interior se muestra un redecoramiento al gusto neoclásico, donde es digno de apreciar un púlpito de madera.

Av. 20 de Noviembre y Venustiano Carranza, Centro Histórico. 🚇 Zócalo

* TEMPLO DE SAN BUENAVENTURA   Pl. 20 Loc. 1-D
Tezoyuca, Estado de México

Magnífica construcción novohispana cuyos orígenes se remontan al siglo XVI, como sitio de visitación de los frailes de Texcoco, aunque la mayor parte de la edificación ha sufrido modificaciones notables, la iglesia y la esbelta torre son del siglo XVII. Se conserva la **Capilla Abierta del siglo XVI**, donde se pueden contemplar los **vestigios de frescos** que representan a: San Francisco de Asís, Santo Domingo, San Buenaventura, San Bernardino de Siena, San Pedro y San Pablo, San Antonio de Padua y San Juan Capistrano. El templo en sí es de un estilo barroco y presenta en su interior; un **retablo dorado**, decorado con relieves de ángeles y otras imágenes religiosas, veneradas por los franciscanos. Digna de destacar es la enorme torre, de sección cuadrada con tres cuerpos que alojan las campanas, rematada con un cupulín parabólico, siendo un buen ejemplo arquitectónico religioso del siglo XVII.

Av. Pascual Luna, Tezoyuca, Estado de México.

* TEMPLO DE SAN COSME   Pl. 7 Loc. 2-C
Colonia San Rafael

La edificación más antigua en la colonia San Rafael, data de 1675, inaugurada por el arzobispo virrey Fray Payo Enríquez de Ribera. Su fachada es de un **estilo barroco sobrio**, destacando su portada en cantera con cerramiento en arco de medio punto. Su historia se remonta a los primeros años de la conquista, cuando el primer obispo Fray Juan de Zumárraga mandó edificar una ermita para catequizar a los indios vecinos, poco después se convirtió en hospital y refugio para aquellos naturales, que anduvieran vagabundeando el lugar. Fue dedicado a los santos Cosme y Damián. Por falta de recursos el dispensario fue abandonado. El arzobispo Pedro Moya de Contreras lo concedió a los franciscanos en 1581, estableciendo mejores instalaciones para la atención de los vecinos. Allí duraron hasta 1667, en que se estableció una casa de recolección de la Provincia Franciscana del Santo Evangelio, levantando hacia 1675 el templo, bajo la advocación de **Nuestra Señora de la Consolación**, solía llamársele **Iglesia de los Descalzos Viejos**. En 1854 había sólo dos religiosos, al año siguiente se desmembró el conjunto, para construir un hospital militar; aquí reposan las cenizas del virrey Juan de Acuña, marqués de Casafuerte y las del sacerdote Agustín Fischer, capellán y luego secretario del emperador Maximiliano. El interior del templo aloja un **bello retablo dorado churrigueresco** que perteneció, hasta 1937, al exconvento de San Joaquín, trasladándose para acá. Se pueden apreciar además cinco hermosos confesionarios, labrados en madera y el órgano del coro. En la **capilla anexa del Divino Rostro** yacen los restos del destacado historiador y hombre público don Joaquín García Icazbalceta.

Serapio Rendón y Ribera de San Cosme, Col. San Rafael. 🚇 San Cosme

** TEMPLO DE SAN FERNANDO   Pl. 6 Loc. 1-A
Colonia Guerrero

De gran interés tanto en su aspecto arquitectónico, como en su riqueza pictórica, mobiliaria, bibliotecaria y aquellos elementos ornamentales religiosos que realzan su interior. Formó parte de un extenso conjunto de construcciones, que integraban el **Colegio Apostólico de la Propaganda Fide de San Fernando** fundada por franciscanos procedentes de Querétaro cuya finalidad era preparar misioneros; para que fueran a evangelizar las extensas tierras del norte de la Nueva España, aún indómitas. El templo empezó a construirse en 1735 y se terminó en 1755, bendiciéndose el mismo año, el 20 de junio, con la asistencia del virrey primer conde de Revillagigedo. Posee una gran fachada de tezontle, donde destaca su portada de cantera al estilo barroco sobrio, sobresale en su segundo cuerpo un bajorrelieve con la imagen de San Fernando, conocido como el rey santo, por las cruzadas emprendidas contra los infieles y los moros herejes. Muy atractivo resulta el interior del templo, de planta de cruz latina, donde se alojan grandes lienzos, destacando aquellos que ilustran la vida de los franciscanos. **Un esplendoroso retablo luce sobre el altar mayor,** que es una copia exacta del original gracias a una litografía del siglo XIX, tallada hacia 1967, Son dignos de admirar el púlpito, la puerta de la sacristía, los sillones del presbiterio y los ciriales. La sacristía se ha acondicionado como la **Capilla del Santísimo**, siendo relevantes los lienzos alusivos a; **Cristo en la Cruz** y el **Triunfo de la Iglesia**. Cuenta además con una espléndida biblioteca, en uno de los compartimientos anexos. Muy cerca de la iglesia se encuentra el **panteón**, de singular interés histórico, por los personajes ahí sepultados.

Plaza de San Fernando y Av. Guerrero, Colonia Guerrero. 🚇 Hidalgo

** TEMPLO DE SAN HIPÓLITO   Pl. 6 Loc. 1-B
Centro Histórico

Vistosa iglesia, sirve de escenario colonial al cruce de dos importantes arterias céntricas; el Paseo de la Reforma y la avenida Hidalgo, de gran portada barroca, luce reminiscencias mudéjares en los relieves de sus muros, sobresaliendo la peculiar disposición de sus dos esbeltas torres, construidas un tanto hacia afuera de la fachada. El levantamiento del templo fue verificado con mucha lentitud y logró concluirse hasta 1739, a raíz de un intenso sismo ocurrido en 1756; se llevaron a cabo obras de reconstrucción, entre ellas el levantamiento de una de las torres de estilo churrigueresco, la segunda de ellas fue incorporada hasta 1960, en el mismo estilo por el arquitecto Antonio Muñoz. El origen del templo fue una humilde capilla, erigida pocos años después de la conquista, para reconocer a los soldados de Hernán Cortés, que perdieron la vida en este sitio durante la batalla más desafortunada que libró el ejército conquistador, la **Noche Triste**. Posteriormente se le dedicó a San Hipòlito, pues el día que triunfaron los conquistadores era **13 de agosto de 1521, día de San Hipólito**. Un monumento en la esquina del atrio con un altorrelieve, ejecutado por el arquitecto José Damián Ortiz de Castro, da cuenta de tal suceso. Actualmente en el templo hay más veneración por **San Judas Tadeo**, el día 28 de cada mes, que por el santo patrono. La iglesia tiene planta de cruz latina, el altar mayor está modificado, decorado con imágenes de San Judas Tadeo, San Hipólito, San Casiano y la Virgen María. En la portada resalta al centro la estatua de San Hipólito, acompañado a los flancos con nichos con esculturas de San Antonio de Padua y San Antonio Abad.

Av. Hidalgo y Paseo de la Reforma, Col. Guerrero. 🚇 Hidalgo

TEMPLO DE SAN JERONIMITO   Pl. 1 Loc. 4-D
Candelaria de los Patos

Pequeña construcción religiosa, presenta una peculiar portada con dos óculos flanqueando la entrada con arco de medio punto, rematando con un nicho. El techo es armado a base de vigas. La torre del campanario es muy sencilla. El templo está dedicado a San Francisco de Asís; sin embargo, debido a su tamaño y a la cercanía en el pasado, al puente de San Jerónimo, la población del barrio le ha conocido con el nombre de San Jeronimito.

La Candelaria, Centro Histórico. 🚇 Candelaria

TEMPLO DE SAN JERÓNIMO   Pl. 18 Loc. 3-A
Delegación Magdalena Contreras

Iglesia de estilo barroco construida hacia 1713, tiene sus orígenes desde el siglo XVI. El templo es de una sola nave, cubierta con techo a base de viguería, el interior aloja un interesante retablo con columnas salomónicas, donde realzan pinturas bien trabajadas, tratando varios temas bíblicos y santos. Se observa también una pila bautismal y un púlpito probablemente contemporáneo al anterior templo, levantado en el siglo XVI. Quizá lo más sobresaliente es su bella **portada barroca**, ricamente decorada y rematada con un nicho abierto, rodeado de ornato de formas vegetales. Su torre se alza en tres secciones de aspecto sobrio. Además se puede observar la cruz atrial cuando se llega al templo.

Av. Santiago Apóstol y Ferrocarril a Cuernavaca, San Jerónimo Lídice.

* TEMPLO DE SAN JOSÉ TEXOMPA   Pl. 20 Loc. 2-D
San José Texompa, Texcoco, Estado de México

Un buen ejemplo del barroco popular texcocano, que se caracteriza por la exuberancia de ornato realizado a base de argamasa. La iglesia era una dependencia del convento de Texcoco, probablemente construida hacia finales del siglo XVII. Un peculiar arco atrial a la izquierda del templo, rebela la fecha de su erección en 1739. Su planta es muy sencilla; una nave corta, prolongada por un presbiterio más estrecho. La portada consta de dos cuerpos y un remate, ahí sobresale la profusión de ornato con trabajos de follajes, triglifos, rosetones y querubines, el nicho que remata la portada ostenta una **imagen de San José**. Una maravillosa torre se eleva a la izquierda de la portada, cuya base está excepcionalmente ornamentada y en la parte superior, de planta cuadrada, muestra en cada costado arcos de medio punto, con columnas salomónicas pareadas a los lados, se aprecia también decoración con vegetales. Más a la izquierda de la torre se encuentra el arco atrial, consta de un arco conopial, en las enjutas proliferan diversos vegetales, entre los detalles atractivos se puede observar la clave del arco que está ocupada por una cartela sostenida por dos curiosos angelillos.

Calle 16 de Septiembre y Madero, San José Texompa, Texcoco, Estado de México.

** TEMPLO DE SAN JUAN DE DIOS   Pl. 6 Loc. 2-C
Centro Histórico

Templo de San Juan de Dios

Muy interesante por su **Gran Pórtico Conchiforme** cuya portada ostenta excelentes esculturas y pilastras ondulantes, que logran un efecto similar a la de las columnas salomónicas. Considerado en un estilo barroco rico, la iglesia formó parte del **conjunto hospitalario de San Juan de Dios**, fundado hacia 1604 por religiosos juaninos, sin embargo el templo actual se levantó a principios del siglo XVIII, siendo dedicado el 16 de mayo de 1729, las obras estuvieron bajo la dirección del arquitecto Miguel Custodio Durán. Ha sufrido diversas transformaciones; una a raíz de un gran incendio ocurrido el 10 de marzo de 1766, en la que el fuego consumió sus suntuosos retablos barrocos. La iglesia posee una planta en cruz latina, cubierta su nave principal con bóveda de cañón corrido, sobre arcos escarzanos, sobre el crucero, encima de pechinas, se alza una cúpula octagonal, en cuyos gajos se encuentran ventanas, además de estar ornamentada con nervaduras rematadas por pequeños roleos, la corona una linternilla con vanos y nichos alternados entre sí, culmina con una cruz de cantera negra. La fachada frontal es verdaderamente hermosa, con la **portada abocinada**, llamada también; **portada nicho**, consta de dos cuerpos, cinco calles y un remate; el primero, **ostenta esculturas de los santos fundadores de la orden juanina**; por parejas, y el segundo cuerpo, aloja al centro una imagen de San Juan de Dios. Digna de apreciar es la torre, tanto en su desplante con decoración de entrelazos geométricos, como también el campanario que exhibe pilastras ondulantes, como en la portada. Al interior son atractivas las pinturas de San Benito, con Santa Escolástica, la Santísima Trinidad y la Virgen de Guadalupe, obras de Germán Gedovius.

Av. Hidalgo y Plaza de la Santa Veracruz, Centro Histórico. 🚇 Hidalgo

* TEMPLO DE SAN JUAN EVANGELISTA   Pl. 10 Loc. 3-B
Mixcoac

Al costado oriente de la Plaza Valentín Gómez Farías se levanta ésta iglesia, construida en el siglo XVIII, en un estilo barroco sobrio. Consta de dos torres que flanquean a una portada de dos cuerpos, en el primero se halla el vano de entrada con arco de medio punto enmarcada por pilastras ricamente decoradas en tallados de cantera. El segundo cuerpo exhibe una imagen de la Virgen de Guadalupe a la que actualmente está dedicada.

Plaza Valentín Gómez Farías y Augusto Rodin, Colonia San Juan. 🚇 Mixcoac

* TEMPLO DE SAN LORENZO XOCHIMANCA   Pl. 10 Loc. 3-C
Tlacoquemécatl del Valle

Bonita construcción colonial en una amplia área ajardinada rodeada de residencias. Fundado a finales del siglo XVI, consta de una nave pequeña, campanario y cúpula rebajada. Un primer tramo del recinto está cubierto de techumbre apoyado en vigas, esto corresponde a 1772. El arco que separa la nave del presbiterio está ornamentado con flores y racimos de uvas, que parten de jarrones y rematan en dos jóvenes que sostienen una cruz flordelisada. Se conservan una interesante pila bautismal y un óleo en el que se representa a la Virgen de Guadalupe.

San Lorenzo y Tejocotes, Colonia Tlacoquemécatl del Valle.

** TEMPLO DE SAN LUIS OBISPO   Pl. 20 Loc. 2-D
San Luis Huexotla, Municipio de Texcoco, Estado de México

Extraordinaria obra de estilo barroco churrigueresco formó parte de un antiguo convento, fundado antes de 1569. Está precedido de un enorme atrio sobre los restos de un basamento prehispánico, cubierto de árboles y áreas ajardinadas. Los aspectos magnificientes del templo, construido hacia mediados del siglo XVIII, son indudablemente su **bellísima portada**

churrigueresca decorada en argamasa con relieves vegetales, figuras humanas, ángeles y querubines, así como esculturas de santos. Y también su torre de exquisito acabado. En el interior se encuentra un **interesante retablo dorado**, también barroco churrigueresco y un púlpito labrado en piedra.

Av. Aztecas y San Francisco, San Luis Huexotla, Municipio de Texcoco, Estado de México.

TEMPLO DE SAN MATEO HUEXOTLA
Pl. 20 Loc. 2-D

San Mateo Huexotla, Municipio de Texcoco, Estado de México.

Pequeña iglesia pero interesante, construida hacia 1775, su planta es de forma rectangular, con bóvedas de cañón cubriendo la corta longitud de la nave y del ábside; una cúpula se alza sobre pechinas por encima del presbiterio y posee un pequeño coro. Su portada consta de dos cuerpos y un remate de contorno mixtilíneo, siendo la decoración sobria, se alcanza a distinguir un nicho, que aloja probablemente a San Mateo. Una torre se yergue a la izquierda de la portada, su ornamentación es profusa, se pueden apreciar pequeños atlantes en el entablamento del primer cuerpo, así como conchas y figuras vegetales muy estilizadas. El templo está precedido de un pequeño atrio con una cruz, relegada en una esquina.

Av. Texas y Benito Juárez, San Mateo Huexotla, Municipio de Texcoco, Estado de México

* TEMPLO DE SAN MATEO IXTACALCO
Pl. 19 Loc. 1-B

San Mateo Ixtacalco, Mpio. de Cuautitlán Izcalli, Estado de México

Accediendo a un pequeño atrio a través de un par de arcos de medio punto con una sola arquivolta; se encuentra esta **pequeña obra maestra**, de unos veinte metros de largo, por seis de ancho, su nave es baja, con bóveda de cañón. Una bella concha como capialzado remata su ventana por el lado del coro. La portada es de dos cuerpos en estilo neoclásico que presenta presenta dos torres de un solo cuerpo. Dos ángeles rematan la fachada frontal. **Resalta la gran cruz flordelisada que corona la entrada del atrio cubierta con labrados de la Pasión**; combinando de ésta forma dos elementos clásicos del siglo XVI, la cruz y el pórtico. La construcción tiene en sí secciones de los siglos XVI y XVII. Sobre el atrio hay una capilla poza de reciente manufactura.

Av. 16 de Septiembre y 5 de Mayo, San Mateo Ixtacalco, Mpio. de Cuautitlán Izcalli, Estado de México.

** TEMPLO DE SAN MIGUEL
Pl. 4 Loc. 4-D

Centro Histórico

Es la segunda parroquia en antigüedad en la ciudad, después de la Santa Veracruz. Es de un estilo barroco sobrio, se erigió por Cédula Real del 18 de junio de 1689 en parroquia, asignándosele el territorio sur de la antigua ciudad. Se comenzó su edificación el 20 de marzo de 1690, bajo la dirección de Alonso Alberto de Velasco y se concluyó el 8 de agosto de 1692, dedicándosele a la advocación de San Miguel Arcángel. Hacia 1711 se le practicaron algunas reparaciones, teniendo una nueva dedicación en 1714. Consta de una sola nave con crucero, donde se eleva una cúpula de ocho gajos sobre cimborrio de ocho lados. En su frente se alzan dos torres gemelas de planta octagonal, las cuales están rematadas por cupulines en forma de tiara recubiertos de azulejos. Resalta una sobria portada de dos cuerpos: el inferior ostenta el vano de entrada con arco de medio punto, flanqueado por dos pares de columnas de capitel jónico. El cuerpo superior exhibe un vistoso bajorelieve de **San Miguel Arcángel** trabajado en mármol, enmarcado por columnas. Un remate muestra la carátula de un reloj. Hacia el interior se observa la decoración básicamente en estilo neoclásico, hay dos capillas laterales, una dedicada a **Nuestra Señora del Pilar**, que también es patrona del templo y otra más pequeña, a San José. Uno de los altares conserva un cuadro del pintor novohispano Pedro Ramírez, considerado el artista más barroco del virreinato, quien plasmó la obra: **Jesús Atendido por los Ángeles**, firmado en 1656. A principios del siglo XX, todavía en los alrededores estaban establecidos los más famosos barberos de la ciudad.

Plaza de San Miguel, Pino Suárez e Izazaga, Centro Histórico. 🚇 Pino Suárez

* TEMPLO DE SAN MIGUEL ARCÁNGEL
Pl. 20 Loc. 3-D

Coatlinchán, Municipio de Texcoco, Estado de México

Espléndida edificación novohispana, forma parte de un **antiguo convento** fundado y construido en la segunda mitad del siglo XVI. El templo se reconstruyó hacia 1731, en diversas fases, mientras que el convento, porterías, bardas y los arcos atriales, son anteriores del siglo XVI. La iglesia es rectangular, consta de cinco tramos correspondientes a la nave, el presbiterio y el ábside, cubiertas con cúpulas redondas rebajadas, construidas entre 1721 y 1724; anexa a la nave principal se encuentra la **Capilla del Santo Sepulcro**, cubierta con una bóveda de aristas. Sin embargo lo más atractivo de apreciar son la **Torre** y la **Portada Barroca**, ésta consta de dos cuerpos y un remate, el primero exhibe pares de columnas tritostilos pareadas, entre las que se insertan nichos, el segundo cuerpo, se destaca por un óculo octagonal enmarcado con peculiar orla trabajada en argamasa; a ambos lados se hallan columnas salomónicas, entre las que están insertados nichos que alojan esculturas, una de ellas representa a San Bernardino de Siena. El remate se organiza alrededor de un nicho, que protege la imagen de San Miguel Arcángel. La torre está constituida de tres cuerpos, donde proliferan las columnas salomónicas que flanquean los vanos del campanario y nichos que alojan a los evangelistas, en el primer cuerpo, y a Santa Bárbara, San Miguel y San Cristóbal; en el segundo. A la derecha del templo se accede a un bello claustro original del siglo XVI, con columnata románica. Al interior de la iglesia se conservan **retablos con interesantes pinturas y esculturas**, algunas de ellas de magnífica factura.

Av. Morelos esq. Insurgentes, San Miguel Coatlinchán, Mpio. de Texcoco, Estado de México.

TEMPLO DE SAN MIGUEL TLAIXPAN   Pl. 20 Loc. 2-D
San Miguel Tlaixpan, Municipio de Texcoco, Estado de México

Admirable construcción colonial, trabajada en su fachada con un rico barroquismo popular, característico de ésta región. El templo tal como se ve pertenece a la segunda mitad del siglo XVIII, aunque se conservan los muros de una primitiva edificación. La planta de la iglesia es de cruz latina, cubierta con bóvedas de arista en su única nave, sobre el crucero se levanta una cúpula octagonal sobre pechinas. Es de una sola torre de dos cuerpos, ornamentado con guirnaldas, algunos medallones completan la decoración, su remate está ricamente trabajado con flores y guirnaldas, sobresaliendo las esculturas de los evangelistas. La portada, reluciente exhibe dos cuerpos y un remate, gran variedad de elementos ornamentales hechos de argamasa la decoran; destaca un peculiar medallón de Nuestra Señora de Guadalupe, rodeado con seis querubines por arriba de un arco mixtilíneo del vano de entrada. En el nivel superior de la portada se abre un óculo mixtilíneo, ventana coral, con enmarcamiento vegetal a su vez rodeado de querubines, conchas, flores y guirnaldas; a los lados del óculo hay columnas pareadas, donde se encuentran esculturas de los arcángeles Rafael y Gabriel. **El remate se organiza alrededor de un nicho que acoge a una estatua de San Miguel Arcángel**, coronado por una representación simbólica del Santo Sacramento.

San Miguel Tlaixpan, Municipio de Texcoco, Estado de México (A 7 kms. Al este de Texcoco).

TEMPLO DE SAN NICOLAS TOTOLAPAN   Pl. 18 Loc. 3-A
Pueblo San Nicolás Tololapan, Magdalena Contreras

Su interés radica en ser parte de las **primeras actividades misioneras de los frailes dominicos**, en esta zona del sur de la ciudad. Esta antigua iglesia se empezó a construir en junio de 1535. Es una edificación sencilla con una sola nave y con la sacristía a un costado del altar mayor. Su techumbre está abovedada, presenta algunos elementos herrerianos y mudéjares. El campanario es muy posterior, con características barrocas.

Benito Juárez e Independencia, Pueblo San Nicolás Totolapan, Delegación Magdalena Contreras.

★ TEMPLO DE SAN SEBASTIÁN CHIMALISTAC   Pl. 12 Loc. 3-C
Chimalistac

Sombreada por ahuehuetes y fresnos, se halla esta hermosa capilla, **una de las más pintorescas de la ciudad**. Fundada a finales del siglo XVI por doña María de Chilapa, esposa del cacique coyoacanense Felipe de Guzmán. La actual construcción data del siglo XVII y está bajo la advocación de **San Sebastián Mártir**. La iglesia es pequeña, de planta irregular, consta de una torre y una portada con el vano de acceso, con arco de medio punto, flanqueado por pares de columnas que soportan una cornisa, sobre la que destaca un nicho que aloja una escultura de la Virgen de Guadalupe. El interior conserva un **retablo barroco anástilo**, que originalmente pertenecía a la ya desaparecida Iglesia de la Piedad. Se pueden apreciar bellos lienzos referentes a la Ascensión, la Asunción, la Resurrección, Pentecostés y la Coronación de la Virgen; además sobresale un óleo sobre Judith y Holofernes de Cristóbal de Allori. Hay también tallas de exquisita calidad como un San José de la Crucifixión.

Plaza Federico Gamboa, Col. Chimalistac. 🚇 Miguel Angel de Quevedo

★ TEMPLO DE SAN SIMÓN   Pl. 20 Loc. 2-D
Texcoco, Estado de México

Templo colonial franciscano de belleza singular, sobresalen su portada barroca y su torre de dos cuerpos. Construida a mediados del siglo XVIII, estuvo administrada por el convento de San Antonio de Padua de Texcoco, durante la época colonial. La planta de la iglesia es muy sencilla, de forma rectangular constituida por una única nave, de corta longitud cubierta con bóvedas de cañón y un presbiterio, con una cúpula octagonal sobre pechinas. La portada muestra dos cuerpos y un remate de abundante decorado, sobre todo el segundo cuerpo, a base de formas vegetales. Destacan cinco nichos, en el primer nivel con estatuas de San Pedro y San Pablo y en el segundo, con esculturas de los Padres de la Iglesia, en el remate está un nicho alojando una imagen de San Simón, con la sierra de su martirio en la mano. La torre consta de dos cuerpos, profusamente decorados con guirnaldas, follajes, querubines y arpías, remata con estatuas que representan a los cuatro evangelistas, sobre la cornisa de su segundo cuerpo.

16 de Septiembre y Allende, San Simón, Mpio. de Texcoco, Estado de México.

TEMPLO DE SAN SIMÓN Y SAN JUDAS TADEO   Pl. 17 Loc. 1-C
Azcapotzalco

Es **una de las primeras edificaciones dominicas en esta parte de la ciudad**, pues su base data de 1579, ha sufrido numerosas transformaciones, principalmente en el siglo XVIII, al que corresponde la torre, el campanario, la sacristía, la cúpula y la fachada principal. Una de sus puertas de acceso es de 1838. El templo en sí es sencillo, su importancia radica en su antigüedad, algunos estudiosos consideran que está **construído sobre un antiguo monumento**

prehispánico, ya que el barrio donde se localiza, San Simón Pochtlán, fue poblado por los tepanecas mucho antes de la conquista y construyeron diversos recintos ceremoniales. Al interior de la iglesia se pueden mirar algunas esculturas y pinturas de caballete, presenta además un altar de estilo neoclásico, con la imagen del Señor crucificado.

Calles Zaragoza y Esperanza, Barrio San Simón, Azcapotzalco. 🚇 Camarones

* TEMPLO DE SAN VICENTE MÁRTIR CHICOLOAPAN   Pl. 20 Loc. 3-D
Chicoloapan, Estado de México

Construcción colonial del último cuarto del siglo XVIII, destaca por su **magnífica portada barroca** ricamente ornamentada. La iglesia consta de cuatro tramos en su única nave, cubiertos por bóvedas de cañón, de un presbiterio coronado por una cúpula octagonal sobre pechinas y de un ábside pentagonal cubierto por una bóveda de aristas de seis gajos. La bella portada presenta dos cuerpos y un remate, el primero es muy rico en su ornamentación, constituidas por figuras vegetales en las estípites, en el entablamento se alternan triglifos y flores, por encima del arco mixtilíneo del vano de entrada, un sol y una luna resaltan la exuberancia de formas. En el segundo cuerpo se continúan dobles estípites, flanqueando a un gran óculo o ventana coral, en el remate destaca un nicho que aloja la imagen de **San Vicente**, enmarcado por pilastras exornadas con uvas y querubines. No deja de ser interesante una **cruz atrial**, con símbolos de la Pasión, que precede el acceso al templo.

Mina y Zaragoza, San Vicente Chicoloapan, Estado de México.

* TEMPLO DE SANTA ANITA ZACATLAMANCO   Pl. 18 Loc. 2-C
Santa Anita, Delegación Iztacalco

Exquisita muestra de la **arquitectura barroca churrigueresca**, en una zona popular de la ciudad, construida en 1777. Los maestros canteleros lograron imprimirle un sello particular a las estípites y los relieves, que profusamente embellecen su portada. Consta de un atrio rodeado de un muro con arcos inversos, en la fachada principal se eleva la torre del campanario y en el crucero, de planta en cruz latina, se alza la cúpula apoyada en un cimborrio. El interior, remodelado por los vecinos del barrio en 1948, muestra un **retablo barroco de mediados del siglo XVIII**, con cuatro pinturas que muestran las imágenes de los Doctores de la Iglesia; San Gregorio, San Ambrosio, San Agustín y San Jerónimo, rodeando a la imagen de Santa Ana. Se pueden apreciar, además, esculturas talladas en madera del Señor crucificado, de Jesús Nazareno y de Nuestra Señora de los Dolores. El templo se ubica en un antiguo asentamiento prehispánico, conocido como **Zacatlamanco**, que significa **lugar donde se cultiva zacate**.

Plaza Hidalgo y Av. Juárez, Santa Anita, Delegación Iztacalco. 🚇 Santa Anita

TEMPLO DE SANTA CATALINA DE SIENA   Pl. 2 Loc. 2-B
Centro Histórico

Fue parte de un **antiguo convento de monjas dominicas** provenientes de Oaxaca. Se establecieron en México en 1593., la iglesia se empezó a construir el 15 de agosto de 1619, abriéndose al culto en 1623. Su fachada es de muros lisos, ostenta macisos contrafuertes, presenta dos portadas laterales, la norte renovada en el siglo XVIII, atribuida al arquitecto Lorenzo Rodríguez; en el segundo cuerpo de esta portada se halla una escultura de Santa Catalina en un nicho con venera sobre peana. La portada sur, de estilo herreriano, es original. En 1863 las religiosas fueron exclaustradas, a partir de entonces, convento e iglesia fueron transformados y dañados. Parte del predio, fue ocupado por la **Antigua Escuela de Jurisprudencia**. Hacia 1935 el templo fue entregado a una secta protestante, su retablo mayor, de estilo barroco estípite, fue trasladado a la iglesia de San Francisco. Funciona como **Iglesia Nacional Presbiteriana de El Divino Salvador**.

República de Argentina Nº 29, Centro Histórico. 🚇 Zócalo

TEMPLO DE SANTA CATARINA DEL MONTE   Pl. 20 Loc. 2-D
Texcoco, Estado de México

Forma parte de un conjunto de construcciones edificadas a mediados del siglo XVIII, donde destacan la **portada magnífica** del templo, así como su **torre,** ricamente decorada; la entrada frontal del atrio y la **Capilla de San Sebastián**, situada a un costado. La planta de la iglesia y la capilla son de forma rectangular. La portada del templo tiene una rica ornamentación, a base de motivos vegetales y ángeles. La capilla reproduce muchas figuras de la iglesia. El arco atrial que les da acceso consta de una triple arcada de medio punto, que descansan sobre columnas corintias. Sus enjutas están totalmente ornamentadas con motivos vegetales. En la torre se aprecian la exuberancia de hojas, flores, querubines y ángeles. Siendo este templo y sus construcciones aledañas uno de los conjuntos más admirables, por su riqueza ornamental, en la región de Texcoco.

En la zona montañosa del Municipio de Texcoco, Edo. de México.

* TEMPLO DE SANTA CATARINA MÁRTIR   Pl. 5 Loc. 2-D
Centro Histórico

Una de las parroquias más antiguas de la ciudad. De aspecto sobrio, su fachada está cubierta de tezontle, la portada principal mira hacia el poniente, es de una sencilla belleza trabajada en piedra chiluca, de dos cuerpos, con pilastras tableradas media muestra, exhibe en un nicho central, la imagen de **Santa Catalina**, llamada popularmente Santa Catarina. Sus orígenes se remontan a 1537, año en el que el Cabildo, dotó a la Cofradía de Santa Catalina Mártir y Reina de Alejandría, de este solar para la construcción de un hospital y de una capilla abierta al culto público. La cual fue erigida en parroquia en 1586. Deteriorada por los años, fue reconstruida con los fondos que en su testamento dejó para ello, doña Isabel de la Barrera, se abrió al público en 1662. Diversos daños provocados por inundaciones, sismos y poco mantenimiento, obligaron a una reconstrucción casi total, terminada hacia 1740, tal como la vemos hoy. Se conservan parte de los muros originales, lo que explica las curiosas superposiciones que se pueden notar mirando fijamente. Consta de una nave principal con cuatro capillas adosadas, destacando la **Capilla de la Purísima Sangre**. El interior muestra algunos elementos muy interesantes, como una **magnífica escultura de Santa María Egipciaca** ya anciana; en una de las capillas de la izquierda hay un pequeño retablo de madera dorada, dedicado a la Virgen de los Dolores. El altar mayor está provisto de un ciprés que resguarda la imagen de Cristo, su cupulín es campaniforme. En este templo también se venera a la **Virgen del Rayo**. El decorado del interior, en lo general, ha cambiado mucho, de acuerdo al gusto del párroco en turno.

República de Brasil y República de Nicaragua, Centro Histórico. 🚇 Lagunilla

* **TEMPLO DE SANTA CRUZ ATOYAC**   Pl. 11 Loc. 1-B
  Santa Cruz Atoyac, Delegación Benito Juárez

La **construcción religiosa más antigua de la Delegación Benito Juárez**, construida en 1564 por los frailes franciscanos en un antiguo asentamiento prehispánico, conocido como **Atoyachecateopan**, que significa en el río. Se trata de una edificación sobria y de pequeñas dimensiones, con remembranzas de estilo plateresco. La portada del templo presenta un arco de medio punto moldurado. En sus impostas y en las bases de las jambas se hallan talladas grandes flores. Un alfiz encuadra la fachada, ahí aparecen seis escudos con cruces de brazos flordelisados, sobre la ventana del coro se muestra el tradicional escudo franciscano. El interior ha sido muy transformado, se conserva un **Cristo negro** hecho de pasta de caña de maíz, algunos óleos, sobresaliendo uno de San José y otro de la Guadalupana, hay también un gran relicario con una astilla de la cruz. Sobre el atrio se levanta una interesante **Cruz flordelisada**, labrada en la piedra de cantera de un antiguo ídolo prehispánico.

Av. Cuauhtémoc 1316. Col. Santa Cruz Atoyac. 🚇 Zapata

* **TEMPLO DE SANTA MARÍA NATIVITAS**   Pl. 20 Loc. 2-D
  Texcoco, Estado de México

Bella iglesia de estilo barroco, en el matiz texcocano, construida a mediados del siglo XVIII estuvo atendida por frailes franciscanos, provenientes del vecino Convento de San Antonio en Texcoco. Exhibe una rica decoración en su portada de tres cuerpos, principalmente sobre el entablamento, las enjutas del arco de la puerta, en los nichos y el óculo. Su acceso se hace a través de un arco atrial constituido de triple arcada de medio punto, que descansa sobre robustas columnas, también ornamentado con figuras vegetales.

Santa María Nativitas, Mpio. de Texcoco, Estado de México.

* **TEMPLO DE SANTA MARÍA TULANTONGO**   Pl. 20 Loc. 2-D
  Tulantongo, Municipio de Texcoco, Estado de México

Espléndida edificación colonial del siglo XVII, cuyos accesos son a través de **tres entradas monumentales**, o **arcos atriales**. Fue sitio de peregrinación muy frecuentado a raíz de un milagro acaecido en el siglo XVII, de acuerdo con una leyenda, un cuadro de la Virgen curó de manera inesperada a un indígena ciego, por lo que se construyó, con apoyo de un rico comerciante de Texcoco, una pequeña iglesia en el lugar del milagro, iniciándose las obras en 1664. Se efectuó su bendición el día de la fiesta de la Purificación, el 2 de febrero de 1676. Aunque de dimensiones pequeñas, el templo es digno de admirarse por su portada desarrollada en tres cuerpos, decorada de elementos vegetales y formas geométricas afines. El mayor atractivo lo constituyen **Los Tres Arcos**, de la entrada principal al atrio. Decorados profusamente con formas vegetales, la archivolta de los arcos y el friso del entablamento están exornados con follajes de argamasa, las enjutas de los arcos también se hallan saturadas de estas formas, muy características del barroco popular texcocano. Dos entradas laterales retoman el decorado, pero siendo solamente de un arco.

Av. Juárez y Zaragoza, Tulantongo, Mpio. de Texcoco, Edo. de México.

* **TEMPLO DE SANTA TERESA LA NUEVA**   Pl. 2 Loc. 2-D
  Centro Histórico

Iglesia colonial que formó parte del antiguo **Convento de Santa Teresa La Nueva**, construcción de arquitectura barroca sobria, muy sencilla, sin embargo armoniza agradablemente con la Plaza de Loreto y su entorno. El convento fue construido entre 1701 y 1704, a instancias de varias religiosas provenientes del antiguo convento de Santa Teresa, encabezadas por Sor Teresa de Jesús, quien compró el solar al hospital de San Lázaro. El convento acogía a jóvenes con vocación religiosa, pero que carecían de dote. Se caracterizó siempre por la rigidez de sus reglas apegadas a los lineamientos de las carmelitas descalzas, incluso uno de sus votos era el de no tomar chocolate, hábito muy común en las monjas de otros monasterios. El apelativo de **La Nueva**, tiene varias versiones: una de ellas, es relativa a que ya existía un convento San Teresa, de donde venían sus fundadoras. En su fachada le caracteriza su doble portada, muy austeras, construidas en cantera, constando de un cuerpo y remate, La más al norte, ostenta un nicho central con la escultura de San José; la portada sur, muy similar al anterior, presenta un nicho con venera, donde está alojada la imagen de Santa Teresa de Ávila. Ambas portadas están separadas por robustos contrafuertes, estos poseen gárgolas de cantera en forma de cañón. En el interior se conservan algunos altares de estilo neoclásico. Son de llamar la atención, las rejas que protegen el coro bajo, cuyos hierros presentan hacia afuera picos terribles, que parecen simbolizar las garras de un dragón defensor de las monjas, que oían misa sin ser vistas, ni molestadas.

Plaza de Loreto, Centro Histórico. 🚇 Zócalo

TEMPLO DE SANTIAGO AHUIZOTLA   Pl. 18 Loc. 1-B
Santiago Ahuizotla, Delegación Azcapotzalco

Interesante construcción, edificada en el siglo XVII, aunque también tuvo algunas modificaciones durante el siglo XIX, que alteraron su aspecto original. Resaltan su torre con cupulín azulejado y su cúpula de ocho gajos con linterna. Al interior se pueden observar algunas esculturas y pinturas. El templo fue levantado a la memoria del **apóstol Santiago** y respecto a lo de Ahuizotla proviene de que en éste lugar, existieron nutrias mexicanas hoy extintas, según el significado náhuatl. De acuerdo a algunos hallazgos arqueológicos, esta zona era contemporánea al florecimiento de Teotihuacan.

Plaza Ahuizotla esq. Camino a Nextengo, Col. Santiago Ahuizotla.

* TEMPLO DE SANTIAGO CUAUTLALPAN   Pl. 20 Loc. 3-D
Texcoco, Estado de México

Magnífica construcción religiosa del siglo XVIII, aunque de diseño arquitectónico sencillo, **exhibe una admirable portada barroca**, compuesta excepcionalmente por ornamentación vegetal, el follaje se dispone en los fustes de las estípites, en los enmarcamientos, entablamentos, frisos y molduras, algunos diseños recuerdan a las ajaracas. Se alcanza a apreciar una inscripción en la portada que dice; **Viva el patrón Santiago, Ave de gracias**; escrito en latín sobre la archivolta del arco de la puerta. La torre del templo y el arco atrial, probablemente fueron construidos en el siglo XIX y son de aspecto más sobrio.

Gral. Mariano Ruiz y Emiliano Zapata, Santiago Cuautlalpan, Municipio de Texcoco, Estado de México.

** TEMPLO DE SANTO DOMINGO   Pl. 2 Loc. 1-A
Centro Histórico

Admirable construcción novohispana, corresponde su estilo arquitectónico al **barroco transicional**, previo a la implantación del barroco churrigueresco con estípites. Es **uno de los monumentos coloniales religiosos más importantes de la ciudad**. Formó parte del primer convento de la orden dominica fundada en la Nueva España. Construida entre 1717 y 1736. Es la tercera de una serie que ocupó el mismo sitio, que fueron demolidas por problemas técnicos y grandes averías provocadas por catástrofes, siendo sustituidas por otras tantas. De planta cruciforme, tiene un amplio crucero y filas de capillas a los lados de la nave central con airosa cúpula y ábside cuadrado. Su fachada está construida y recubierta de tezontle, con una gran portada de cantera, torre esbelta con chapitel cubierta de azulejos y una elegante cúpula, se elevan majestuosamente. Al acceder al templo se enfrenta uno, con la **hermosa portada** que ostenta tres cuerpos y un remate, en los nichos del primer nivel aparecen las esculturas de San Agustín y San Francisco, flanqueados por columnas con estrías móviles, en el segundo cuerpo, se destaca el hermoso relieve que representa la protección otorgada a Santo Domingo, por San Pedro, entregándole las llaves del cielo y de San Pablo, recibiendo el libro de las Epístolas; sobre ellos, el Espíritu Santo. El tercer cuerpo exhibe un relieve sobre la Asunción de María, en medio de grandes ventanas corales. **En la fachada lateral se aprecia, la portada que ostenta un relieve con Santo Domingo y San Francisco, sosteniendo la caída de la iglesia, según sueño del Papa Inocencio III.** Al interior, sobresalen en el crucero: **Dos maravillosos retablos barrocos** y al ábside, **uno de estilo neoclásico, atribuido a Tolsá**.

Plaza de Santo Domingo, Centro Histórico. 🚇 Zócalo

TEMPLO DE SANTO TOMÁS DE LA PALMA   Pl. 3 Loc. 3-D
Centro Histórico

Una primera ermita erigida por los frailes agustinos en el siglo XVI, precedió a ésta construcción de finales del siglo XVIII. Resalta principalmente su **portada de dos cuerpos**, el primero muestra el vano de acceso con arco de medio punto, flanqueado por pares de pilastras almohadilladas, entre sus espacios se observan nichos con esculturas, poco más arriba, el friso se halla labrado con elementos vegetales, el segundo cuerpo exhibe, entre cortinajes sostenidos por dos ángeles un **relieve con Cristo Crucificado**, en su parte inferior dos espíritus celestes portan símbolos pasionarios, rematando la portada se observa un frontón, en cuyo tímpano se aprecia el tallado de **dos hojas de palma**.

Anillo de Circunvalación y Abraham Olvera, Centro Histórico. 🚇 Merced

TEMPLO DEL CARMEN   Pl. 1 Loc. 2-C
Centro Histórico

Formó parte del antiguo convento de los carmelitas. Correspondió esta edificación a la que fuera **Capilla de Nuestra Señora del Carmen**, la original y principal iglesia del convento se demolió para construir otra más suntuosa que nunca llegó a ser levantada. Su fachada es de chiluca con triple portada frontal. El interior muestra una planta basilical con bóvedas nervadas, en la sacristía se alojan dos pinturas del notable pintor novohispano Juan Rodríguez Juárez. En el sotocoro se halla un interesante **Escapulario Carmelita**. Un tabernáculo de bronce repujado con la estatua de **Nuestra Señora del Carmen** luce en el altar mayor respaldada en el ábside por un gran resplandor.

Calle del Carmen y Nicaragua, Centro Histórico. 🚇 Tepito

* **TEMPLO LA TRINIDAD**   Pl. 20 Loc. 2-D
  Texcoco, Estado de México

Espléndida Muestra del Barroco Popular Texcocano expuesta en la fachada del templo, reconstruido en el siglo XVIII. Esta pequeña construcción era el santuario de uno de los trece barrios de Texcoco y estaba administrada por los franciscanos del Convento de San Antonio. Su planta es sencilla, de forma rectangular, constituido por una cubierta por bóvedas de cañón y un presbiterio con cúpula octagonal sobre pechinas. Su singular portada se desarrolla en dos cuerpos y un remate. El primero está provisto de un arco de medio punto, sobre el vano de entrada, flanqueado por anchas pilastras de estrías onduladas. El segundo está delimitado por pilastras rematadas con jarrones, su fuste está decorado con atlantes envainados, cuyo cuerpo vegetal descansa en la cabeza de un angelillo, la parte superior de este cuerpo está decorada con tres nichos que alojan las estatuas de la Virgen, de San Francisco y en el centro, la de Dios Padre con los pies apoyados sobre querubines y enmarcados por pilastras, sobre los que hay labrados atlantes alados, con penachos y el cuerpo semivegetal. En el remate aparece un angelillo con los brazos alzados, con un penacho que resalta sobre la silueta masiva de un jarrón que sostiene la Cruz.

Miguel Hidalgo y Guadalupe Victoria, Barrio La Trinidad, Texcoco, Estado de México.

* **TEMPLO PARROQUIAL DE SAN MIGUEL**   Pl. 20 Loc. 2-D
  Chiconcuac, Estado de México

Magnífica construcción religiosa del siglo XVIII. Consta de planta con tres naves. La central, los cruceros y el ábside están cubiertos por bóvedas de aristas. Su portada presenta una abundante ornamentación, destacando un nicho que aloja una estatua de San Miguel. A los costados se elevan dos torres, con dimensiones, formas y estilos diferentes. Al templo se accede a través de tres entradas , la de enfrente consta de tres arcos de medio punto, que descansan en columnas masivas, las tres entradas están encuadradas por leones.

Av. Constitución y Av. de la Palma, Chiconcuac, Estado de México.

* **TEMPLO Y EXCONVENTO DE JESÚS MARÍA**   Pl. 2 Loc. 4-C
  Centro Histórico

Una de las construcciones conventuales más antiguas del Centro Histórico de México. De aspecto **barroco sobrio**, la iglesia y convento, ya casi desaparecido, fue construido a principios del siglo XVII por Pedro Briseño y continuando su labor Alonso Martínez López, maestro mayor de la Catedral, quien terminó en 1621 el **claustro**, la portería y el templo. El convento estuvo dedicado a Jesús y a la Virgen María, su fundación partió por iniciativa de don Pedro Thomas Denia, quien tuvo los deseos de proporcionar a las hijas y nietas de los conquistadores, de escasos recursos, un monasterio donde pudieran ser acogidas, sin necesidad de aportar ninguna dote. Sin embargo, pronto llegó **una hija natural de Felipe II**, Micaela de los Angeles, quien procreó con la hermana de don Pedro Moya de Contreras, inquisidor, arzobispo y virrey de la Nueva España, ella, sin embargo murió muy joven. Las monjas de aquí, cobraron fama por lo exquisitez de los dulces que elaboraban. La estructura y fachadas del convento y la iglesia de dos portadas laterales, sufrió muchas modificaciones hacia 1799, por parte de Antonio González Velázquez, quien implantó muchos elementos neoclásicos a la composición original. En el interior se pueden apreciar **pinturas de Juan Cordero**; El Niño Perdido, así como dos **cuadros de Rafael Ximeno y Planes** a los lados del presbiterio; El Ángel de la Guarda y San Cayetano, pertenecientes al siglo XIX. Se conservan, a la izquierda del altar mayor la peineta del coro alto y la tribuna en madera. El antiguo claustro, subsiste al costado sur, ocupado por comerciantes ambulantes.

Jesús María y Corregidora, Centro Histórico. 🚇 Zócalo

* *****TEMPLO Y EXCONVENTO DE LA ENSEÑANZA**   Pl. 2 Loc. 2-A
  Centro Histórico

Construcción colonial de excepcional belleza, tanto en su exterior como en su interior, es un ejemplar admirable del estilo churrigueresco, representa también una fase de la culminación del barroco, en su **modalidad anástila**. Atribuida al insigne arquitecto novohispano Francisco Antonio Guerrero y Torres, quien dirigió sus obras, entre 1772 y 1778. Formó parte de un complejo de convento y colegio de la Compañía de María, consagrada a la educación de las niñas y fundada en 1752, para ser dedicada en 1754, bajo la advocación de **Nuestra Señora del Pilar de religiosas de la Enseñanza, Escuela de María.** Su fachada es barroca, cubierta casi en su totalidad, debido a la estrechez del frente, por una **elegante portada** de dos cuerpos con remate; destacan en ambos, las columnas ornamentadas, tritóstilas y los nichos entre ellas, con esculturas de San Ignacio de Loyola y San Benito de Nurcia, en la parte superior, y el arcángel Miguel y San Juan Nepomuceno en la parte baja, coronado en el remate con un relieve, tallado en cantera gris, con la imagen de la Santísima Trinidad; en el segundo cuerpo resalta, teniendo como fondo un gran óculo mixtilíneo, una pequeña imagen de la **Virgen del Pilar**. El interior es deslumbrante y nadie que lo visite puede olvidarlo; **nueve maravillosos retablos dorados, cubiertos de esculturas, pinturas y riqueza ornamental** como pocos en la ciudad. Cuenta con magníficos lienzos de afamados pintores novohispanos, como; **José de Alcíbar, Francisco Antonio de Vallejo, Andrés López** y sobre cada reja de los peculiares sotocoros, las impactantes obras de **Andrés Islas**, sobre la Asunción de María y la Virgen de la Apocalípsis.

Donceles 104, Centro Histórico. Zócalo

** TEMPLO Y EXCONVENTO DE REGINA COELI   Pl. 4 Loc. 3-B
Centro Histórico

Esta soberbia edificación novohispana formó parte de un **convento fundado por las religiosas concepcionistas** en 1573, siendo el segundo monasterio de monjas en la Nueva España. Se empezó la edificación del actual templo en 1655, a expensas de don Melchor de Terreros. Debido a diversos problemas de hundimiento, el templo fue remodelado y reestructurado, consagrándose hasta el 13 de septiembre de 1731. En su construcción participó el arquitecto Miguel Custodio Durán; como en la mayoría de los conventos de monjas, el templo presenta hacia el exterior doble portada, son barrocas y sobrias, en esta misma fachada destaca el esbelto campanario y hacia la derecha, se eleva la hermosa cúpula de ocho gajos octagonal. Al interior se encuentran **deslumbrantes joyas del arte colonial**, mostradas a través de **maravillosos retablos dorados**, con obras escultóricas estofadas y diversas pinturas de reconocidos artistas novohispanos. Digna de llamar la atención es la **Capilla de los Medina Picazo** al costado izquierdo de la nave, que conserva un verdadero **tesoro de arte religioso**, con tres retablos dorados, el principal, dedicado a la Inmaculada Concepción, presentando su imagen estofada en una vitrina, en sus derredores se pueden apreciar excelentes **óleos de Nicolás Rodríguez Juárez**. Además, es de llamar la atención un **Ecce Homo de conmovedora presencia**, exquisitamente trabajado en pasta de maíz. Al oriente de la iglesia se encuentra el **Hospital Concepción Beístegui** que es de finales del siglo XIX, edificio que ocupa parte del antiguo convento, y en cuyo patio se localiza una **monumental fuente** revestida de azulejo, construida en el siglo XVIII.

Regina y Bolívar, Centro Histórico. Isabel la Católica

** TEMPLO Y EXCONVENTO DE SAN FRANCISCO   Pl. 4 Loc. 1-A
Centro Histórico

Plano del Exconvento de San Francisco

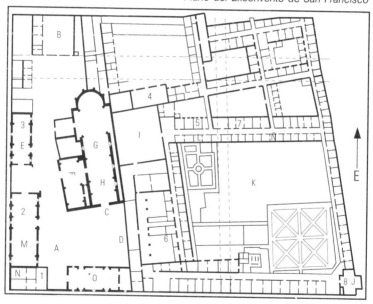

A	ATRIO	I	CLAUSTRO GRANDE
B	CAPILLA DE LOS SERVITAS	J	CAPILLA DE SAN ANTONIO
C	PORTADA DEL TEMPLO PRINCIPAL	K	HUERTA
D	PORTERIA	L	SALA DE PROFUNDIS
E	CAPILLA DE ARANZAZU	M	CAPILLA DE LA TERCER ORDEN
F	CAPILLA DE BALVANERA	N	CELDA DEL CAPELLAN
G	TEMPLO GRANDE	Ñ	SALON DEL REFECTORIO
H	CORO	O	CAPILLA DEL SEÑOR DE BURGOS

ACTUALMENTE ES:

1	TORRE LATINO AMERICANA	5	PANADERIA LA IDEAL
2	HOTEL GUARDIOLA	6	PASAJE SAVOY
3	TEMPLO DE SAN FELIPE DE JESUS	7	CINE OLIMPIA
4	TEMPLO METODISTA	8	LIBRERIA DEL PORTICO DE LA CIUDAD

El **Templo de San Francisco** y la **Capilla de Balvanera** que le sirve actualmente de vestíbulo, y por la que se accede, formaron parte de uno de los conjuntos conventuales más extensos y ricos de América. La superficie del terreno donde se construyó, a lo largo de cuatro siglos era de 22,000 metros cuadrados, o sea las cuatro manzanas comprendidas entre el Eje Central, Madero, Bolívar y Venustiano Carranza. En 1868 al haberse suprimido los conventos por mandato de la ley de desamortización, San Francisco fue mutilado, demolido o lo que quedó, transformado brutalmente. Sólo quedó la iglesia principal, la capilla de Balvanera, el **claustro**, actualmente templo metodista, cuyo acceso es por la calle de Gante Nº 5, lo que fuera la sala de profundis, hoy sus vestigios se pueden apreciar en la Pastelería La Ideal, acceso por Av. 16 de Septiembre, además se conserva la **Capilla de San Antonio** en la esquina del Eje Central y Venustiano Carranza. El convento fue fundado en 1525, aunque los primeros evangelizadores franciscanos llegaron en 1523, encabezados por fray Pedro de Gante. En junio de 1524 llegaron los llamados Doce, quienes provisionalmente estuvieron instalados en un solar cercano a la Plaza Mayor. En 1525 fray Pedro de Gante manda levantar la primera construcción religiosa en este lugar, la **Capilla Abierta de San José de Belén de los Naturales**, fueron después levantadas más capillas. La actual iglesia principal fue construida entre 1710 y 1716, cuando fue dedicada, aloja un retablo de estilo neoclásico, construido en 1953 en base a un original. Un bello retablo barroco del siglo XVIII, se aloja en la capilla de Balvanera, traído del templo de Santa Catalina de Siena. La **portada churrigueresca** de acceso, también es muy exquisita aunque desprovista de muchos de sus elementos originales.

Madero 7, Centro Histórico. 🚇 Bellas Artes

---

* **TEMPLO Y EXCONVENTO DE SAN LORENZO**   Pl. 5 Loc. 3-B
  Centro Histórico

Conjunto conventual fundado por religiosas agustinas en 1598, bajo los auspicios de doña María Zaldívar y Mendoza y su esposo don Santiago del Riego, siendo ellos los patronos. No fue sino hasta mediados del siglo XVII, gracias a donaciones de don Juan Chavarría y Valero que pudo erigirse el actual templo, dedicado en 1650. La obra estuvo dirigida por Juan Gómez de Trasmonte y Juan Serrano, quienes la iniciaron en 1643. Por esa época el templo estuvo cubierto con una techumbre a dos aguas en base a un alfarje, cuyo muro testero aún se divisa por la fachada oriente. La construcción es de una sola nave, compuesta de tres entreejes cubiertos por bóveda de cañón corrido con lunetos, sobre ella se eleva una cúpula octagonal, con lucarnas y ventanas con marcos de cantera, cubierta con azulejos. La fachada está revestida con mampostería de tezontle, con machones en los contrafuertes. A uno de sus costados de desplanta una **bella portada de estilo barroco sobrio**, constando de dos cuerpos, en el primer nivel se hallan nichos, uno de ellos aloja a San Lorenzo y los otros presentan imágenes de San Jerónimo y Santa Mónica, madre de San Agustín, el segundo cuerpo, encuadrado por un gran ventanal acodado y obocinado, destaca la escultura de San Agustín y a sus costados, entre columnas a San Pedro y San Pablo. La portada remata con una cruz y cuatro pináculos ubicados sobre un pretil mixtilíneo. Al interior, se puede apreciar en la bóveda del coro bajo, el relieve **La Mano Divina**, del pintor de origen alemán Mathías Goeritz. Es muy recomendable observar las ventanas de la cúpula.

Belisario Domínguez y Allende, Centro Histórico. 🚇 Allende

---

* **TEMPLO Y EXCONVENTO DE SAN PEDRO**   Pl. 18 Loc. 3-D
  Tláhuac

Formó parte de **uno de los primeros conventos fundados en la Cuenca de México**. Este espléndido conjunto revela algunos elementos arquitectónicos construidos por los franciscanos hacia 1529 y otros de factura dominica, los cuales ocuparon poco después, en 1554. De acuerdo con las antiguas crónicas; un viejo indígena de mucha autoridad, llamado don Francisco, les facilitó el trabajo, que estuvo bajo la dirección de Fray Martín de Valencia. Con ayuda de los indígenas se erigió la iglesia de tres naves, consagrada a **San Pedro**. Los muros del templo están revestidos al exterior, con relieves de argamasa de inspiración mudéjar y muestran en la parte alta un doble cornisamiento, donde se pueden ver medallones con los símbolos dominicos; las llaves de San Pedro, emblemas de la Virgen María y estrellas de ocho puntas. Un gran atrio, circundado por muralla perimetral, de arcos inversos, exhibe oquedades prehispánicas como de juego de pelota, precede el acceso al templo, donde destaca la portada, labrada en roca basáltica, de dos cuerpos: el primero, muestra la entrada con arco de medio punto, flanqueada por pilastras almohadilladas; el segundo se halla un gran óculo flanqueado por columnas de fuste liso, pareadas, con capitel dórico, lo remata un frontón cerrado, en cuyo tímpano se observa una estrella de ocho puntas. Consta de una sola torre, labrada en cantera, de dos cuerpos, rematada por un cupulín con azulejos. En el interior se conservan algunas esculturas que debieron formar parte de un suntuoso retablo renacentista, sobresale la imagen de San Pedro, de factura del siglo XVI, hay otras piezas estofadas de gran mérito artístico. Anexo se localiza el **antiguo claustro**, realizado en el siglo XVI por los franciscanos.

Av. Gral. Severino Ceniceros y Av. Tláhuac.

---

* **TEMPLO Y EXCONVENTO DE SANTA INÉS**   Pl. 2 Loc. 3-C
  Centro Histórico

Construcción colonial del siglo XVIII, sobresalen el templo, y el claustro, obra de Alonso Martín, recinto que aloja al **Museo José Luis Cuevas**. Formaron parte de un convento fundado en 1600 por religiosas concepcionistas, a iniciativa de don Diego Caballero y su esposa doña Inés de Velasco, siendo también los patronos, quienes desearon estimular la vocación religiosa, entre jóvenes criollas que carecían de dote. El templo fue **sede de la Cofradía de Pintores**, algunos de ellos maestros de la vecina Academia de San Carlos. Aquí fueron inhumados los pintores novohispanos Miguel Cabrera y José de Ibarra. La antigua edificación desapareció a finales del siglo XVIII, la reemplazó la actual, con un estilo ya transicional entre el barroco tardío y el neoclásico, siendo dedicada en 1790. El templo presenta una fachada de mampostería de tezontle, sobre la que destaca su gran cúpula con azulejos. Se accede a través de sus portadas gemelas, donde se advierten los altosrrelieves de Santa Inés y Santiago Apóstol. Los portones ahí situados exhiben **hermosos relieves en madera**, con escenas de la vida de Santa Inés y de Santiago Apóstol, uno de los grabados en madera representa a los marqueses de la Cadena (benefactores del convento), hincados, bajo la protección de las 33 monjas a quienes sostenían económicamente. El interior de la iglesia es de una sola nave, con bóveda de cañón corrido con lunetos. El **retablo principal es de estilo neoclásico**, parcialmente dorado, en él se encuentra la imagen tutelar, hay otros dos retablos, uno con la imagen de la Virgen de Guadalupe y otro dedicado a San Juan Bosco. En la sacristía hay cuadros con pinturas al óleo de buena factura, también son dignas de apreciarse las pechinas.

Moneda 26 y Academia, Centro Histórico. 🚇 Zócalo

* TEMPLO Y EXCONVENTO DE SANTO DOMINGO
Mixcoac
Pl. 10 Loc. 4-B

Muy cerca de la plaza Agustín Jaúregui, se localiza este **conjunto conventual**, de ancestral origen, pues fue fundado en 1595 por los frailes franciscanos quienes lo cedieron a los dominicos hacia 1608. Es una construcción sencilla, tiene una torre de dos cuerpos, rematado por chapitel, el interior cuenta con una capilla dedicada a Nuestra Señora del Rayo y anexa se halla otra, dedicada a la **Virgen del Rosario**. A un costado se localiza un **claustro** que conserva algunas características originales, es de un solo piso, además se puede apreciar un **portal**, llamado de los peregrinos, de tres arcos al exterior. El convento recuerda a aquellos primeros, después de la conquista, que asemejaban fortalezas, por la robustez de sus muros. Se halla precedido de un agradable atrio ajardinado.

Cánova N° 2, Col. Insurgentes Mixcoac. 🚇 Mixcoac

***TEMPLO Y EXCONVENTO DE TEPOTZOTLAN
Tepotzotlán, Estado de México
Pl. 19 Loc. 1-B

Portentosa edificación virreinal, tesoro artístico tanto en el exterior como en el interior, a su magnífica portada, labrada en piedra de cantera, se le ha considerado la obra más sobresaliente del barroco churrigueresco en México. El conjunto arquitectónico muestra diversas épocas de construcción. Siendo originalmente ocupado por franciscanos, quienes realizaban tareas de evangelización en la población otomí de la localidad, en la segunda mitad del siglo XVI. Hacia 1584 se otorgó a los jesuitas la misión de catequizar a los hijos de caciques indígenas, para la cual se fundó el **Seminario de San Martín**, donde se enseñaba náhuatl, otomí y mazahua, además de música instrumental. En 1606 por generosidad de un rico comerciante en plata, don Pedro Ruiz Ahumada, se comenzó a construir la **Casa de Probación y el Gran Colegio**. Este esplendor se prolongaría hasta 1670, con la construcción de la actual magnífica iglesia, que para 1682 estaba totalmente terminada. La hermosa portada churrigueresca fue mandada a construir, por el rector del Colegio de San Francisco Javier, Pedro Reales, obra ejecutada entre 1755 y 1762. Se presenta como un libro teológico alegórico, en donde todos sus espacios son aprovechados para expresar su divina Fe, Cristo, San Ignacio, San Francisco Javier, los Apóstoles, los Doctores de la Iglesia, Mártires; se conjugan virtuosamente en un exquisito tallado y modelado. Al interior, encontramos una soberbia **serie de bellísimos retablos dorados**, que participan del mismo espíritu formal de la fachada. En los alrededores se halla el Excolegio de San Francisco Javier, digno de conocerse en toda su magnificencia, en él está instalado el **Museo Nacional del Virreinato**, recinto que aloja la más rica colección de arte virreinal del país.

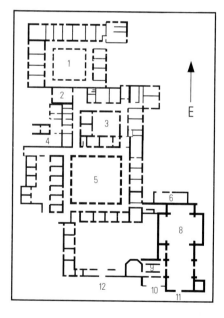

TEMPLO Y SEMINARIO
DE TEPOTZOTLAN

1   PATIO DE LOS NARANJOS
2   BIBLIOTECA
3   PATIO
4   CAPILLA DOMESTICA
5   PATIO DE LOS ALJIBES
6   SACRISTIA
7   SERVICIO
8   TEMPLO PRINCIPAL
9   CAPILLA DE LORETO
10 CAPILLA DE SAN JOSE
11 ATRIO Y PORTADA PRINCIPAL
12 ENTRADA

***TEMPLO Y EXCONVENTO DEL CARMEN
San Ángel

Pl. 12 Loc. 3-B

Maravilloso conjunto conventual de singular belleza, distinguido a lo lejos, por su silueta de **tres cúpulas ricamente revestidas de azulejos.** Construido entre 1615 y 1617, bajo la dirección de fray Andrés de San Miguel, colocando la primera piedra en un solar del antiguo pueblo de San Jacinto Tenanitla, el 29 de junio de 1615. Trabajaron intensamente ciento diez operarios, para finalizar y dedicarlo en 1617 a la advocación de **San Angelo Mártir**. De notable influencia poblana, manifiesta en la ornamentación de azulejos en las cúpulas, capillas, refectorios y diversos de sus compartimentos. **El templo se muestra como imagen y símbolo del barrio residencial de San Ángel**, de donde le viene el nombre. Un atrio con dos accesos, presiden la llegada al templo, cuya portada sobria, contrasta con el interior, de una sola nave y muy esbelta, se halla cubierta de una bóveda, con lunetos, crucero en la cúpula y un ábside plano. Hay dos capillas a los costados, ricamente decoradas, aunque muy renovadas al gusto neoclásico del siglo XIX y parte del XX. Destacan los altares con azulejos. Anexo a la iglesia se encuentra instalado el **Museo del Carmen**, que acoge invaluables objetos artísticos de la época virreinal, teniendo como escenario los espacios conventuales, dignos de destacar son la **gran colección de lienzos novohispanos**, donde sobresalen obras de **Cristóbal de Villalpando, Juan Correa** y **Luis Xuárez**, otros sitios de interés son la **antesacristía**, con su plafón de madera, el **refectorio** y los **sótanos**, con muros revestidos de azulejos.

Av. Revolución y Monasterio, San Ángel.

** TEMPLO Y ORATORIO DE SAN FELIPE NERI
Centro Histórico

Pl. 4 Loc. 3-B

Compuesto en realidad de las fachadas de **dos templos**, uno construido en 1684, con una **magnífica portada enmarcada por un nicho**, obra de Diego Rodríguez y la otra, **una portada inconclusa de estilo barroco churrigueresco**, que se empezó a construir en 1753, bajo la dirección del arquitecto Ildefonso de Iniesta y Bejarano, que por razones de la afectación, provocada por un sismo en 1768, sufrió graves desperfectos, por lo que tuvieron que ser suspendidas sus obras. Este conjunto religioso fue fundado hacia 1659 por la congregación del **Oratorio de San Felipe Neri**, recibiendo la aprobación pontificia hasta 1697, se les consideró el último grito en la modernidad renacentista. Después de verse afectado por el intenso sismo, se trasladaron al abandonado **Templo de la Profesa** cuyos anteriores ocupantes, los jesuitas, habían sido expulsados de la Nueva España. Quedando sus obras arquitectónicas en abandono, los filipenses dejaron testimonio de su depurada visión del mundo a través de esta obras, de riqueza ornamental e iconográfica singular. Después de ser lugar de emplazamiento, por ochenta años, del **Teatro Arbeu**, célebre durante varias generaciones, la nave del templo nuevo, fue ocupado por la Secretaría de Hacienda, para instalar la **Biblioteca Miguel Lerdo de Tejada** en cuyos muros, el artista contemporáneo, de origen ruso, Vladimir Kibalchich, **Vlady**, pintó en 2,000 metros cuadrados, la obra mural **Revolución Freudeana**, donde expone su inconformidad humana contra todas las opresiones; políticas, morales, musicales, sexuales, etc. El recinto también es lugar donde se dan conferencias y hay exposiciones temporales

República de El Salvador 47, Centro Histórico. 🚇 Isabel la Católica

* TORRE LATINOAMERICANA
Centro Histórico

Pl. 4 Loc. 1-A

Esbelta construcción de 44 pisos, de estilo internacional. Fue durante los años 50 y 60 el edificio más alto del país, con altura del nivel de la calle, a la cúspide de su antena, de 182 metros. La técnica constructiva utilizada en ella, fundamentalmente de cimentación, a base de pilotes oscilantes, marcó un hito en la historia de las edificaciones nacionales, resistiendo los intensos sismos de 1957, 1964 y 1985, entre otros. Su estructura es de acero recubierto de aluminio y bandas horizontales, muy características, de color azul. Un proyecto original fue realizado por Manuel de la Colina y el ingeniero Rivero de Val, modificado posteriormente por el arquitecto Augusto H. Alvarez, colaborando en el aspecto ingenieril Adolfo y Leonardo Zeevart. Se inició su construcción en 1948, concluyéndose en 1956, siendo inaugurado el 23 de abril de ese mismo año. En los pisos 42, 43 y 44 se hallan miradores donde se puede contemplar, en días despejados, un majestuoso panorama de la metrópoli. Hay servicio de telescopios, cuenta con restaurantes e incluso acuarios con especies interesantes de peces.

Eje Central Lázaro Cárdenas y Madero, Centro Histórico. 🚇 Bellas Artes

Torre Latinoamericana

* TORRES DE SATÉLITE   Pl. 19 Loc. 3-B
Ciudad Satélite, Naucalpan, Estado de México

Obra cimera del arte urbano contemporáneo, magno símbolo que marca el acceso al moderno fraccionamiento de Ciudad Satélite. **Cinco torres de planta triangular** se elevan entre 20 y 30 metros, armados a base de concreto y pintadas cada una en su totalidad, con colores deslumbrantes. Fueron realizadas por Luis Barragán, Mathías Goeritz y la colaboración muy especial de Jesús Reyes Ferreira, en 1957. Su concepción se adecua a la escala de la gran metrópoli y para un espectador en movimiento rápido a bordo de vehículos.

Blvr. Manuel Avila Camacho, Anillo Periférico, Ciudad Satélite.

Torres de Satélite

** ZONA ARQUEOLÓGICA CUICUILCO   Pl. 18 Loc. 3-B
Delegación Tlalpan

Sitio arqueológico de notable importancia, muestra una de las edificaciones mesoamericanas más antiguas y el **asentamiento más importante de la Cuenca de México, en el periodo preclásico** (hace unos 2500 años). En la zona sobresale un **gran basamento ovalado**, formado por terrazas superpuestas, configurando una forma cónica truncada, conocida popularmente como **La Pirámide de Cuicuilco**. La construcción tiene un diámetro aproximado de 100m. en su base y una altura de alrededor de 25 metros. Está hecha con barro comprimido, reforzado con rocas. En la cima hubo varios altares sobrepuestos, construidos de cantos rodados y pisos pintados de rojo, asociadas a este basamento se hallaron en 1922, por los arqueólogos Gamio y Cummings, representaciones del dios del fuego. Se accede através de una rampa, por su costado oeste. Los arqueólogos han estimado que durante el periodo preclásico (1200a.C. a 400d.C.) Cuicuilco fue un centro urbano que distribuyó bienes y controló el comercio regional. Hace unos 2,400 años la erupción del vecino **Volcán Xitle**, derramó sus lavas, cubriendo las construcciones que ahora vemos, ocasionando que los antiguos habitantes emigraran a otros lugares de la Cuenca de México. Un **Museo de Sitio**, dentro de la zona, conserva reliquias y ejemplares, colectadas aquí y en los alrededores, procedentes de los periodos preclásico y clásico, en una de las salas se aprecia un magnífico cuadro del pintor Jorge González Camarena, mostrando la erupción del volcán de manera dramática. En los alrededores de la pirámide hay un atractivo **Parque Ecológico** donde se observa la peculiaridad de la lava basáltica, emitida por el Xitle y la vegetación que se ha desarrollado en ese áspero terreno.
Av. Insugentes Sur y Anillo Periférico Sur, Delegación Tlalpan.

* ZONA ARQUEOLÓGICA DE ACALPIXCA   Pl. 18 Loc. 4-C
Barrio Cuailama, Pueblo Santa Cruz Acalpixca Xochimilco

La tradición indica que en este lugar, localizado en una colina, los xochimilcas efectuaban sus fiestas rituales. Se ha explorado arqueológicamente esta zona desde el siglo XIX, se han encontrado vestigios de habitaciones sacerdotales y de basamentos de forma piramidal; aún cubiertos también, se han detectado restos de un observatorio, un adoratorio y una calzada prehispánica. Lo más evidente y destacable de conocer son sus **petroglifos**, bajorrelieves tallados en roca que pueden apreciarse, ascendiendo por unas escaleras, a unos cuarenta metros, del piso de la calle. Allí en unas peñas se encuentran figuras y símbolos que representan; al **Nahuí Ollin**, símbolo del sol que también se admira en el Calendario Azteca, que se encuentra en el Museo de Antropología; el **Hucalxóchitl**, planta cuyas flores eran usadas en la medicina azteca para curar los ojos; el **Papalotl**, hermosa mariposa; el **Hueyocelotl**, figura que representa al jaguar, símbolo de fuerza bélica, el **Miquiztli**, símbolo del canto a la muerte; el **Tlamacazque**, que aparece puesto de hinojos sobre un altar; el **Cipactli**, símbolo de la creación o principio de la vida y el **Cexóchitl**, flor tradicional de los rituales Xochimilcas. Al sitio arqueológico se le conoce también como **Cuahilama**.
Calle 2 de Abril, Barrio Cuahilama, Pueblo Santa Cruz Acalpixca Xochimilco.

** ZONA ARQUEOLÓGICA DE TENAYUCA   Pl. 19 Loc. 3-B
Tenayuca, Tlalnepantla, Estado de México

Sitio arqueológico de notable importancia. Fue **Capital de los chichimecas**, una de las culturas pobladoras de la Cuenca de México, desde el primer cuarto del siglo XII. El sitio lo constituye un imponente **basamento piramidal truncado**, que corresponde en realidad a un

Sistema constructivo a base de superposiciones de estructuras. Se han distinguido seis épocas constructivas, algunas de ellas pueden apreciarse entre pasillos y andadores. El templo esta construido con roca volcánica, tiene unos 62 metros de norte a sur y unos 50 de oriente a poniente, y 15 metros de altura. La última época constructiva, rebela la manufactura de un cinturón de serpientes de cascabel, que rodean el basamento piramidal por detrás y por los lados, cuyos cuerpos de piedra y barro se tocan uno a otro formando un cordón, llamado **Coatepantli**, las cabezas de piedra labrada, muestran las fauces entreabiertas. En el talud de la pirámide se halla una ancha escalinata, dividida por gruesas alfardas, en dos partes, sugiere que la cima del basamento tuvo dos templos, uno, probablemente dedicado a **Tláloc** y el otro a **Huitzilopochtli**. A un costado se conservan en la parte norte y sur, dos altares de planta rectangular, de poca altura, frente a los cuales se colocaron sendas serpientes enrolladas en sí mismas, con las cabezas coronadas por estrellas, atribuidas a **Xiuhcóatl**, serpientes de fuego portadoras del sol, de acuerdo al Calendario Azteca. Existe un **Museo de Sitio**, donde el visitante podrá observar diversos objetos prehispánicos hallados en el lugar y áreas aledañas.

Tizoc y Quetzalcóatl, Tenayuca, Municipio de Tlalnepantla, Estado de México.

***ZONA ARQUEOLOGICA DE TEOTIHUACAN   Pl. 20 Loc. 1-D
Teotihuacán, Estado de México

La ciudad prehispánica más importante de Mesoamérica, la más grandiosa de las zonas arqueológicas mexicanas, cuyos centros ceremoniales son de una presencia y majestuosidad excepcional. Denominada así por los aztecas y cuyo significado náhuatl es **lugar donde los hombres se convierten en dioses**, ya que según su cosmogonía la ciudad era un cementerio de reyes, que después de la muerte se transformaban en dioses y por ello nombraron a su eje principal **Calzada de los Muertos**. La mitología mexica explicaba que Teotihuacan era el lugar donde se reunían los dioses para crear el sol y la luna, por lo cual sus sacerdotes mandaron erigir las dos grandes pirámides, para arrojar desde sus cimas a los dioses, que al morir resucitaban en el sol y la luna. Comenzada a construir hacia el año 200 antes de Cristo, alcanzó su máximo esplendor entre los años 200 y 500 de nuestra era, llegando a ocupar una extensión de 20 kilómetros cuadrados y una población entre 150 000 y 200 000 habitantes. Su impacto cultural en el centro de México se dejó ver en su arquitectura, escultura, cerámica. pintura mural, su religión y su organización política y social, llegando incluso a zonas remotas como: Oaxaca, Veracruz, Yucatán, y Centroamérica. Su decadencia ocurrió hacia el siglo VIII de nuestra era. En la extensa zona arqueológica, destacan por su importancia; **La Pirámide del Sol**, comprende un sistema constructivo superpuesto piramidal de 63 m. de altura. **La Pirámide dc la Luna**, de similares características, pero de 46 metros de altura. **La Ciudadela** contiene basamentos en su entrono, sobresaliendo los **Templos de Quetzalpapalotl**, de magnífica decoración; se recomienda visitar el **Museo de sitio** donde se puede observar una enorme maqueta explicativa.

San Juan Teotihuacan, Estado de México.

** ZONA ARQUEOLÓGICA DE TLAPACOYA   Pl. 20 Loc. 4-D
Tlapacoya , Municipio de Ixtapaluca, Estado de México

Importante sitio arqueológico, muestra basamentos piramidales escalonados y algunas plataformas, correspondientes al preclásico superior, hace unos 2,500 años. Se observan restos de casas habitación, construidas con bloques de piedra, cimentadas con lodo. Está en las faldas dcl corro de Tlapacoya; en su cima hay dos montículos de unos 6 metros de altura, distantes entre sí 50 metros, mediando una plaza. Esta zona ha sido explorada intensamente para conocer más sobre la **etapa lítica**, en el desarrollo cultural de la Cuenca de México, arrojando datos sobre **los más antiguos asentamientos, que se remontan a hace más de 20 000 años**.

Cerro de Tlapacoya, Santa Cruz Tlapacoyan, Mpio. de Ixtapaluca, Estado de México.

***ZONA ARQUEOLÓGICA DE TLATELOLCO   Pl. 1 Loc. 1-B
Unidad Habitacional Nonoalco Tlatelolco

Importantísima zona arqueológica donde se muestran basamentos de recintos sagrados, vestigios de edificios habitacionales, templos y del célebre **mercado**, considerado el más importante del altiplano, en los tiempos de la conquista española. Estos vestigios corresponden a una ciudad gemela Tenochtitlan, construida hacia 1337 por mexicas, que se segregaron de Tenochtitlan formando un estado aparte. Caracterizados por una aguda vocación comercial, los tlatelolcas transformaron su mercado en una zona de extraordinaria influencia en el centro de Mesoamérica y merced a su importancia económica y estratégica vieron amenazados sus intereses y poderío por sus vecinos, los aztecas. Por lo cual en 1473 fueron invadidos y conquistados por aquellos, con los que formaron en adelante, una unidad política y estuvieron obligados a darles tributo. En esta ciudad se inició y tuvo gran auge el gremio de los traficantes en grande quienes llegaron a regiones lejanas del imperio azteca; llamados **pochtecas** y mantuvo su preponderancia aún en la etapa de la conquista española. Esta zona fue explorada arqueológicamente en 1944 por Martínez del Río y Robert H. Barlow, rebelando los paralelismos entre diversos sitios, con Tenochtitlan y Tenayuca principalmente. De las construcciones que se conservan sobresale un **gran basamento piramidal**, que posiblemente fuera el gran teocalli, donde el visitante podrá notar diferentes etapas constructivas. También se observa una estructura circular dedicada al dios Ehécatl y un pequeño templo con símbolos calendáricos. Tlatelolco fue el último baluarte donde los mexicas defendieron su independencia en 1521.

Eje Central Lázaro Cárdenas, Unidad Tlatelolco. 🚇 Tlatelolco

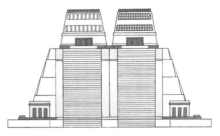

Sobre una superficie de 14 383 metros cuadrados se muestra una fracción del **recinto ceremonial** de **Tenochtitlan, capital del imperio azteca**, fundada en 1325 la ciudad llegó a tener una población estimada en 200 000 habitantes. En este recinto ceremonial, centro de la ciudad se encontraba el **Templo Mayor**, centro fundamental de la cosmovisión de la civilización azteca. Del cual sólo apreciará el visitante, su basamento, constituido por montículos en aparente desorden. Los estudios arqueológicos han rebelado, un **sistema constructivo a base de siete superposiciones de estructuras**, con los que se fue agrandando el **Templo Mayor**, de tal forma que construcciones completas cubrían las anteriores, según las etapas evolutivas de la cultura azteca. **El Templo Mayor** representaba al cerro de Coatepec, lugar mítico del nacimiento de **Huitzilopochtli**. En sus muros norte y sur se exhiben cabezas de serpientes. En la plataforma, llamada etapa IV (1440 a 1481) se encontró la enorme escultura monolítica de **Coyolxauhqui** o Luna, hermana de Huitzilopochtli, que aparece decapitada y desmembrada ya que fue muerta por su hermano, en el intento de asesinar a su madre **Coatlicue**. **El Templo Mayor** estaba orientado hacia el poniente, en su cima se localizaban dos templetes, el del norte dedicado a **Tláloc** y el del sur a **Huitzilopochtli**. A lo largo de un andador, el visitante se maravillará de este grandioso centro ceremonial, pudiendo también visitar el **Museo del Templo Mayor**, donde se alojan cientos de objetos hallados en recientes excavaciones.

Seminario 8, Centro Histórico. 🚇 Zócalo

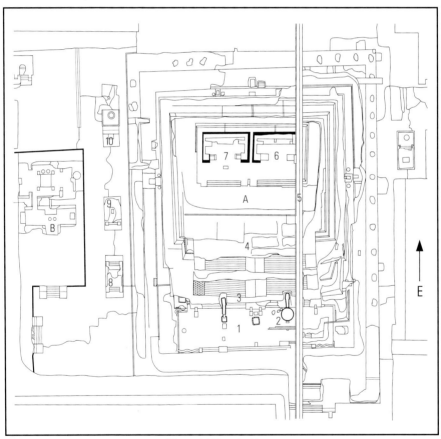

Plano del Templo Mayor

A   TEMPLO MAYOR
1   PATIO DE LAJAS
    PLATAFORMA DE LA ETAPA VI
    AHUIZOTL (1486-1502)
2   SITIO DE HALLAZGO DE
    LA COYOLXAUHQUI
3   PLATAFORMA DE LA ETAPA IV-B
    AXAYACATL (1469-1486)
4   PLATAFORMAS DE LAS ETAPAS
    III Y IV (1427-1469)
5   COLECTOR CONSTRUIDO EN 1900
6   EDIFICIO DE TLALOC
7   EDIFICIO DE HUITZILOPOCHTLI

B   RECINTO DE LOS GUERREROS
8   EDIFICIO A
9   EDIFICIO B
    ALTAR TZOMPANTLI
10 EDIFICIO C

Templo Mayor

* ZONA ARQUEOLÓGICA HUEXOTLA   Pl. 20 Loc. 2-D
Texcoco, Estado de México

Fue parte de una de las ciudades más importantes de Acolhuacan. La zona arqueológica muestra los vestigios de **una muralla**, construida a base de cantos rodados, piedra brasa y tezontle, de unos 6 metros de altura y 100 metros de largo, rematada en uno de sus tramos por almenas robustas. Se cree que su función principal era restringir el acceso al interior del recinto ceremonial, donde se encontraban los templos de Ehécatl Quetzalcóatl, entre otros. Es posible que el principal basamento o recinto, esté cubierto por la **Parroquia de San Luis Obispo**. Cerca de aquí, a unos 200 metros al oriente, se pueden observar otros 2 basamentos de mampostería, de unos 10 x 10 metros y 4 metros de altura con rampas, de lo que fuera parte de la antigua ciudad. Los orígenes de esta población fueron toltecas, quienes fueron vencidos por Culhuacán, hacia 1342, formaron un señorío independiente, posteriormente quedaron bajo el dominio de Texcoco, por el año de 1503. Cuando llegaron los conquistadores españoles, estaba de gobernante Cuitláhuac II. Después fue evangelizada la región por los franciscanos en 1524.

Calle Aztecas y San Francisco, San Luis Huexotla, Estado de México.

ZONA ARQUEÓLOGICA MIXCOAC   Pl. 10 Loc. 2-A
San Pedro de los Pinos

Sitio arqueológico enclavado dentro de la zona urbana, a unos pasos del Anillo Periférico. Consta de un basamento piramidal, bien conservado y otras plataformas de forma irregular. Se pueden observar los restos de una tina ceremonial, con sus paredes interiores aplanadas, al costado suroeste del sitio. Aquí se construyó el **Templo del dios Mixcóatl**, importante deidad mexica, donde se pone de manifiesto tres etapas constructivas bien diferenciadas, como era común en los recintos mesoamericanos. Sus orígenes se remontan a las primeras aldeas sedentarias en la antigua cuenca lacustre de México, en el preclásico medio, es decir 1,000 antes de Cristo, siendo ocupado tardíamente, durante el postclásico, entre los 1,200 hasta poco antes de la conquista española, en 1521. El significado de este sitio es **lugar donde se venera a la serpiente de nubes**.

Calle 20 y Pirámide, Col. San Pedro de los Pinos. 🚇 San Antonio

** ZONA ARQUEOLÓGICA SANTA CECILIA ACATITLÁN   Pl. 19 Loc. 2-B
Santa Cecilia Acatitlán, Tlalnepantla, Estado de México

Destaca una **magnífica pirámide** de cuatro cuerpos escalonados con un templo en la parte superior, pertenece al período postclásico. Ubicado muy cerca de la también **Zona Arqueológica de Tenayuca**. Formó parte de los centros ceremoniales dependientes del imperio azteca. Los cuerpos escalonados corresponden a cuatro etapas constructivas, una gran escalinata doble se halla limitada por alfardas. La parte superior corresponde al templo dedicado a Tláloc y otro en la cara sur a Huitzilopochtli, el techo ha sido reconstruido, para dar una mejor idea del templo original. A un costado se halla el **Museo de Escultura Mexica**, donde se exhiben esculturas y objetos de cerámica, representaciones del dios Tláloc, relieves al parecer calendáricos, esculturas del enigmático Chac Mool, un Tzompantli (altar de cráneos), una piedra de sacrificios y otras figuras de reducido tamaño.

Av. Acatitlán y Pirámide de Huexotla, Santa Cecilia Acatitlán, Tlalnepantla, Estado de México.

** ZONA ROSA

Pl. 7 Loc. 4-B

Colonia Juárez

Centro bullicioso, **de gran actividad comercial y recreativa** sobre todo al atardecer y por la noche. Área de 24 manzanas circunscritas por el Paseo de la Reforma, las avenidas Insurgentes, Chapultepec y la de Sevilla. Por sus calles pasean los personajes más sofisticados y pintorescos, jóvenes ávidos de aventura y de diversión, grupos de amigos en busca de pareja. El ambiente le confiere una especial atracción tanto a vecinos de la ciudad, como a turistas nacionales y extranjeros, convirtiéndola en un lugar obligado de conocer. Aquí se han concentrado los más diversos giros comerciales; restaurantes, bares, cabarets, pizzerías, fuentes de sodas, cantinas, hoteles, discotecas, estéticas, cines, agencias de viajes, casas de cambio, bancos, tiendas de discos, pastelerías, zapaterías, galerías, joyerías, boutiques, centros comerciales, entre otros. Su peculiar nombre se le debe al pintor José Luis Cuevas, quien en los principios de los años 50 asistía con un grupo de artistas jóvenes, a algunas galerías. Por aquel entonces la zona básicamente era residencial, e iniciaría un inusitado desarrollo comercial a partir de establecimientos restauranteros, en los alrededores de las calles de Hamburgo, Niza y Londres. Por sus calles, algunas de ellas peatonales, como Génova, el paseante encontrará un rato de esparcimiento, pudiendo elegir entre múltiples opciones, compras, alimentación, espectáculos nocturnos o bien tomar bebidas o café en los numerosos restaurantes al aire libre y observando simplemente el ir y venir de cientos de peatones.

Hamburgo y Niza, Colonia Juárez. 🚇 Insurgentes

** ZOOLÓGICO DE CHAPULTEPEC

Pl. 8 Loc. 2-C

Chapultepec

El más importante en el país, este interesante zoológico llamado **Alfonso L. Herrera**, biólogo quien tuvo la iniciativa de fundarlo, colocándose su primera piedra el 6 de julio de 1923. Se tomó como modelo principal al Zoológico de Roma, recién creado en esa época. Sus primeros animales procedieron en su mayor número de Sonora, Veracruz y Campeche y se tuvieron intercambios con la India, Francia, Estados Unidos, Perú y Brasil; su inventario inicial comprendía 335 ejemplares, predominando las aves y mamíferos. Actualmente, mediante clima artificial y en condiciones lo más semejantes posible a su entorno natural, se preservan a los animales y eso ha logrado que se reproduzcan varias especies. Alrededor de 2,000 ejemplares de 260 especies, mantienen la atención de miles de visitantes, que se dan cita diariamente en el **corazón del viejo bosque de Chapultepec**. Las especies de mayor atracción son los **pandas** y un gorila de montaña, siendo dignas de conocer las especies endémicas de México como; el lobo mexicano, el conejo teporingo, el venado cola blanca y la cotorra serrana. Un trenecito, con más de 60 años de servicio, parte de una peculiar estación en el centro del zoológico, para hacer un recorrido a su alrededor. Por cuestiones de seguridad para los animales, no se permite el acceso con alimentos, bebidas, plásticos, armas blancas, paquetes, ni bultos, ni introducir mascotas. El acceso es gratuito, pudiéndose portar cámaras de video, de cine y fotográficas. Este centro recreativo es uno de los cuatro, que integran la unidad de zoológicos de la Ciudad de México.

Bosque de Chapultepec. 🚇 Auditorio y Chapultepec

POR EL CORAZON DE LA CIUDAD
Inicio Ⓜ Zócalo (estación cercana)
Ruta 1

RANGO DE IMPORTANCIA	SITIO DE INTERES	PLANO	LOC	PAGINA
***	Plaza de la Constitución; Zócalo	2	4-A	96
***	Catedral Metropolitana	2	3-A	46
***	Sagrario Metropolitano	2	3-A	101
*	Monumento a Enrico Martínez	2	3-A	69
*	Nacional Monte de Piedad	2	3-A	68
*	Portal de Mercaderes	2	4-A	100
*	Centro Mercantil	2	4-A	48
**	Palacio del Ayuntamiento	2	4-A	87
*	Fuente de la Fundación de la Ciudad de México	2	4-B	60
***	Palacio Nacional	2	4-B	87
***	Zona Arqueológica del Templo Mayor	2	3-B	123
***	Museo del Templo Mayor	2	3-B	77

ALREDEDORES DE LA PLAZA DE SANTO DOMINGO
Inicio Ⓜ Zócalo (estación cercana)
Ruta 2

RANGO DE IMPORTANCIA	SITIO DE INTERES	PLANO	LOC	PAGINA
***	Templo de Santo Domingo	2	1-A	115
**	Plaza de Santo Domingo	2	2-A	97
**	Antiguo Palacio de la Inquisición	2	1-A	27
*	Museo de la Antigua Escuela de Medicina	2	1-A	73
*	Antigua Aduana de Santo Domingo	2	2-A	23
*	Portal de Santo Domingo o de los Evangelistas	2	2-A	100
	Casa del Mayorazgo de Medina	2	2-A	43

POR EL ANTIGUO BARRIO UNIVERSITARIO
Ⓜ Zócalo (estación cercana)
Ruta 3

RANGO DE IMPORTANCIA	SITIO DE INTERES	PLANO	LOC	PAGINA
**	Antiguo Templo de la Encarnación	2	2-A	27
**	Secretaría de Educación Pública; Murales	2	2-B	102
*	Templo de Santa Catalina de Siena	2	2-B	113
***	Antiguo Colegio de San Ildefonso	2	2-B	25
*	Ant. Colegio de San Pedro y San Pablo	2	2-C	25
*	Museo de la Luz	2	2-C	75
*	Plaza de Loreto	2	2-C	97
**	Templo de Nuestra Señora de Loreto	2	2-C	107
*	Templo de Santa Teresa La Nueva	2	2-D	114
*	Anfiteatro Simón Bolívar	2	2-B	23
*	Casa del Marqués del Apartado	2	2-B	43
*	Colegio Nacional	2	2-B	52
***	Templo y Exconvento de la Enseñanza	2	2-A	116
*	Antiguo Colegio de Cristo	2	2-A	24
*	Museo de la Caricatura	2	2-A	74

PASEANDO POR EL MEXICO VIEJO — Ruta 4

Inicio 🚇 Zócalo (estación cercana)

RANGO DE IMPORTANCIA	SITIO DE INTERES	PLANO	LOC	PAGINA
★★	Museo de la Secretaría de Hacienda	2	3-B	75
★★	Antiguo Palacio del Arzobispado	2	3-B	27
★	Casa de las Campanas y de la Primera Imprenta	2	3-B	37
★	Ex Templo de Santa Teresa La Antigua	2	3-B	58
★	Antigua Casa de Moneda	2	3-B	23
★★	Museo Nacional de las Culturas	2	3-B	82
★	Casas del Mayorazgo de Guerrero	2	3-C	45
★	Templo y Ex Convento de Santa Inés	2	3-C	118
★	Museo José Luis Cuevas	2	3-C	79
★	Academia de San Carlos	2	3-C	21
★★★	Templo de la Santísima Trinidad	2	3-D	105
★	Casa del Diezmo o Alhóndiga	2	4-D	42
★	Templo y Ex Convento de Jesús María	2	4-C	116

POR EL BARRIO DE LA MERCED — Ruta 5

🚇 Zócalo (estación cercana)

RANGO DE IMPORTANCIA	SITIO DE INTERES	PLANO	LOC	PAGINA
★	Hospital y Templo de Jesús Nazareno	3	2-A	62
★★	Museo de la Ciudad de México	3	2-A	74
★★	Casa de los Condes de Santiago Calimaya	3	2-A	40
	Templo de Balvanera	3	2-B	103
★	Casa Talavera	3	3-C	44
★★	Claustro del Ex Convento de la Merced	3	2-C	51
	Capilla de Manzanares	3	2-D	
★	Templo de Nuestra Señora de la Soledad	3	1-D	107
	Templo de San Antonio Tomatlán	1	3-D	108

PASEO POR LA CIUDAD DE LOS PALACIOS COLONIALES — Ruta 6

🚇 Bellas Artes (estación cercana)

RANGO DE IMPORTANCIA	SITIO DE INTERES	PLANO	LOC	PAGINA
★	Torre Latino Americana	4	1-A	120
★★	Templo y Ex Convento de San Francisco	4	1-A	117
★★	Casa de los Azulejos	4	1-A	37
★★	Palacio de Iturbide	4	1-B	86
★	Casa de Don José de la Borda	4	1-B	36
	Museo del Zapato «Borceguí»	4	1-B	77
	Antiguo Colegio de Niñas	4	2-B	24
★	Museo de la Indumentaria «SERFIN»	4	1-B	75
★	Casa del Marqués de Prado Alegre	4	1-C	43
★★	Templo de la Profesa	4	1-C	104
★	Compañía de Seguros La Mexicana	4	1-C	
★	Antigua Joyería La Esmeralda	4	1-C	24
★	Casa de los Condes de Miravalle	4	1-C	39
★★	Casino Español	4	1-C	45

*	Casa Boker	4	2-C	35
* *	Casa de los Condes de San Mateo Valparaíso	4	2-C	40
*	Casa del Conde de San Bartolomé de Xala	4	2-C	42
*	Templo de San Bernardo	4	2-D	108
*	Casa de los Condes de la Cortina	4	2-D	39
*	Casa del Conde de la Torre Cossío	4	2-D	41
	Casa de la Marquesa de Uluapa	4	2-D	37
*	Antiguo Convento de San Agustín	4	2-C	26
*	Iglesia de San Agustín	4	3-C	
*	Casa de Don Pedro Romero de Terreros	4	3-C	36
* *	Templo y Oratorio de San Felipe Neri	4	3-B	120
* *	Templo y Ex Convento de Regina Coeli	4	3-B	117
*	Colegio de las Vizcaínas	4	3-A	51
*	Fuente del Salto del Agua	4	4-A	61
*	Capilla de la Concepción (Del Salto del Agua)	4	4-A	32
	Claustro de Sor Juana Inés de la Cruz	4	4-C	51
*	Ex Priorato de Monserrat	4	4-C	59
*	Museo de la Charrería	4	4-C	74
* *	Templo de San Miguel Arcángel	4	4-D	111

PASEANDO POR LA ANTIGUA CALZADA DE TLACOPAN Y ALREDEDORES DE LA LAGUNILLA — Ruta 7

Ⓜ Bellas Artes (estación cercana)

RANGO DE IMPORTANCIA	SITIO DE INTERES	PLANO	LOC	PAGINA
* *	Palacio de Correos	5	4-A	86
* *	Plaza Manuel Tolsá	5	4-B	99
*	El Caballito	5	4-B	55
* *	Palacio de Minería	5	4-B	87
* * *	Museo Nacional de Arte	5	3-B	79
* *	Palacio de Comunicaciones	5	4-B	85
*	Museo del Ejército	5	4-B	76
	Ex Convento de Betlemitas	5	4-B	58
	Ex Templo de Santa Clara	5	4-B	58
* *	Casa de los Condes de Heras y Soto	5	4-C	38
*	Templo y Exconvento de San Lorenzo	5	3-B	118
* *	Templo de la Concepción	5	3-B	104
* *	Plaza de Garibaldi	5	2-B	98
* *	La Lagunilla	5	1-C	67
	Deportivo Guelatao	5	1-C	55
*	Templo de Santa Catarina	5	2-D	113
	Arena Coliseo	5	2-D	29
* * *	Templo de Santo Domingo	5	3-D	115

POR LOS ALREDEDORES DE LA ALAMEDA CENTRAL — Ruta 8

Inicio Ⓜ Bellas Artes (estación cercana)

RANGO DE IMPORTANCIA	SITIO DE INTERES	PLANO	LOC	PAGINA
* * *	Palacio de Bellas Artes	6	2-D	85
* * *	Museo del Palacio de Bellas Artes	6	2-D	77
	Museo Nacional de Arquitectura	6	2-D	81

**	Alameda Central	6	2-C	22
**	Templo de la Santa Veracruz	6	2-D	105
**	Museo Nacional de la Estampa	6	2-D	81
*	Plaza de la Santa Veracruz	6	2-C	96
**	Templo de San Juan de Dios	6	2-C	110
*	Ex Hospital de San Juan de Dios	6	2-C	57
**	Museo Franz Mayer	6	2-C	78
*	Hospedería de Santo Tomás de Villanueva	6	2-B	62
*	Ex Templo del Convento de San Diego	6	2-B	57
**	Templo de San Hipólito	6	1-B	109
*	Antiguo Hospital de San Hipólito	6	1-B	26
**	Templo de San Fernando y Panteón	6	1-A	109
	Caballito de Sebastián	6	2-A	
	Plaza de la Solidaridad	6	2-B	97
*	Museo Mural Diego Rivera	6	2-B	79
*	Hemiciclo a Juárez	6	3-C	61
*	Ex Templo de Corpus Christi	6	3-C	57
*	Edificio de Seguros La Nacional	6	3-D	55

POR LAS COLONIAS TABACALERA Y SANTA MARIA — Ruta 9
Inicio Ⓜ Hidalgo (estación cercana)

RANGO DE IMPORTANCIA	SITIO DE INTERES	PLANO	LOC	PAGINA
**	Templo de San Hipólito	7	2-D	109
**	Templo de San Fernando	7	2-D	
**	Museo Nacional de San Carlos	7	2-D	83
**	Casa de los Condes de Buenavista	7	3-D	38
	Frontón México	7	3-D	59
*	Plaza de la República	7	3-C	96
*	Monumento a la Revolución	7	3-C	70
*	Museo Nacional de la Revolución	7	3-D	81
*	Museo Universitario del Chopo	7	2-C	84
*	Templo de San Cosme	7	2-C	108
*	Casa de los Mascarones	7	2-C	40
*	Iglesia de la Sagrada Familia	7	2-C	63
*	Kiosco Morisco	7	1-C	66
**	Museo de Geología de la UNAM	7	1-C	73

POR EL PASEO DE LA REFORMA — Ruta 10
Inicio Ⓜ Hidalgo (estación cercana)

RANGO DE IMPORTANCIA	SITIO DE INTERES	PLANO	LOC	PAGINA
***	Paseo de la Reforma	7	3-D	95
*	Monumento a Cristóbal Colón	7	3-C	68
*	Monumento a Cuauhtémoc	7	3-C	69
	Monumento a la Madre	7	3-C	69
*	Museo Casa de Carranza	7	3-C	71
*	Museo de Ripley y «de lo Increíble»	7	3-C	76
*	Museo de Cera de la Ciudad de México	7	3-C	73
**	Zona Rosa	7	4-B	125
**	Monumento a la Independencia «El Angel»	7	4-B	71
*	Fuente de la Diana Cazadora	7	4-B	60
*	Secretaría de Salud	7	4-A	103

PASEO POR CHAPULTEPEC: MUSEOS Y RECREO — Ruta 11

Inicio 🚇 Chapultepec (estación cercana)

RANGO DE IMPORTANCIA	SITIO DE INTERES	PLANO	LOC	PAGINA
*	Monumento a los Niños Héroes	8	2-D	70
***	Castillo de Chapultepec	8	2-D	46
**	Museo Nacional de Historia	8	2-D	81
**	Museo de Arte Moderno	8	2-D	72
**	Museo Rufino Tamayo	8	2-D	83
*	Casa del Lago	8	2-C	42
***	Museo Nacional de Antropología	8	1-C	80
**	Zoológico de Chapultepec	8	2-C	125
***	Parque y Bosque de Chapultepec	8	2-C	93

PASEO POR CHAPULTEPEC: MUSEOS Y DIVERSION — Ruta 12

🚇 Contituyentes (estación cercana)

RANGO DE IMPORTANCIA	SITIO DE INTERES	PLANO	LOC	PAGINA
**	Museo del Niño «Papalote»	8	3-B	77
*	Museo Tecnológico del la C.F.E.	8	3-B	84
**	Parque de Juegos Mecánicos	8	3-B	88
*	Cárcamo de Chapultepec	8	3-B	34
**	Museo de Historia Natural	8	3-A	73
**	Rotonda de los Hombres Ilustres	8	4-A	101

POR LA SEÑORIAL TACUBAYA — Ruta 13

Inicio 🚇 Constituyentes (estación cercana)

RANGO DE IMPORTANCIA	SITIO DE INTERES	PLANO	LOC	PAGINA
*	Casa del Arquitecto Luis Barragán	8	3-B	41
	Casa Amarilla	8	4-C	35
*	Parque Lira	8	4-C	90
**	Casa de la Bola	8	4-C	37
	Ex Convento Dieguino de Tacubaya y Museo Nacional de la Cartografía	8	4-C	59
*	Ex Palacio Arzobispal (Observatorio)	8	4-B	57
	Casa del Obispo Palafoz y Mendoza	8	4-C	44
*	Parroquia de Tacubaya	8	4-C	94

PASEANDO POR LA COLONIA ROMA — Ruta 14

🚇 Insurgentes (estación cercana)

RANGO DE IMPORTANCIA	SITIO DE INTERES	PLANO	LOC	PAGINA
*	Iglesia de la Sagrada Familia	9	1-B	63
	Plaza Río de Janeiro	9	1-B	
	Casa Lamm	9	1-B	
*	Fuente de las Cibeles	9	1-B	60
	Acueducto de Chapultepec	9	1-A	21
	Parque España	9	2-A	89
	Parque México	9	2-A	91

RECORRIDO POR LOS ALREDEDORES DE MIXCOAC
Ⓜ Mixcoac (estación cercana)

Ruta 15

RANGO DE IMPORTANCIA	SITIO DE INTERES	PLANO	LOC	PAGINA
★	Templo y Ex Convento de Santo Domingo	10	4-B	119
★	Templo de San Juan Evangelista	10	3-B	110
★	Templo de San Lorenzo Xochimanca	10	3-C	110
★	Parque Luis G. Urbina «Parque Hundido»	10	3-B	90
★★	Plaza de Toros «México»	10	3-B	98
	Estadio de la Ciudad de los Deportes	10	3-B	56
★	Zona Arqueológica de Mixcoac	10	2-A	124

COYOACAN HISTORICO Y PINTORESCO
Inicio Ⓜ General Anaya (estación cercana)

Ruta 16

RANGO DE IMPORTANCIA	SITIO DE INTERES	PLANO	LOC	PAGINA
★★	Ex Convento de Churubusco	11	3-C	59
★★	Museo Nacional de las Intervenciones	11	3-C	82
	Museo Escultórico Geles Cabrera	11	3-C	78
★	Museo Casa del León Trotsky	11	2-B	72
★	Museo Casa de Frida Kahlo	11	3-B	71
★	Casa de Hernán Cortés	11	3-B	36
★	Museo Nacional de Culturas Populares	11	3-B	82
★★	Parroquia de San Juan Bautista	11	4 B	94
	Casa de la Malinche	11	4-B	
★	Capilla de la Inmaculada Concepción	11	4-B	32
	Casa de los Camilos	11	4-B	38
	Casa de Ordaz	11	4-A	41
	Calle de Francisco Sosa	11	3-A	
	Casa de la Cultura Jesús Reyes Heroles	12	3-D	
	Casa de Alvarado	12	3-D	36
★	Museo Nacional de la Acuarela	12	3-D	81
★	Capilla de San Antonio Panzacola	12	3-D	32

SAN ANGEL TRADICIONAL Y PINTORESCO
Ⓜ Miguel Angel de Quevedo (estación cercana)

Ruta 17

RANGO DE IMPORTANCIA	SITIO DE INTERES	PLANO	LOC	PAGINA
★	Templo de San Sebastián Chimalistac	12	3-C	112
★	Monumento a Alvaro Obregón	12	3-C	71
★★★	Templo y Ex Convento del Carmen	12	3-B	120
★★	Museo del Carmen	12	3-B	76
	Centro Cultural San Angel	12	3-B	48
★★	Museo de Arte Carrillo Gil	12	3-B	72
★★	Casa del Risco	12	4-B	44
★	Parroquia de San Jacinto	12	4-B	93
	Casa del Obispo Madrid	12	3-B	44
	Casa Blanca	12	4-A	35
	Casa de los Delfines	12	3-B	40
	Antigua Hacienda de Goicoechea	12	3-A	24
★	Museo Estudio de Diego Rivera	12	3-A	78

CIUDAD UNIVERSITARIA
Inicia Explanada de Rectoría

Ruta 18

RANGO DE IMPORTANCIA	SITIO DE INTERES	PLANO	LOC	PAGINA
***	Ciudad Universitaria	13	1-C	50
	Rectoría	13	1-B	
	Biblioteca Central	13	1-B	
**	Museo Universitario de Ciencias y Arte Contemporáneo	13	1-B	84
**	Estadio Olímpico «México 68»	13	1-B	56

CIRCUITO CULTURAL UNIVERSITARO
Inicia Centro Cultural Universitario

Ruta 19

RANGO DE IMPORTANCIA	SITIO DE INTERES	PLANO	LOC	PAGINA
	Centro Cultural Universitario	13	3-C	
	Sala Nezahualcóyotl	13	4-C	
**	Museo de las Ciencias «Universum»	13	3-C	75
	Espacio Escultórico	13	3-C	
*	Parque y Reserva Ecológica del Pedregal	13	2-C	89

PASEO POR TLALPAN
Inicia Casa Chata

Ruta 20

RANGO DE IMPORTANCIA	SITIO DE INTERES	PLANO	LOC	PAGINA
*	Casa Chata	14	3-D	35
*	Parroquia de Tlalpan	14	3-D	95
	La Casona	14	3-D	46
	Casa del Conde de Regla	14	3-D	42
	Casa del Virrey de Mendoza	14	2-D	44
*	Casa de Moneda	14	2-D	41
	Casa del Marqués de Vivanco	14	2-C	43
*	Parque Nacional Fuentes Brotantes	14	3-B	92

PASEO TRADICIONAL Y PINTORESCO POR XOCHIMILCO
Inicia Ex Convento de San Bernardino

Ruta 21

RANGO DE IMPORTANCIA	SITIO DE INTERES	PLANO	LOC	PAGINA
**	Iglesia y Ex Convento de San Bernardino	15	3-C	63
	Capilla del Rosario Xochimilco	15	3-B	34
	Capilla de San Pedro	15	4-B	
***	Canales y Chinampas de Xochimilco	15	3-C	30
***	Parque Ecológico de Xochimilco	18	3-C	88

LA VILLA DE GUADALUPE
Inicia Nueva Basílica de Guadalupe

Ruta 22

RANGO DE IMPORTANCIA	SITIO DE INTERES	PLANO	LOC	PAGINA
***	Basílica de Guadalupe	16	3-C	30
*	Convento de Capuchinas	16	3-C	53
**	Capilla del Pocito	16	3-D	33

**	Museo de la Basílica	16	3-D	74
*	Parroquia Vieja de los Indios	16	3-D	95
*	Capilla del Cerrito	16	3-C	33
*	Panteón del Tepeyac	16	3-D	88
*	Acueducto de Guadalupe	16	2-C	22
*	Calzada de los Misterios	16	3-C	67

ARQUEOLOGIA Y TESOROS COLONIALES
Inicia Tlalnepantla
Ruta 23

RANGO DE IMPORTANCIA	SITIO DE INTERES	PLANO	LOC	PAGINA
**	Zona Arqueológica de Tenayuca	19	3-B	121
**	Zona Arq. de Santa Cecilia Acatitlán	19	2-B	124
*	Convento de Tultitlán	19	1-B	54
**	Iglesia Parroquial de Cuautitlán (Catedral)	19	1-B	65
	Templo de Melchor Ocampo	19	1-C	106
*	Templo de San Mateo Ixtacalco	19	1-B	111
*	Iglesia Parroquial de Santa Bárbara Tlacatecpan	19	1-B	65
*	Iglesia Parroquial de San Lorenzo Riotenco	19	1-B	65
***	Templo y Ex Convento de Tepotzotlán	19	1-B	119
***	Museo Nacional del Virreinato	19	1-B	83
**	Acueducto de El Sitio	19	1-A	21

PIRAMIDES DE TEOTIHUACAN Y CONVENTO DE ACOLMAN
Inicia Zona Arqueológica de Teotihuacán
Ruta 24

RANGO DE IMPORTANCIA	SITIO DE INTERES	PLANO	LOC	PAGINA
***	Zona Arqueológica de Teotihuacán	20	1-D	122
***	Convento Agustino de Acolman	20	1-D	52
*	Santa María, Coanalán	20	1-D	28
*	Capilla de San Mateo, Chipiltepec	20	1-D	33
*	Templo de San Buenaventura, Tezoyuca	20	1-D	108

RECORRIDO POR EL ANTIGUO REINO DE NEZAHUALCOYOTL: TEXCOCO
Inicia Catedral de Texcoco
Ruta 25

RANGO DE IMPORTANCIA	SITIO DE INTERES	PLANO	LOC	PAGINA
***	Texcoco	20	2-D	
*	Parque y Hacienda Molino de Flores	20	2-D	90
*	Zona Arq. Baños de Nezahualcóyotl	20	2-D	29
*	Zona Arqueológica de Huexotla	20	2-D	124
*	Templo y Ex Convento de San Luis Huexotla	20	2-D	
*	Templo de San Mateo Huexotla	20	2-D	111
	Universidad de Chapingo	20	2-D	
*	Templo de Santa María Tulantongo	20	2-D	114
	Templo de San Juan Texompa	20	2-D	109
*	Templo de San Andrés Chiautla	20	2-D	107
*	San Toribio Papalotla	20	2-D	
*	Templo Parroquial de Sn Miguel Chiconcuac	20	2-D	116
*	San Cristóbal Nexquipayac	20	2-D	

POR EL SANTUARIO DE LOS REMEDIOS				Ruta 26
Inicia San Bartolo Naucalpan				

RANGO DE IMPORTANCIA	SITIO DE INTERES	PLANO	LOC	PAGINA
	San Bartolo Naucalpan	19	3-B	
**	Santuario de los Remedios	19	3-B	102
**	Acueducto de los Remedios	19	3-A	22
	Parque Nacional de los Remedios	19	3-B	91
	Parque Naucalli	19	3-B	92
*	Torres de Satélite	19	3-B	121

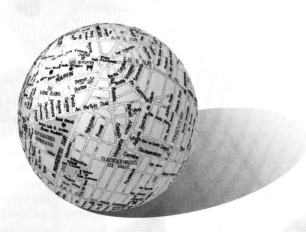

Visitanos en

INTERNET

www.guiaroji.com.mx

Consulta nuestra página y localiza tu calle y colonia en la Ciudad de México, Monterrey y Guadalajara

INSERTA PUBLICIDAD EN NUESTRA PAGINA

Para más información:

Gob. José Morán 31 San Miguel Chapultepec, C.P. 11850 México, D.F.
Tels. 5-515-0384 5-270-8699 Fax 5-277-2307 Email: publicidad@guiaroji.com.mx

LINEAS DEL METRO

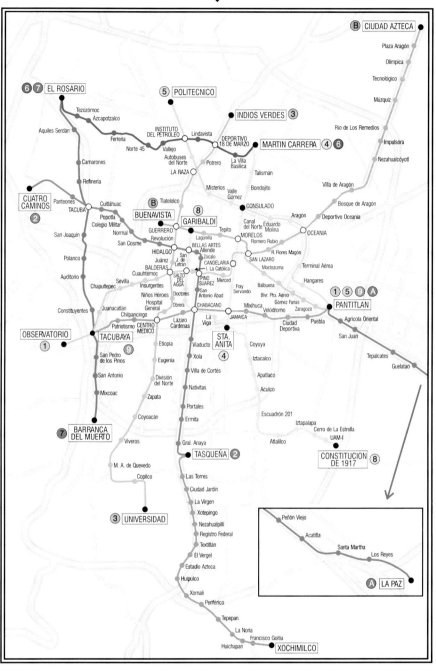

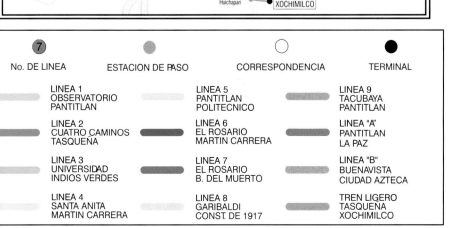

	ESTACION DE PASO	CORRESPONDENCIA	TERMINAL
No. DE LINEA			

LINEA 1 OBSERVATORIO PANTITLAN	**LINEA 5** PANTITLAN POLITECNICO	**LINEA 9** TACUBAYA PANTITLAN
LINEA 2 CUATRO CAMINOS TASQUEÑA	**LINEA 6** EL ROSARIO MARTIN CARRERA	**LINEA "A"** PANTITLAN LA PAZ
LINEA 3 UNIVERSIDAD INDIOS VERDES	**LINEA 7** EL ROSARIO B. DEL MUERTO	**LINEA "B"** BUENAVISTA CIUDAD AZTECA
LINEA 4 SANTA ANITA MARTIN CARRERA	**LINEA 8** GARIBALDI CONST. DE 1917	**TREN LIGERO** TASQUEÑA XOCHIMILCO

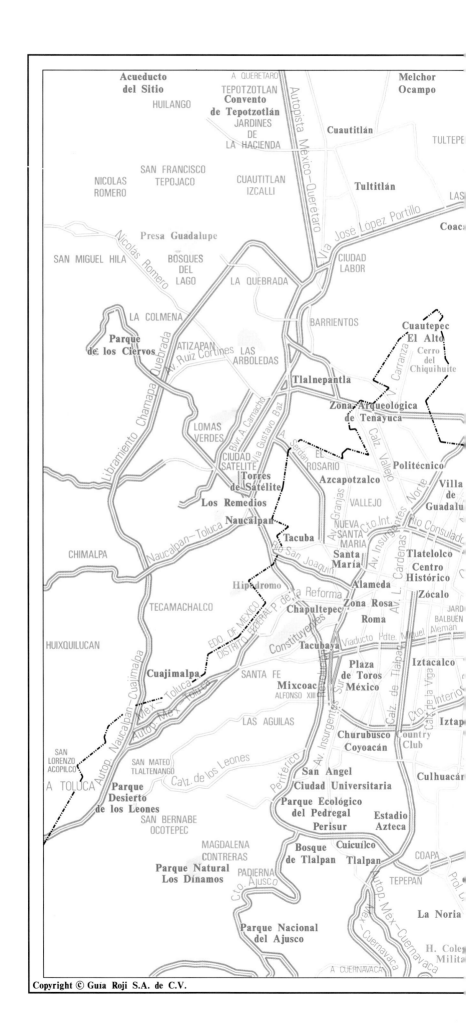

PLANO GENERAL DE LA CIUDAD

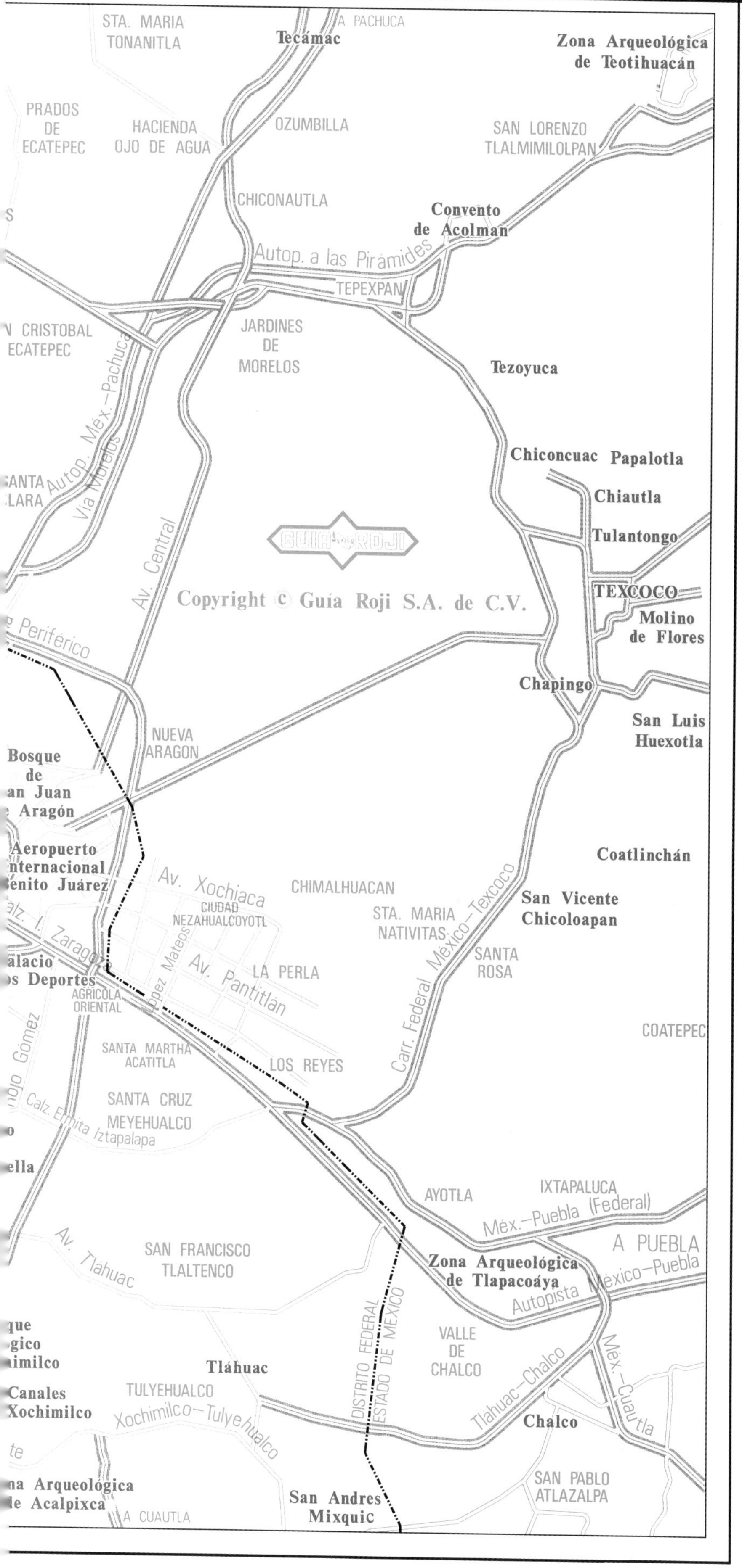

STA. MARIA
TONANITLA

Tecámac

A PACHUCA

Zona Arqueológica
de Teotihuacán

PRADOS
DE
ECATEPEC

HACIENDA
OJO DE AGUA

OZUMBILLA

SAN LORENZO
TLALMIMILOLPAN

N CRISTOBAL
ECATEPEC

CHICONAUTLA

Convento
de Acolman

Autop. a las Pirámides

TEPEXPAN

Autop. Méx.-Pachuca

JARDINES
DE
MORELOS

Tezoyuca

Via Morelos

SANTA
LARA

Chiconcuac Papalotla

Chiautla

Tulantongo

Av. Central

GUIA ROJI

TEXCOCO

Copyright © Guia Roji S.A. de C.V.

Molino
de Flores

Periférico

Chapingo

San Luis
Huexotla

NUEVA
ARAGON

Bosque
de
an Juan
Aragón

Coatlinchán

Aeropuerto
nternacional
enito Juárez

Av. Xochiaca

CHIMALHUACAN

San Vicente
Chicoloapan

alz. I. Zaragoza

CIUDAD
NEZAHUALCOYOTL

STA. MARIA
NATIVITAS

Carr Federal México–Texcoco

SANTA
ROSA

López Mateos

álacio
s Deportes

Av. Pantitlán

LA PERLA

AGRICOLA
ORIENTAL

COATEPEC

ngo Gomez

SANTA MARTHA
ACATITLA

LOS REYES

Calz. Ermita Iztapalapa

SANTA CRUZ
MEYEHUALCO
Iztapalapa

ella

IXTAPALUCA

AYOTLA

Méx.-Puebla (Federal)

Av. Tláhuac

SAN FRANCISCO
TLALTENCO

A PUEBLA

Zona Arqueológica
de Tlapacoáya

México–Puebla

Autopista

DISTRITO FEDERAL

ESTADO DE MEXICO

México-Puebla

que
gico
imilco

VALLE
DE
CHALCO

Mex.–Cuautla

Canales
Xochimilco

Tláhuac

TULYEHUALCO

Xochimilco–Tulyehualco

Tláhuac–Chalco

te

Chalco

na Arqueológica
e Acalpixca

A CUAUTLA

San Andres
Mixquic

SAN PABLO
ATLAZALPA

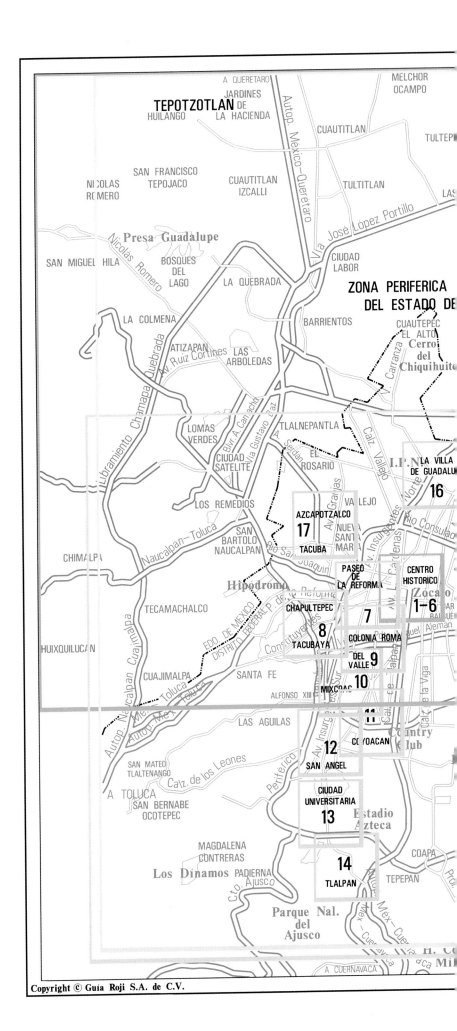

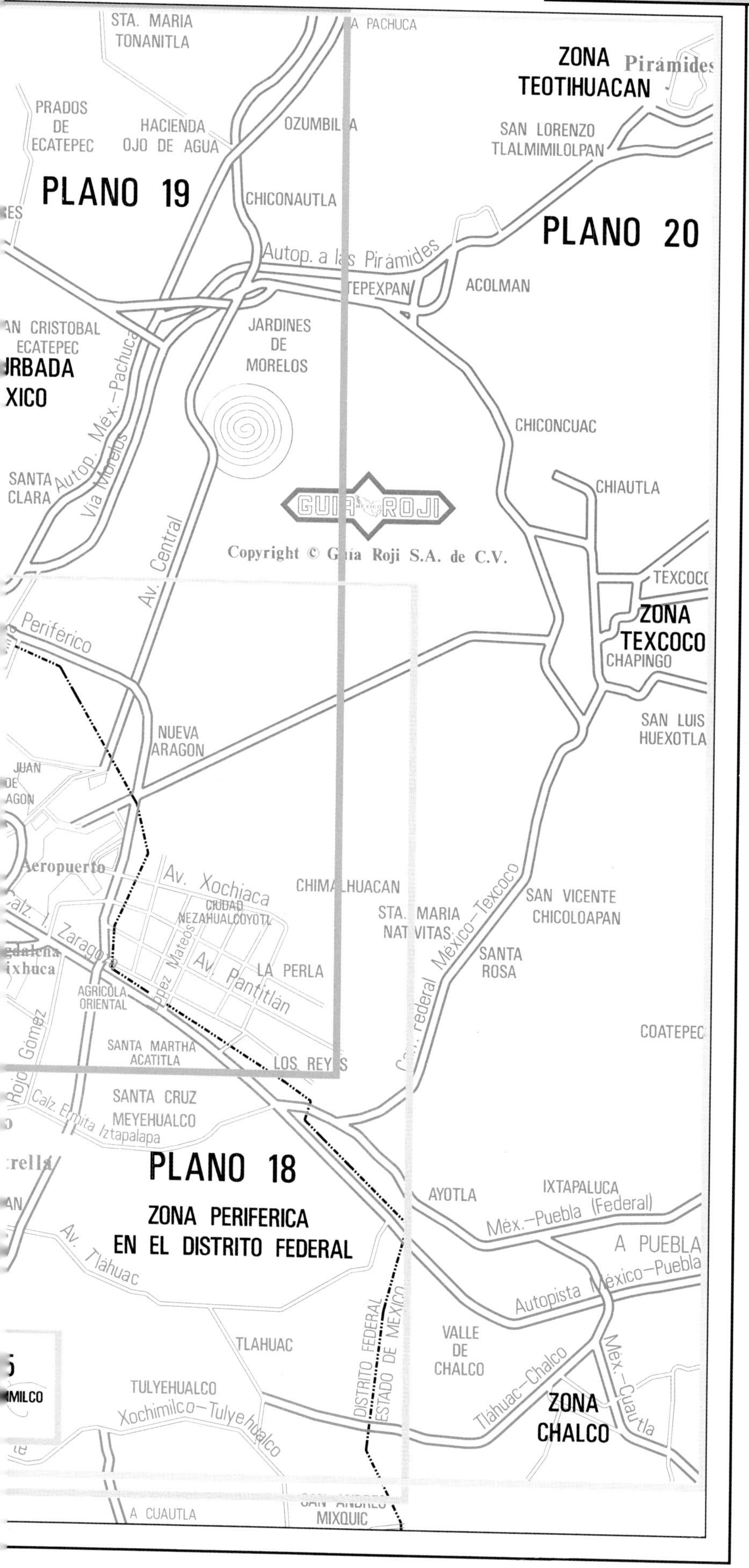

STA. MARIA TONANITLA

A PACHUCA

ZONA TEOTIHUACAN Pirámides

PRADOS DE ECATEPEC

HACIENDA OJO DE AGUA

OZUMBILLA

SAN LORENZO TLALMIMILOLPAN

PLANO 19

CHICONAUTLA

PLANO 20

Autop. a las Pirámides

TEPEXPAN

ACOLMAN

AN CRISTOBAL ECATEPEC

URBADA XICO

JARDINES DE MORELOS

SANTA CLARA

Autop. Méx.–Pachuca

Via Morelos

CHICONCUAC

CHIAUTLA

Av. Central

Copyright © Guia Roji S.A. de C.V.

TEXCOCO

ZONA TEXCOCO
CHAPINGO

Periférico

NUEVA ARAGON

SAN LUIS HUEXOTLA

JUAN DE AGON

Aeropuerto

Av. Xochiaca
CIUDAD NEZAHUALCOYOTL

CHIMALHUACAN

STA. MARIA NATIVITAS

SAN VICENTE CHICOLOAPAN

Calz. Zaragoza

gdalena ixhuca

López Mateos

Av. Pantitlán

LA PERLA

SANTA ROSA

COATEPEC

AGRICOLA ORIENTAL

SANTA MARTHA ACATITLA

LOS REYES

Río Gómez

rella

SANTA CRUZ MEYEHUALCO

Calz. Ermita Iztapalapa

Carr. Federal México–Texcoco

Carr. Federal México–Texcoco

PLANO 18

ZONA PERIFERICA EN EL DISTRITO FEDERAL

AYOTLA

IXTAPALUCA
Méx.–Puebla (Federal)

A PUEBLA

Av. Tláhuac

Autopista México–Puebla

Méx.–Cuautla

TLAHUAC

DISTRITO FEDERAL
ESTADO DE MEXICO

VALLE DE CHALCO

Tláhuac–Chalco

ZONA CHALCO

MILCO

TULYEHUALCO
Xochimilco–Tulyehualco

SAN ANDRES MIXQUIC

A CUAUTLA

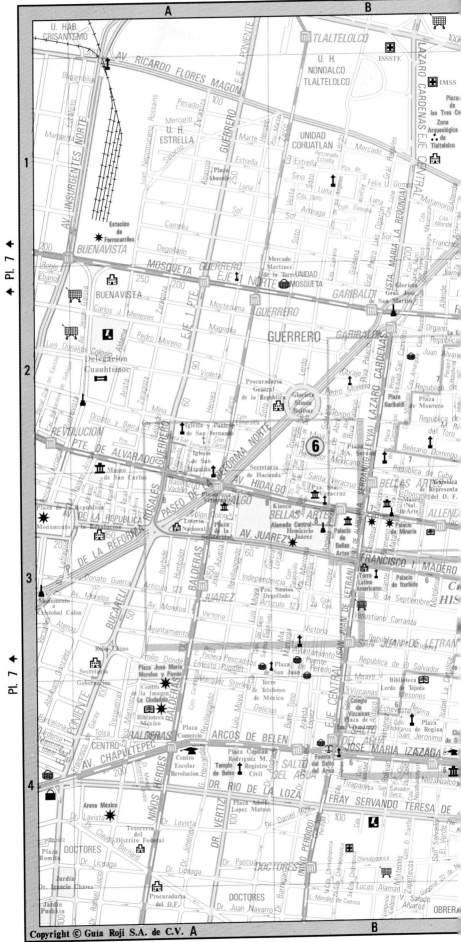

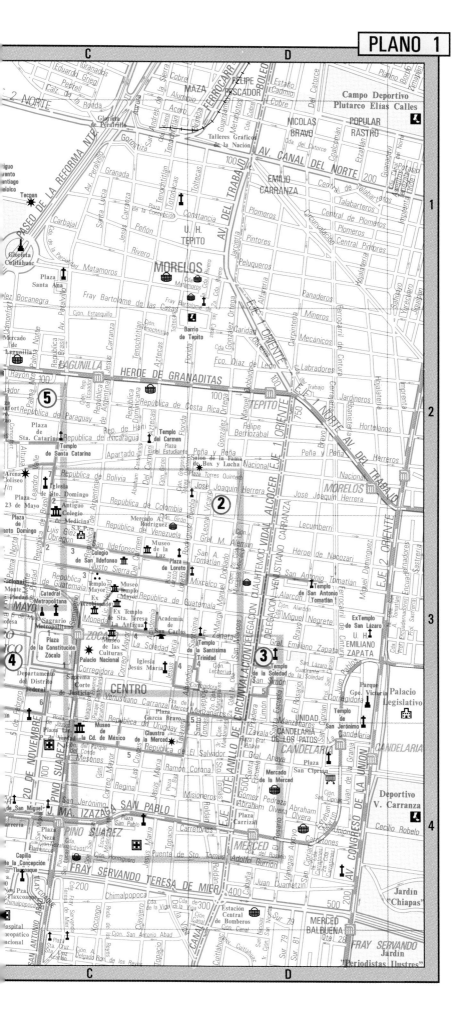

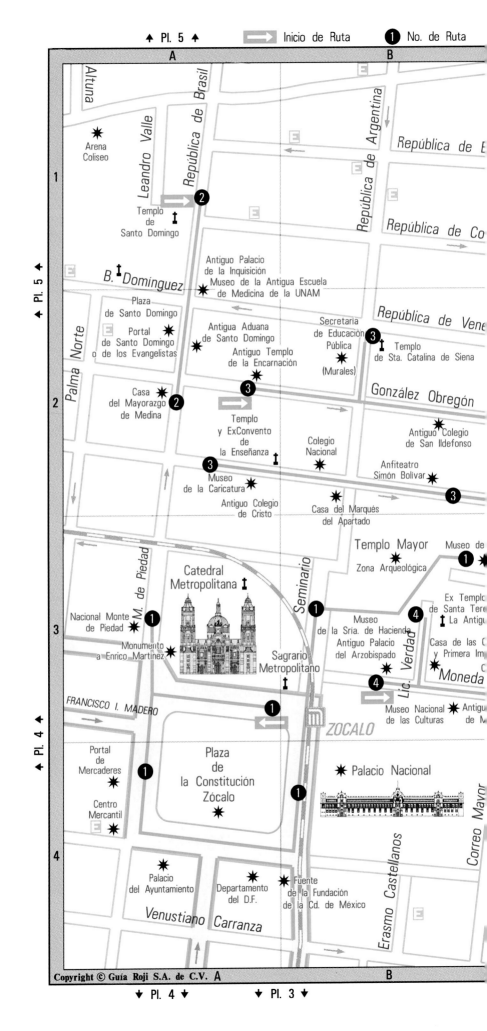

A   **B**

Altuna

Arena
Coliseo

Leandro Valle

República de Brasil

República de Argentina

E

República de E

República de Co

República de Vene

1

Templo
de
Santo Domingo

❷

Antiguo Palacio
de la Inquisición
Museo de la Antigua Escuela
de Medicina de la UNAM

B. Domínguez

Plaza
de Santo Domingo

Portal
de Santo Domingo
o de los Evangelistas

Palma Norte

Antigua Aduana
de Santo Domingo

Antiguo Templo
de la Encarnación

Secretaría
de Educación
Pública

(Murales)

❸

Templo
de Sta. Catalina de Siena

González Obregón

Casa
del Mayorazgo
de Medina

❷

❸

Templo
y ExConvento
de
la Enseñanza

Colegio
Nacional

Antiguo Colegio
de San Ildefonso

Anfiteatro
Simón Bolívar

2

❸

Museo
de la Caricatura

Antiguo Colegio
de Cristo

Casa del Marqués
del Apartado

❸

Templo Mayor   Museo de

Zona Arqueológica

❶

M. de Piedad

Catedral
Metropolitana

Seminario

❶

Museo
de la Sría. de Hacienda
Antiguo Palacio
del Arzobispado

Ex Templo
de Santa Tere
La Antigu

Casa de las C
y Primera Im
C

❹

Lic. Verdad

Nacional Monte
de Piedad

❶

3

Monumento
a Enrico Martínez

Sagrario
Metropolitano

❹

Moneda

Museo Nacional   Antigu
de las Culturas   de M

ZOCALO

❶

Portal
de
Mercaderes

❶

Plaza
de
la Constitución
Zócalo

Palacio Nacional

❶

Centro
Mercantil

E

4

Palacio
del Ayuntamiento

Departamento
del D.F.

Fuente
de la Fundación
de la Cd. de México

Venustiano Carranza

Erasmo Castellanos

Correo Mayor

A   **B**

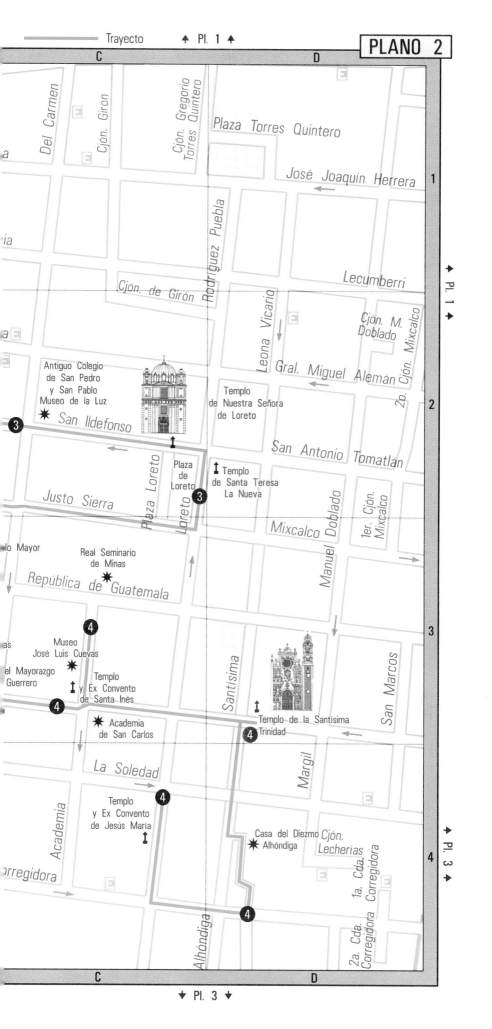

C   D

Del Carmen

Cjón. Girón

Cjón. Gregorio Torres Quintero

Plaza Torres Quintero

José Joaquín Herrera

1

Rodríguez Puebla

Cjón. de Girón

Lecumberri

Leona Vicario

Cjón. M. Doblado

Gral. Miguel Alemán

Cjón. Mixcalco

20.

2

Antiguo Colegio
de San Pedro
y San Pablo
Museo de la Luz

San Ildefonso

3

Templo
de Nuestra Señora
de Loreto

San Antonio Tomatlán

Plaza Loreto

Loreto

Plaza
de
Loreto

Templo
de Santa Teresa
La Nueva

3

Justo Sierra

Mixcalco

Manuel Doblado

1er. Cjón.
Mixcalco

...lo Mayor

Real Seminario
de Minas

República de Guatemala

3

4

Museo
José Luis Cuevas

Santísima

San Marcos

...el Mayorazgo
Guerrero

...as

Templo
y Ex Convento
de Santa Inés

4

Academia
de San Carlos

Templo de la Santísima
Trinidad

4

La Soledad

Margil

Academia

Templo
y Ex Convento
de Jesús María

4

Casa del Diezmo
Alhóndiga

Cjón.
Lecherías

1a. Cda.
Corregidora

...orregidora

Alhóndiga

4

2a. Cda.
Corregidora

4

C   D

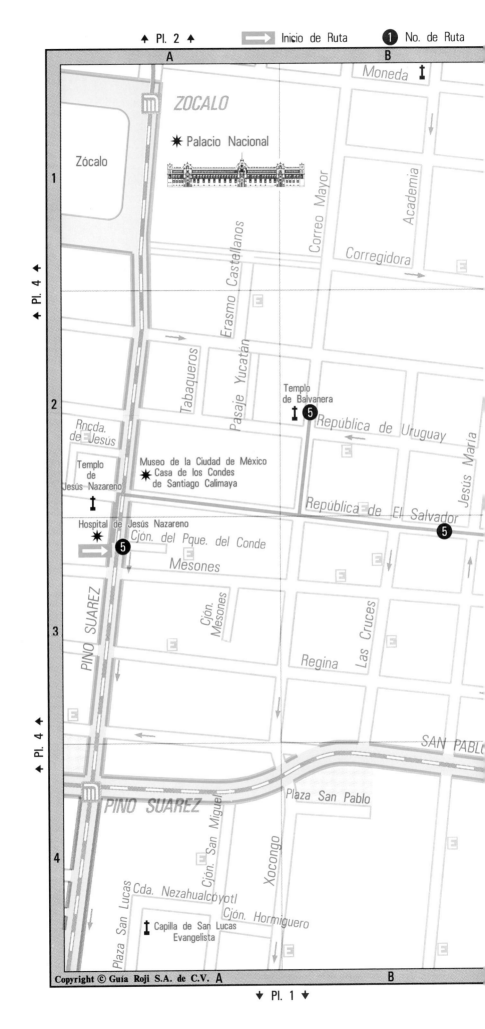

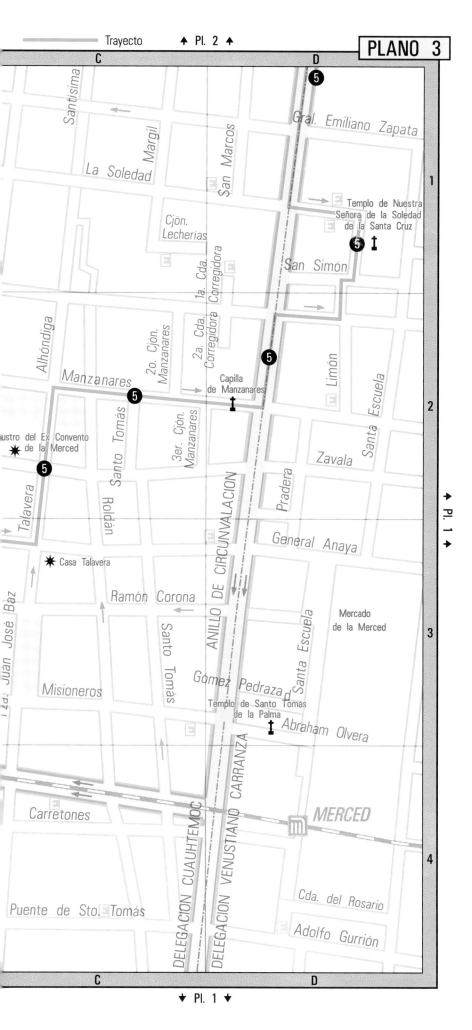

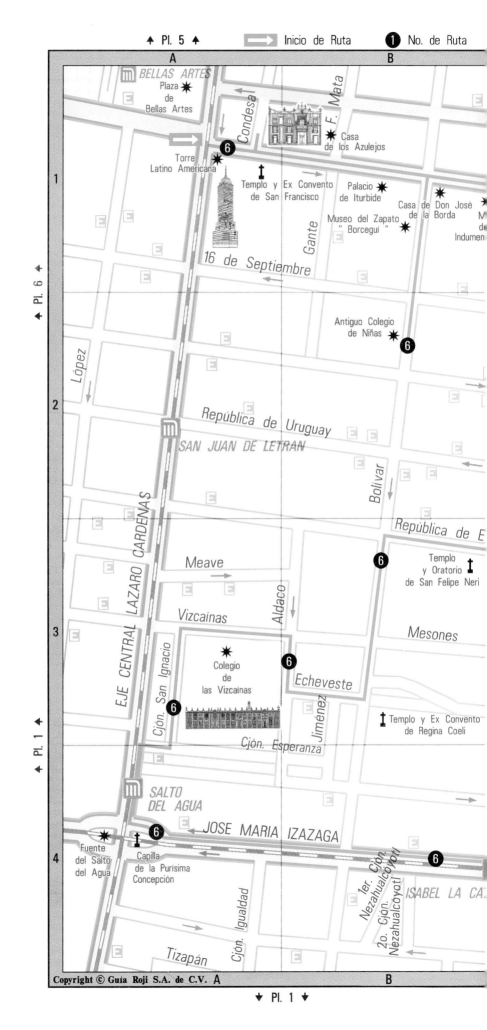

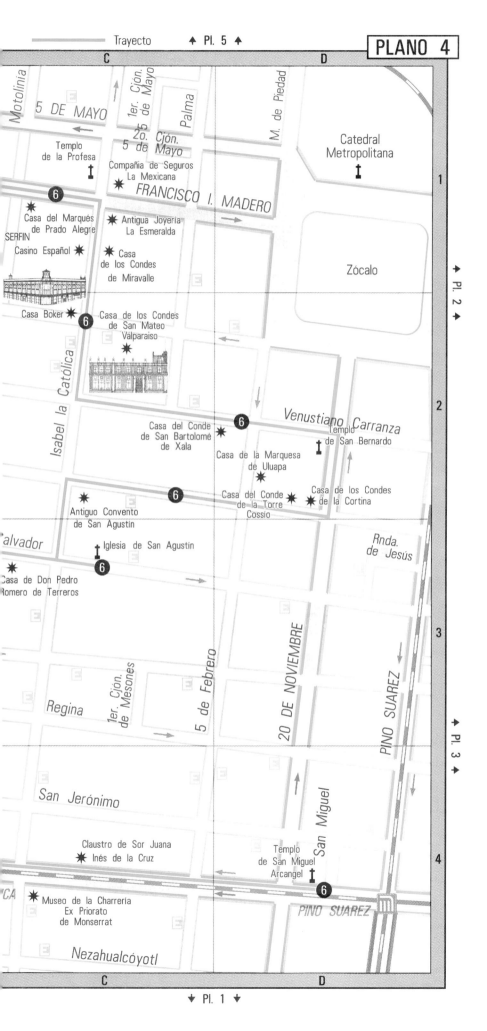

C   D

Motolinia

5 DE MAYO

1er. Cjón. de Mayo

Palma

2o. Cjón. 5 de Mayo

M. de Piedad

Templo de la Profesa

Compañía de Seguros La Mexicana

FRANCISCO I. MADERO

Catedral Metropolitana

1

Casa del Marqués de Prado Alegre

SERFIN

Casino Español

Antigua Joyería La Esmeralda

Casa de los Condes de Miravalle

Zócalo

⬆ Pl. 2 ⬆

Casa Boker

Casa de los Condes de San Mateo Valparaíso

Isabel la Católica

Casa del Conde de San Bartolomé de Xala

Venustiano Carranza

Templo de San Bernardo

2

Casa de la Marquesa de Uluapa

Casa del Conde de la Torre Cossío

Casa de los Condes de la Cortina

Antiguo Convento de San Agustín

Salvador

Iglesia de San Agustín

Rnda. de Jesús

Casa de Don Pedro Romero de Terreros

20 DE NOVIEMBRE

PINO SUAREZ

3

Regina

1er. Cjón. de Mesones

5 de Febrero

San Jerónimo

San Miguel

⬆ Pl. 3 ⬆

Claustro de Sor Juana Inés de la Cruz

Templo de San Miguel Arcángel

4

Museo de la Charrería Ex Priorato de Monserrat

PINO SUAREZ

Nezahualcóyotl

C   D

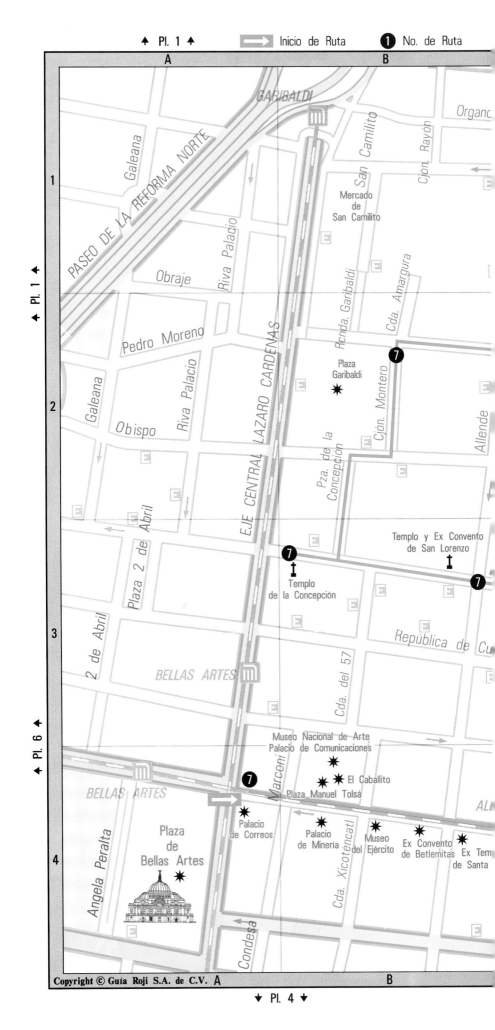

Inicio de Ruta
❶ No. de Ruta

GARIBALDI

Organc

Galeana

PASEO DE LA REFORMA NORTE

San Camilito

Cjón. Rayón

◀ Pl. 1 ◀

1

Mercado
de
San Camilito

Riva Palacio

Obraje

Rcnda. Garibaldi

Cda. Amargura

Pedro Moreno

EJE CENTRAL LAZARO CARDENAS

Plaza
Garibaldi

❼

Galeana

Riva Palacio

Cjón. Montero

Allende

2

Obispo

Pza. de la
Concepción

Plaza 2 de Abril

Templo y Ex Convento
de San Lorenzo

❼

2 de Abril

❼
Templo
de la Concepción

República de Cu

3

BELLAS ARTES 🅼

Cda. del 57

◀ Pl. 6 ◀

Museo Nacional de Arte
Palacio de Comunicaciones

🅼

Marconi

❼
❼ El Caballito
Plaza Manuel Tolsá

BELLAS ARTES

AL

Angela Peralta

Palacio
de Correos

Palacio
de Minería

Cda. Xicoténcatl

Museo
del Ejército

Ex Convento
de Betlemitas

Ex Tem
de Santa

Plaza
de
Bellas Artes

4

Condesa

A

B

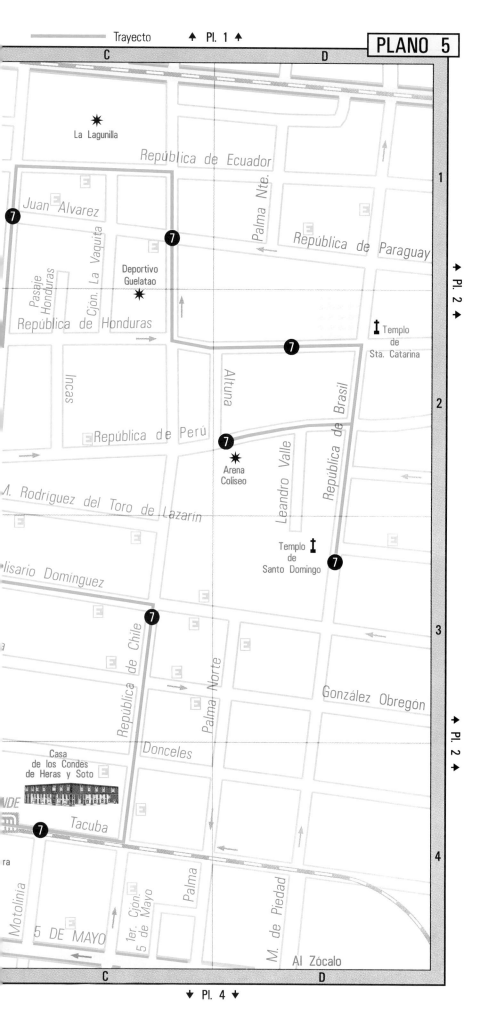

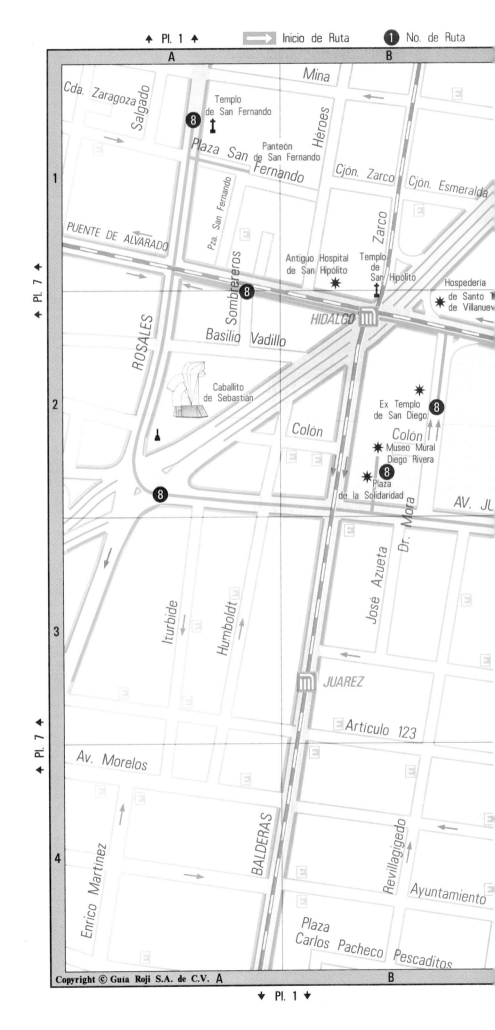

Inicio de Ruta

No. de Ruta

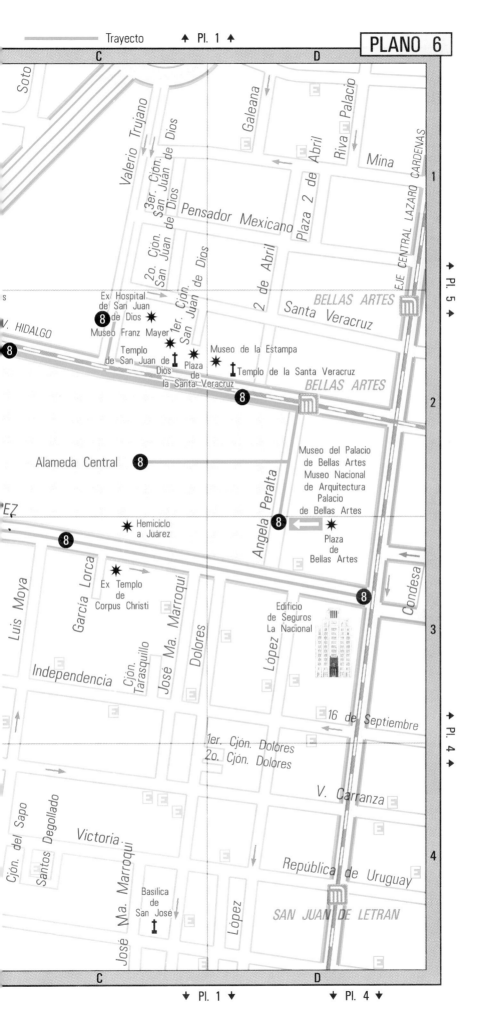

C   D

Soto

Valerio Trujano

3er. Cjón. San Juan de Dios

Galeana

Riva Palacio

Mina

EJE CENTRAL LAZARO CARDENAS

Pensador Mexicano

Plaza 2 de Abril

2 de Abril

2o. Cjón. San Juan de Dios

1er. Cjón. San Juan de Dios

1

s

V. HIDALGO

Ex Hospital
de San Juan
de Dios
8 ✳
Museo Franz Mayer

Templo
de San Juan de
Dios
✳ ✝
Plaza
de
la Santa Veracruz

Museo de la Estampa
✳
✝ Templo de la Santa Veracruz

BELLAS ARTES

Santa Veracruz

BELLAS ARTES

♦ Pl. 5 ♦

8

2

Alameda Central **8**

Angela Peralta

Museo del Palacio
de Bellas Artes
Museo Nacional
de Arquitectura
Palacio
de Bellas Artes

Condesa

EZ

✳ Hemiciclo
a Juárez

8

8 ⬅ ✳
Plaza
de
Bellas Artes

Luis Moya

García Lorca

✳
Ex Templo
de
Corpus Christi

José Ma. Marroqui

Dolores

López

Edificio
de Seguros
La Nacional

|||||

8

3

Independencia

Cjón. Tarasquillo

16 de Septiembre

♦ Pl. 4 ♦

1er. Cjón. Dolores
2o. Cjón. Dolores

V. Carranza

Cjón. del Sapo

Santos Degollado

Victoria

José Ma. Marroqui

Basílica
de
San José ✝

López

República de Uruguay

4

SAN JUAN DE LETRAN

C   D

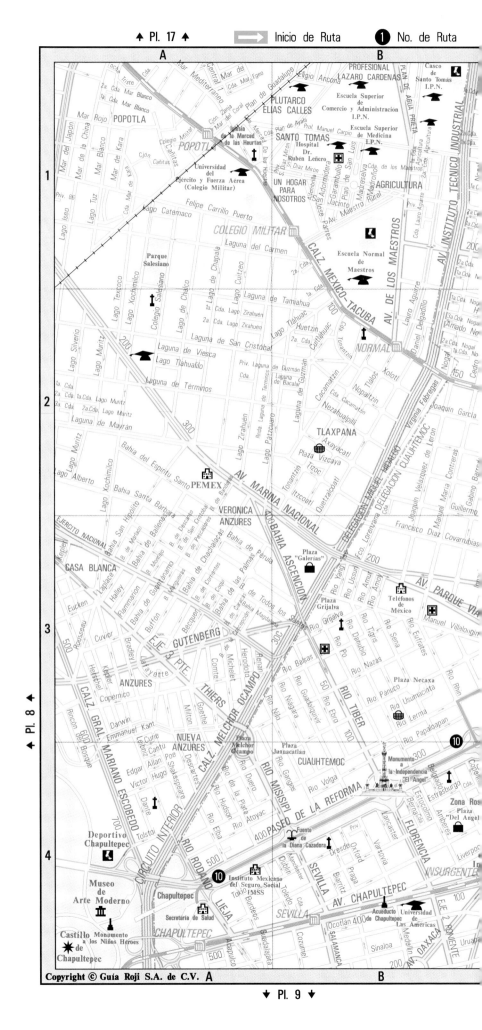

A   B

◄ Pl. 8 ◄

Copyright © Guía Roji S.A. de C.V.   A   B

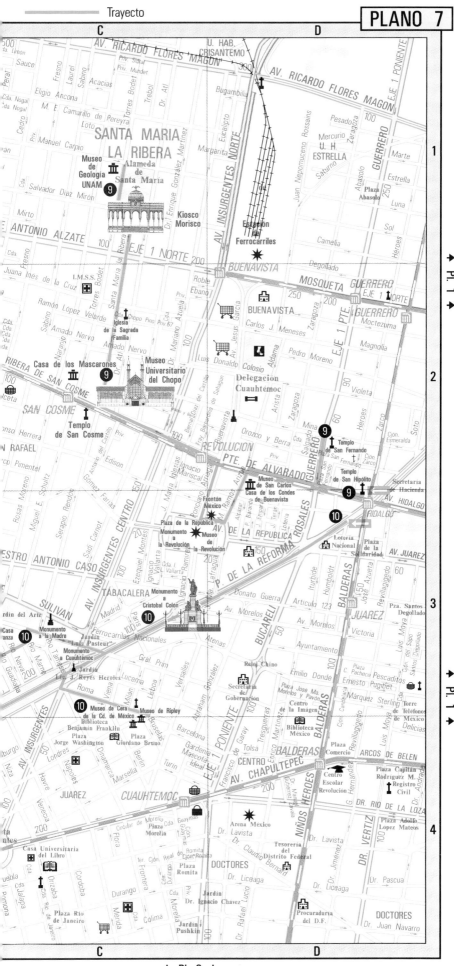

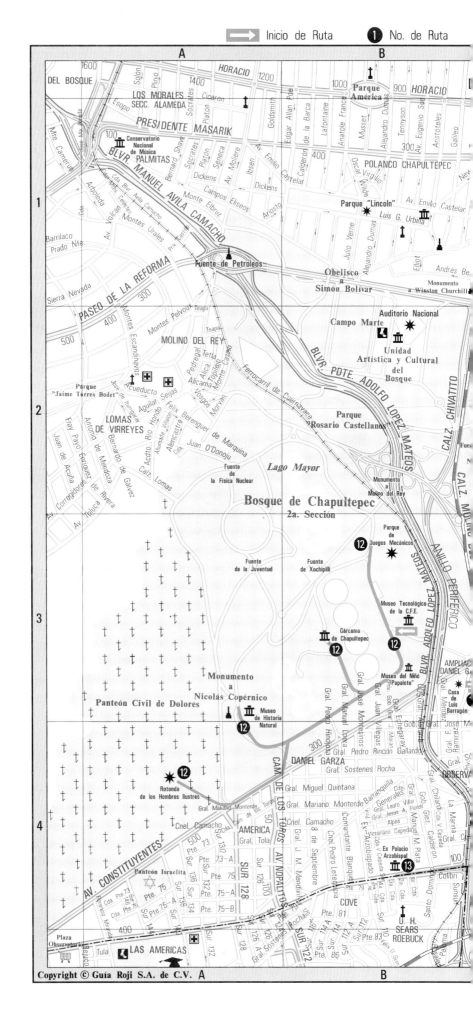

Copyright © Guía Roji S.A. de C.V.

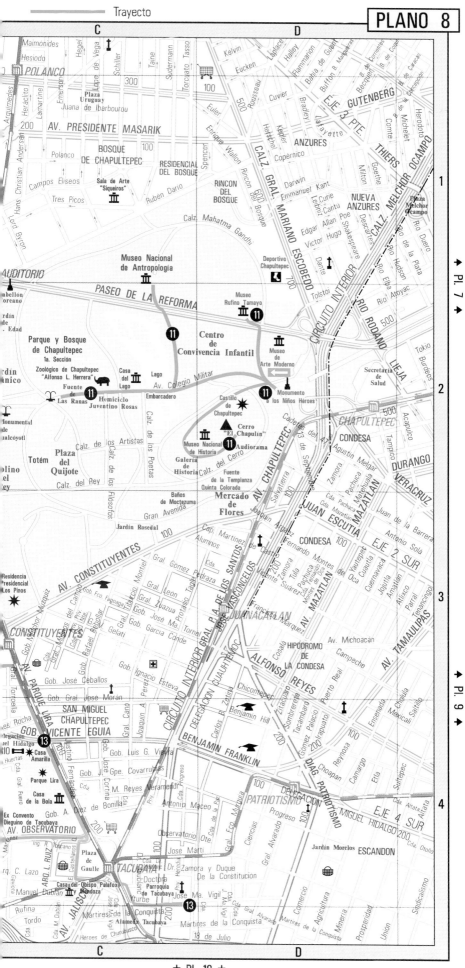

→ Pl. 7 →

← Pl. 9 ←

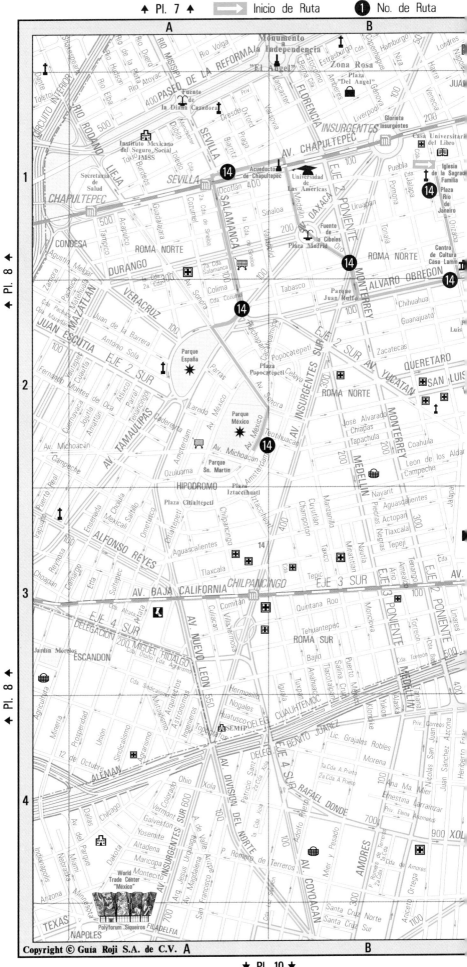

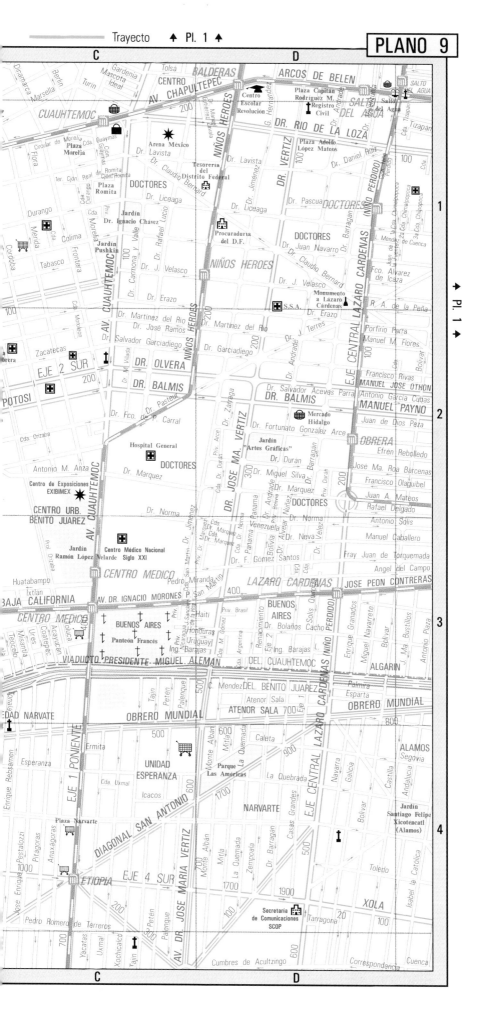

♦ Pl. 1 ♦

A B

U. H. SEARS ROEBUCK

TACUBAYA

Alameda Tacubaya
Mártires de la Conquista
18 de Julio
VIADUCTO PRESIDEN
13 de Septiembre
David Herrera
Héroes de Churubusco
Héroes de 1810
Héroes de 1821
PUENTE DE LA MORENA
11 de Abril
Tordo
Transito
Heroes de Padierna
2a. Cda.
Nueva York
Indianápolis
Mártires de Tacubaya
Priv. Jardín M. de Tacubaya
200
Héroes Anónimos
MIGUEL HIDALGO
C. 1
Kentucky
la. Cda. de Rochester
TEXAS
BELLAVISTA
CAM. REAL DE TOLUCA
11 de Abril
BENITO JUAREZ
C. 3
Oklahoma
Cda. 13 de Mayo
Cda. 8 de Ago.
Cda. 21 de Marzo
400
C. 5
Nueva Jersey
Louisiana
Gral. Fpe. Ángeles
AV. REVOLUCION
Av. 1
Av. 3
AV. PATRIOTISMO
100
Alabama
8 DE AGOSTO
Bayoneta
Bayoneta
C. 7
Parque Pombo
Georgia
Ja Espara
SAN PEDRO DE LOS PINOS
C. 9
Av. C. 7
C. 4
C. 4
ANILLO PERIFERICO
C. 11
Delegación Álvaro Obregón
C. 1
Av. Central
C. 6
C. 13
AMPLIACION NAPOLES
Kansas
C. 8
Priv. Gutila
C. 15
400
AUGUSTO RODIN
Milwaukee
C. 10
C. 17
Indiana
C. 12
Priv. Miraflores
C. 19 Parque Miraflores
500
Illinois
C. 16
C. 14
C. 21
RIO BECERRA
VIADUCTO
C. 18
DELEGACION ALVARO OBREGON
DELEGACION BENITO JUAREZ
SAN PEDRO DE LOS PINOS
C. 23
600
LOS D
Zona Arqueológica Mixcoac Templo de Mixcóatl
C. 25
CIU
❶⑮
Cda. Pirámide C. 22
C. 27
⑮
300
AV. SAN ANTONIO 500
SAN ANTONIO
Pte. 125
Andrea del Castagno
CIRCUITO INTERIOR
Tintoreto
Plaza Orozco
Maximino Ávila Camacho
Buonarroti
700
Tintoreto
Plaza de Toros Estadio de la Ciudad México de los Deportes
Balderas
HOLBEIN
Sebastián del Piombo
Giorgione
Botticelli
Jordaens
NOCHE BUENA
Baltimore
Miguel Ángel
Augusto Ingres
Rembrandt
600
Berrugete
Tiepolo Correggio
Cincinnati
⑮
NONOALCO
Da Vinci
Watteau
Pablo Uccello
Cleveland
Priv. Miguel Ángel Buonarroti
Holbein
Juan Cordero
Denver
Reloj Floral
SANTA MARIA NONOALCO
Caravaggio
700
Augusto Rodin
Parque Luis G. Urbina (Parque Hundido)
Leonardo Da Vinci
Claus Sluter
1r.Rt.
Rt. P. Uccello
EXTREMADURA
Fray Angélico
Murillo
SAN JUAN
Templo San Juan Evangelista
INSURGENTES
Lucas Giordano
Antonio Van Dick
Rubens
Nattier
Plaza Gómez Farías
Millet
AV. INSURGENTES SUR
El Greco
AV. PATRIOTISMO
Ireneo Paz
Carracci
⑮
Andrea del Sarto
Luis Carracci
Poussin
Fragonard
MIXCOAC
Luis Carracci
EXTREMADURA
Empresa
EJE
⑮
Donatello
INSURGENTES MIXCOAC
1300
Glorieta Hidalgo
Luis David
Goya
Rodin
Lirio
FRANCISCO ZURBARAN
Tiziano
Templo y Ex Convento Sto. Domingo
Valencia
MIXCOAC
MOLINOS
Campana
ACTIPAN
U. H. LOMAS DE PLATEROS
Los Echave José del Castillo
Con Diablo
Antonio Canova
Algeciras
Dr. S. González Herrejón
Castañeda
Miguel Cabrera
AV. RIO MIXCOAC
Actipan
BLVR. ADOLFO LOPEZ MATEOS
Sagrado
200
Cádiz
Murcia
EJE
Dr. Enrique Cabrera
Rodrigo Cifuentes
Asturias
CIRCUITO INTERIOR
1400
Andrés de la Concha
Salomé J. Piña
SAN JOSE INSURGENTES
Av. Arturo Rosenblueth
Claudio Arciniega
Mateo Herrera
Capuchinas
Diego Becerra
PLATEROS
CREDITO CONSTRUCTOR
M. Gómez
Parque del Conde
Perpetua
Ceres
Alconedo
Cordobanes
Febo

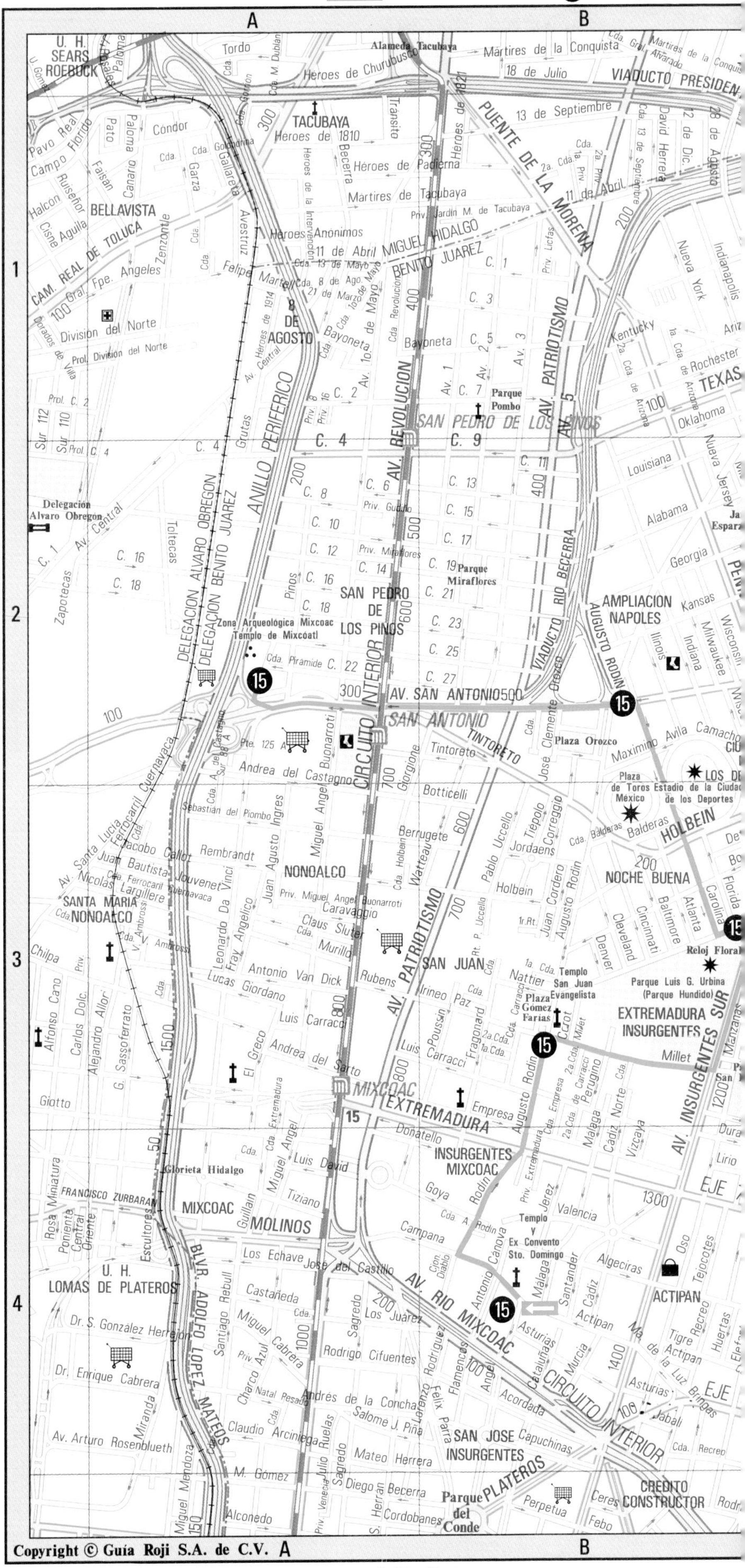

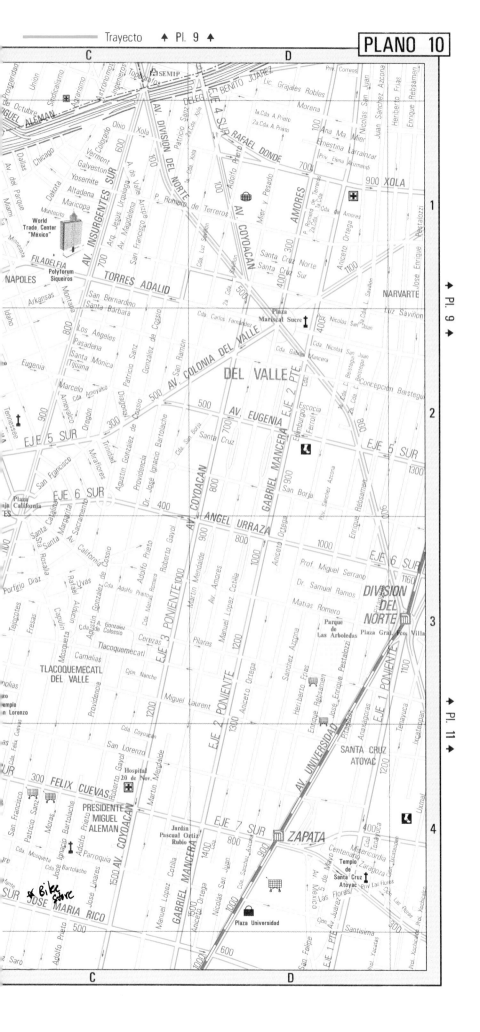

C   D

♠ Pl. 9 ♠

♠ Pl. 11 ♠

C   **D**

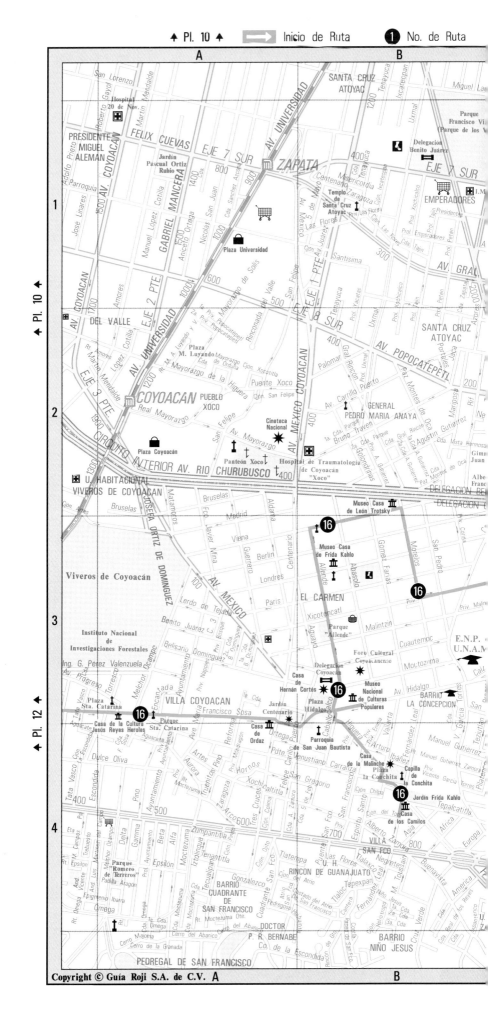

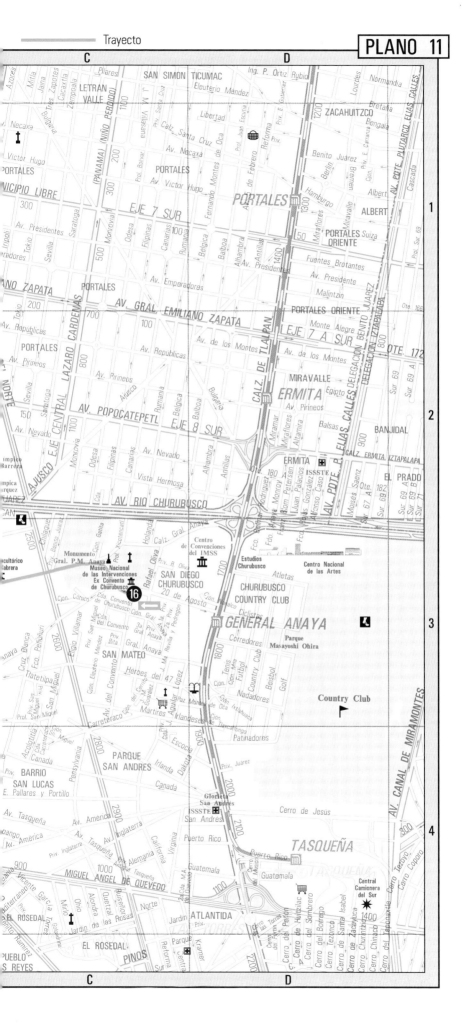

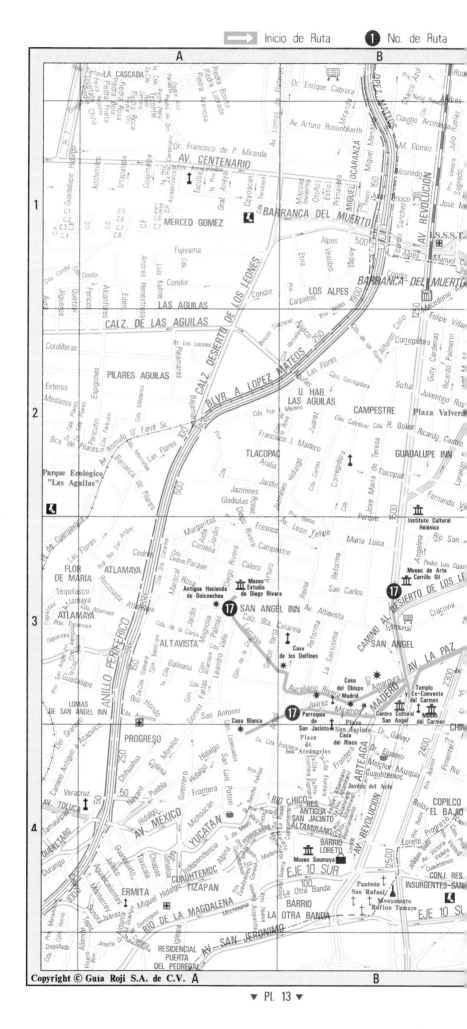

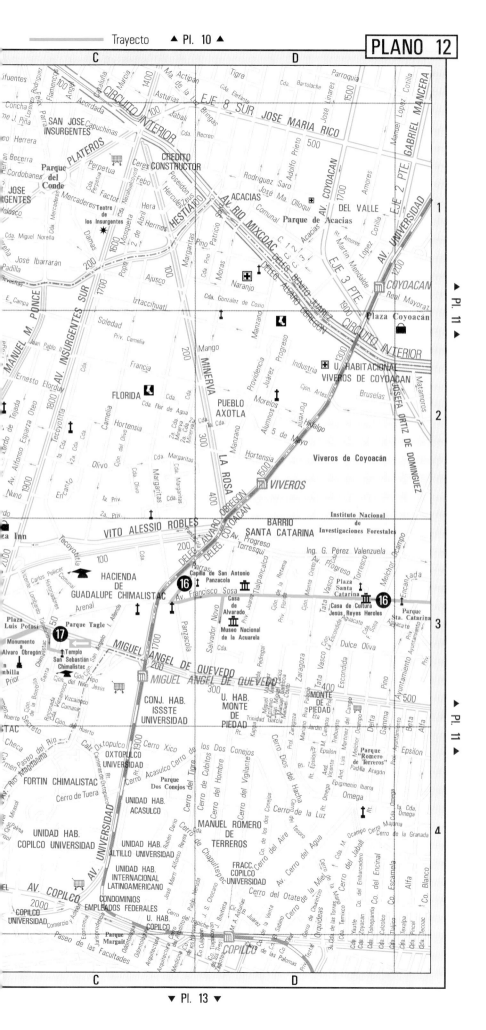

▶ Pl. 11 ▶
▶ Pl. 11 ▶

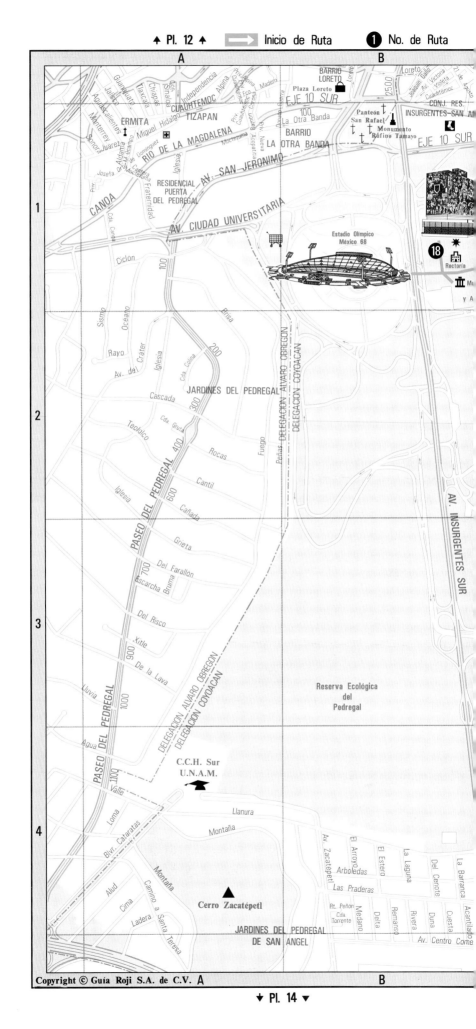

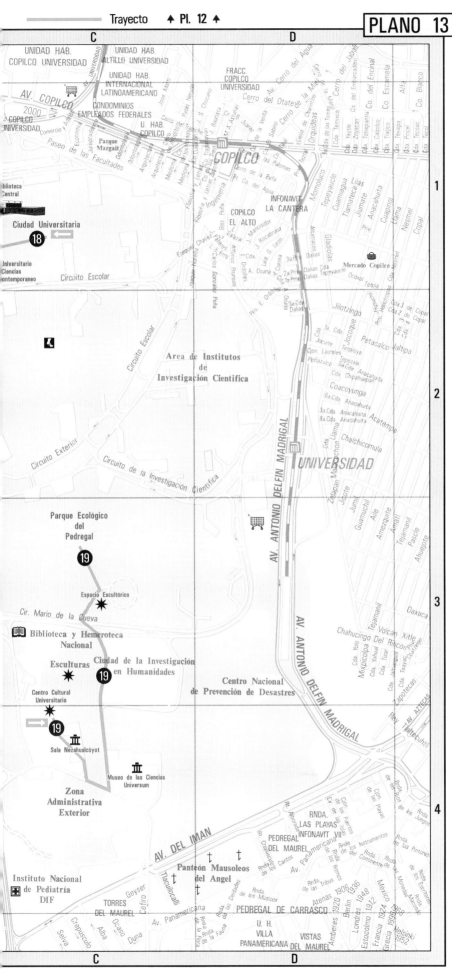

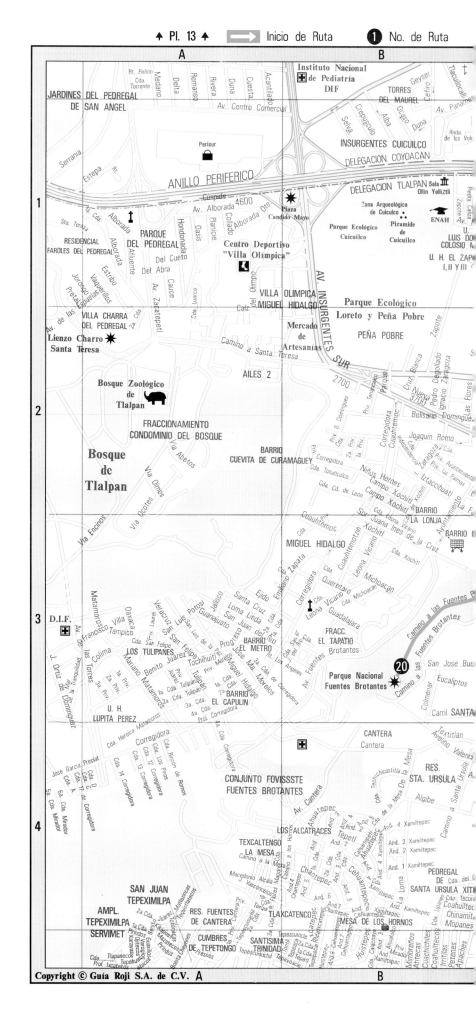

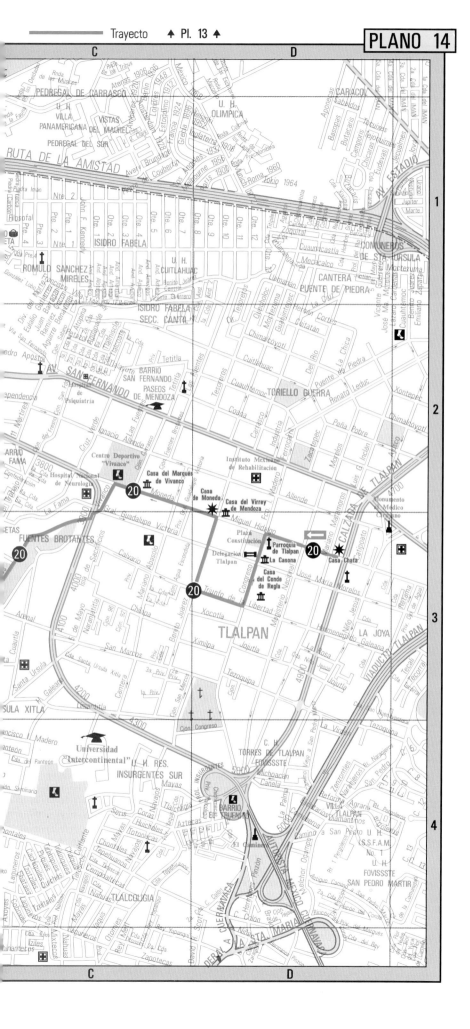

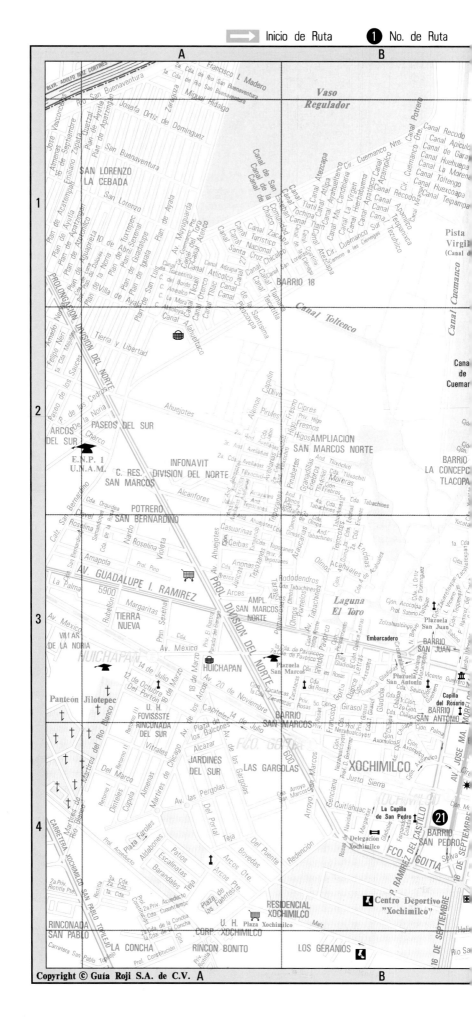

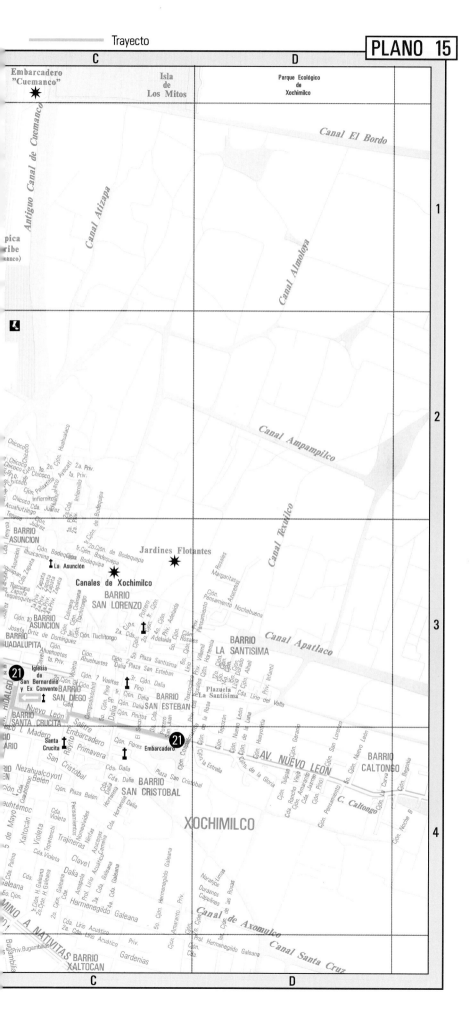

C

D

Embarcadero "Cuemanco"

Isla de Los Mitos

Parque Ecológico de Xochimilco

1

Canal El Bordo

Antiguo Canal de Cuemanco

Canal Atizapa

Canal Almoloya

pica ribe anco)

2

Canal Ampampilco

Canal Textitla

Chicoco

1o. Cjón. Chicoco 2a. Priv.
Chicoco Pelaxtitla Ayecatl 1a. Priv.
Chicoco Cjón.
Chicoco
Infiernito
Infiernito
Chicoco Cda. Juárez
Acuahutzingo
Tenyaga Juárez

1a. Cda.
2a. Priv.

BARRIO ASUNCION

3

Ilhuicamina
Cjón. Bodequepa
La Asunción
1r. 2o.Cjón. de Bodequepa
1r.Cjón. Bodequipa
Cda. Bodaquipa

Jardines Flotantes

Canal Apatlaco

Zapata
Zapata Zapata
Zapata
1a Priv. Zapata
3a.Priv. Zapata
Tequesquite
Josefa Ortiz de Dominguez
BARRIO GUADALUPITA

Colinara
Colinena Cjón.
Tlachitongo
Cjón. Tlachitongo

Canales de Xochimilco

BARRIO SAN LORENZO

BARRIO ASUNCION

2a. Cjón.
2a. Cda.
Potrero
4o. Cjón.
Adelaida
Adelaida
Fr. Cjón.

Margaritas
Azucena Nochebuena
Cjón. Pensamiento

Cjón. Pensamiento

BARRIO LA SANTISIMA

Cjón. Ahuehuetes
1a. Priv.
Cjón. Ahuehuetes
Violeta
Dalia 2 Plaza San Esteban
5o. Plaza Santisima

Cjón. Rosales
Lirio
Priv. Villami
Cjón. Hortensia

Cjón. Alheli
Cjón. Dorado
Priv. Infantil

21 Iglesia de San Bernardino y Ex Convento
Cjón. 7 Vueltas
3r. Cjón. Dalia
Pino
fr. Cjón. Pino
Campoatochtl
BARRIO SAN DIEGO

Cjón. Dalia SAN ESTEBAN
BARRIO

Tlaxcopilco
Cjón. Pinitos
Potrero
Juan

Plazuela La Santísima
Cda. Lirio del Valle

Cjón. Tepozan
Cjón. Nuevo León
Cjón. de la Luna

Nuevo León
BARRIO SANTA CRUCITA
I. Madero

Embarcadero
Santa Crucita
Primavera
Cjón. Flores

Cjón. El Sauce
Potrero
Cjón. Cosmol

21 Embarcadero

Cjón. de la Rosa
1a. Estrella
Cjón. Hueyotlita
Cjón. de la Gloria

AV. NUEVO LEON

Cjón. San Lorenzo
Cjón. Nuevo León

BARRIO CALTONGO

San Cristóbal
Nezahualcoyotl
Belén
Cda. Dalia
Cda. Dalia
Plaza Belén

Cda. Dalia
Hortensia
Plaza San Cristobal

Cda. Rancho Viejo
Cda. Jardin
Cjón. Amaranto
Cjón. Piñol

C. Caltongo
Cjón. La Curva

Cjón. Begonia

auhtémoc
Cda. Violeta
BARRIO SAN CRISTOBAL

Cda. Hortensia Delia

Cjón. Pensamiento

Cjón. Noche B

4

5 de Mayo
Xaltocán
Violeta
Cda. Violeta
Clavel
Trajineras
Azucenas
Ninfas
Acualed Camelia

XOCHIMILCO

Cjón. Noche B

Palma
Cda. Palma
Galeana
Dalia
Amapola
Prol. Lirio Acualed
5o. Cjón.
2o.Cjón. H. Galeana
Harmenegildo Galeana
1a. Cda. Galeana
Cda. Galeana

Cjón. Hermenegildo Galeana

Naranjos
Limas
Duraznos
Capulines
Cjón. de las Rosas

CAMINO A NATIVITAS
Cda. Lirio Acuatico
2a. Cda. Lirio Acuatico
Priv.
Gardenias

Prol. Hermenegildo Galeana

Canal de Axomulco

Canal Santa Cruz

Priv. Bugambilias
Bugambilia
BARRIO XALTOCAN

C

D

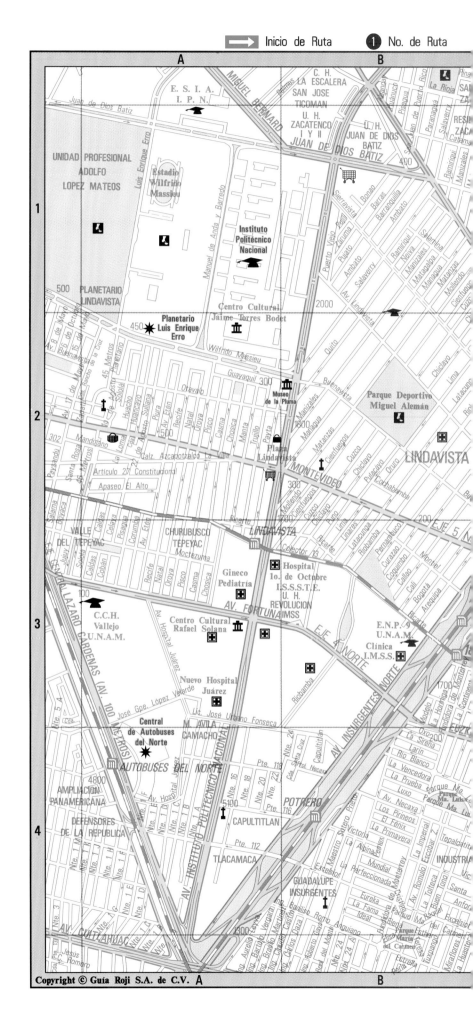

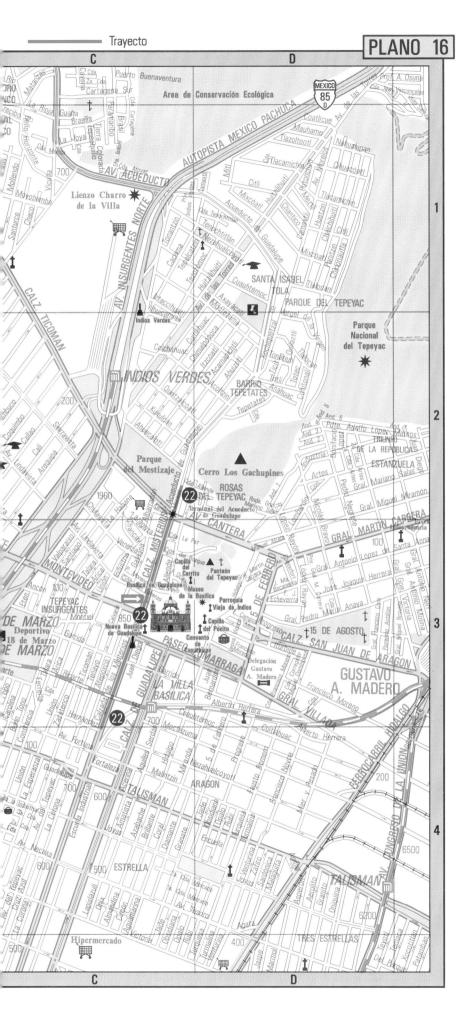

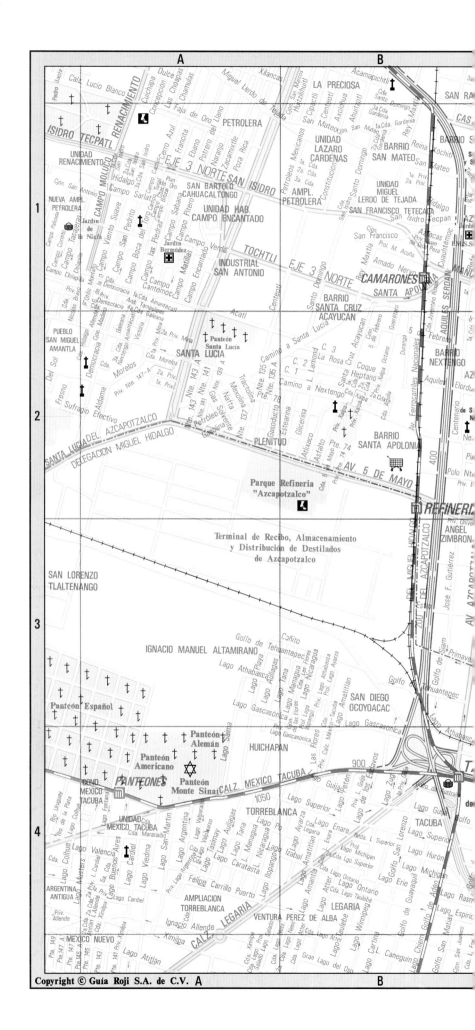

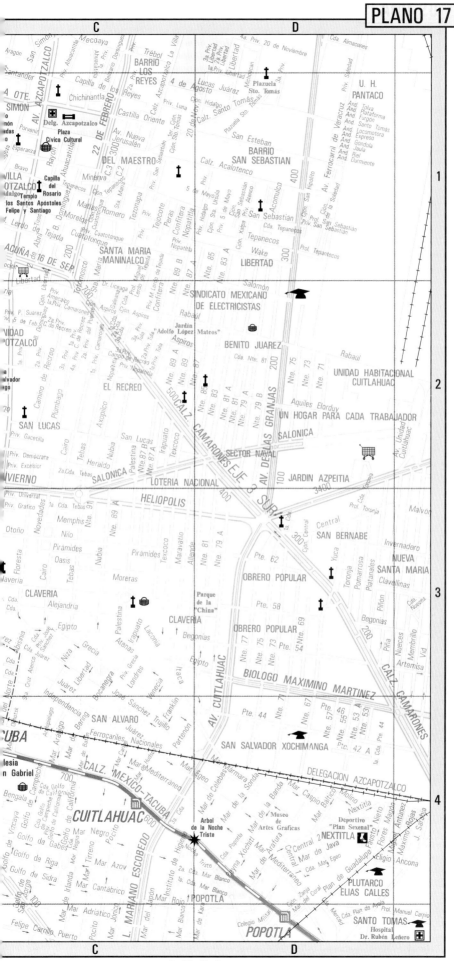

Pl. 7

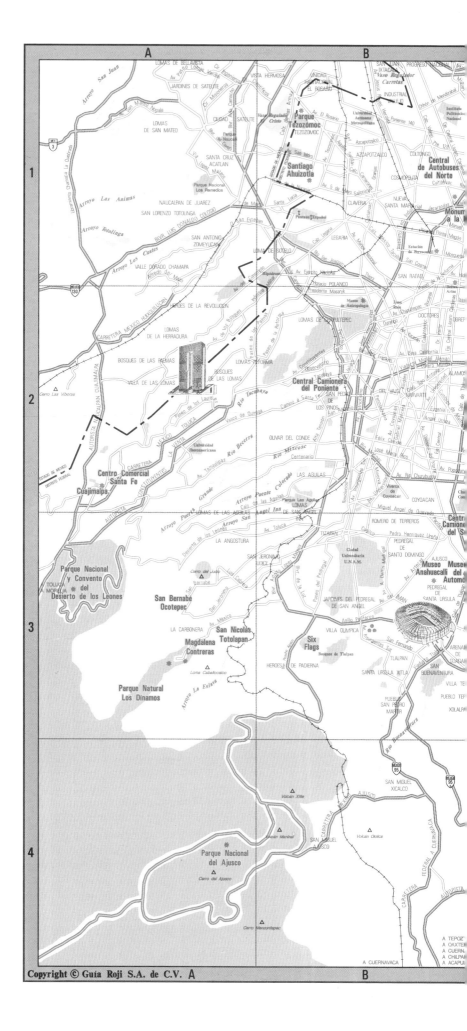

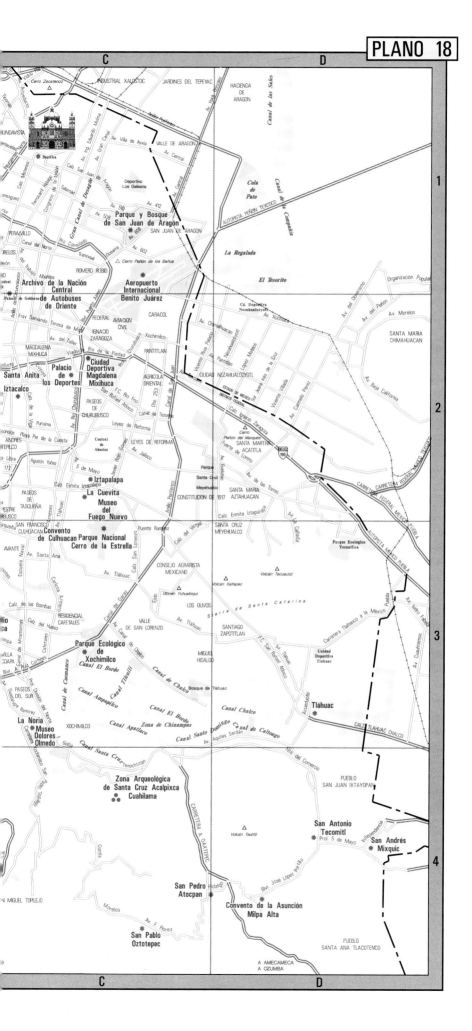

PLANO 18

C

D

1

INDUSTRIAL XALOSTOC JARDINES DEL TEPEYAC

HACIENDA DE ARAGON

Canal de las Sales

Cerro Zacatenco

Basílica

Deportivo Los Galeana

VALLE DE ARAGÓN

Cola de Pato

Canal de la Compañía

Av. 510
Av. 508
Parque y Bosque de San Juan de Aragón
Av. 412
SAN JUAN DE ARAGÓN

AUTOPISTA PEÑÓN TEXCOCO

Av. 602

La Regalada

Cerro Peñón de los Baños

El Tesorito

Organización Popular

Archivo de la Nación Central
Palacio de Gobierno de Autobuses de Oriente
Aeropuerto Internacional Benito Juárez

Cd. Deportiva Nezahualcóyotl

Av. del Obrero

Av. del Peñón

Av. Morelos

CARACOL

FEDERAL AVIACIÓN CIVIL

Av. Xochiaca

SANTA MARIA CHIMAHUACAN

IGNACIO ZARAGOZA

Xochimilco

Av. Chimalhuacán

PANTITLAN

MAGDALENA MIXHUCA

Río de la Piedad

Av. Baja California

Palacio de los Deportes
Ciudad Deportiva Magdalena Mixihuca

AGRICOLA ORIENTAL

CIUDAD NEZAHUALCÓYOTL

Santa Anita
Iztacalco

PASEOS DE CHURUBUSCO

FC Río Frío
Ote. 253

ESTADO DE MEXICO
DISTRITO FEDERAL

Vicente Villada

2

Purísima

Leyes de Reforma

Calz. Ignacio Zaragoza

Central de Abastos

LEYES DE REFORMA

Cerro Peñón del Marqués
SANTA MARTHA ACATITLA

ANDRES TEPILCO

Av. Jalisco

Fuente de Loreto

190

5 de Mayo

Iztapalapa

Parque Santa Cruz Meyehualco

Av. de las Torres

CARRETERA FEDERAL MEXICO-PUEBLA

La Cuevita
Museo del Fuego Nuevo

CONSTITUCIÓN DE 1917

SANTA MARIA AZTAHUACAN

AUTOPISTA MEXICO-PUEBLA

PASEOS DE TASQUEÑA

Calz. Ermita Iztapalapa

Av. La Cañada

SAN FRANCISCO CULHUACAN Convento de Culhuacan
Parque Nacional Cerro de la Estrella

Puente Ramírez

SANTA CRUZ MEYEHUALCO

Parque Ecológico Yecaxtlica

3

Av. Santa Ana

Av. Tláhuac

CONSEJO AGRARISTA MEXICANO

Volcán Xaltepec

Volcán Tecuautzi

Carretera Tlaltenco a la México

RESIDENCIAL CAFETALES

Volcán Yuhualíxqui

LOS OLIVOS

sierra de Santa Catarina

Puebla

Parque Ecológico de Xochimilco

VALLE DE SAN LORENZO

Av. Tláhuac

SANTIAGO ZAPOTITLAN

FC San Rafael Atlixco

Unidad Deportiva Tláhuac

Canal El Bordo

Canal Chalco

MIGUEL HIDALGO

Canal de Chalco

Bosque de Tláhuac

Tláhuac

La Noria
Museo Dolores Olmedo

XOCHIMILCO

Canal El Bordo
Zona de Chinampas
Canal Apatlaco

Canal Chalco

Canal Santo Domingo
Canal de Cuitcango

CALZ. TLAHUAC CHALCO

Av. Aquiles Serdán

Nte. del Comercio

4

Zona Arqueológica de Santa Cruz Acalpixca
Cuahilama

PUEBLO SAN JUAN IXTAYOPAN

San Antonio Tecomitl
Prol. 5 de Mayo

San Andrés Mixquic

Volcán Teuhtli

San Pedro Atocpan

Blvr. José López Portillo

N MIGUEL TOPILEJO

Convento de la Asunción Milpa Alta

San Pablo Oztotepec

PUEBLO SANTA ANA TLACOTENCO

A AMECAMECA
A OZUMBA

C

D

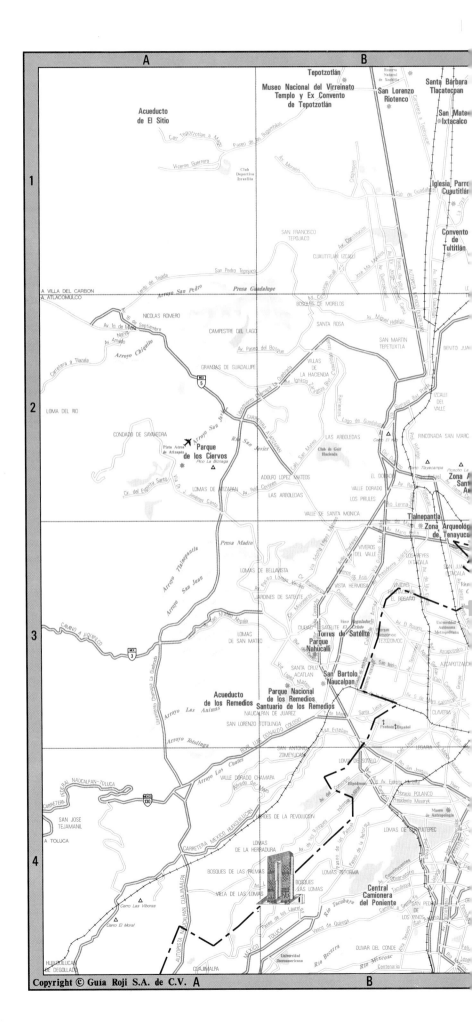

A

B

1

2

3

4

Tepotzotlán

Museo Nacional del Virreinato
Templo y Ex Convento
de Tepotzotlán

Santa Bárbara
Tlacatecpan

San Lorenzo
Riotenco

San Mateo
Ixtacalco

Acueducto
de El Sitio

Iglesia Parro
Cuautitlán

Convento
de
Tultitlán

San Francisco
TEPOJACO

CUAUTITLAN IZCALLI

BENITO JUAN

A VILLA DEL CARBON
A. ATLACOMULCO

BOSQUES DE MORELOS

SANTA ROSA

SAN MARTIN
TEPETLIXTLA

IZCALLI
DEL
VALLE

NICOLAS ROMERO

CAMPESTRE DEL LAGO

GRANJAS DE GUADALUPE

VILLAS
DE
LA HACIENDA

LOMA DEL RIO

Carretera a Tlazala

Arroyo Chiquito

LOMA DEL RIO

CONDADO DE SAYAVEDRA

Parque
de los Ciervos

Pista Aérea
de Atizapán

Pico La Biznaga

LAS ARBOLEDAS

Club de Golf
Hacienda

RINCONADA SAN MARC

Zona A
San
A

ADOLFO LOPEZ MATEOS

EL DORADO

LOMAS DE ATIZAPAN

LAS ARBOLEDAS

VALLE DORADO

LOS PIRULES

VALLE DE SANTA MONICA

Tlalnepantla

Zona Arqueológ
de Tenayuca

Presa Madin

LOMAS DE BELLAVISTA

VIVEROS
DEL VALLE

LOS REYES
IXTACALA

Arroyo Tlalnepantla

Arroyo San Juan

JARDINES DE SATELITE

VISTA HERMOSA

UNIDAD
EL ROSARIO

CAMINO A JIQUIPILCO

LOMAS
DE SAN MATEO

Torres de Satélite
Parque
Nahucalli

SATELITE El Cristo

Universidad
Autónoma
Metropolitana

AZCAPOTZALCO

SANTA CRUZ
ACATLAN

San Bartolo
Naucalpan

Acueducto
de los Remedios

Parque Nacional
de los Remedios
Santuario de los Remedios

NAUCALPAN DE JUAREZ

CLAVERIA

Arroyo Las Animas

SAN LORENZO TOTOLINGA

Panteón Español

Arroyo Totolinga

SAN ANTONIO
ZOMEYUCAN

LOMA DE SOTELO

FEDERAL NAUCALPAN-TOLUCA

Arroyo Los Cuates

VALLE DORADO CHAMAPA

CARRETERA

Hipódromo

Horacio POLANCO
Presidente Masaryk

Museo
de Antropología

SAN JOSE
TEJAMANIL

CARRETERA MEXICO HUIXQUILUCAN

HEROES DE LA REVOLUCION

LOMAS DE CHAPULTEPEC

A TOLUCA

LOMAS
DE LA HERRADURA

LOMAS REFORMA

BOSQUES DE LAS PALMAS

BOSQUES
LAS LOMAS

Central
Camionera
del Poniente

VILLA DE LAS LOMAS

Cerro Las Viboras

Cerro El Moral

AUTOPISTA NAUCALPAN CUAJIMALPA

MEXICO TOLUCA

Rio Tacubaya

Universidad
Iberoamericana

OLIVAR DEL CONDE

HUIXQUILUCAN
DE DEGOLLADO

CUAJIMALPA

Rio Becerra

Rio Mixcoac

A

B

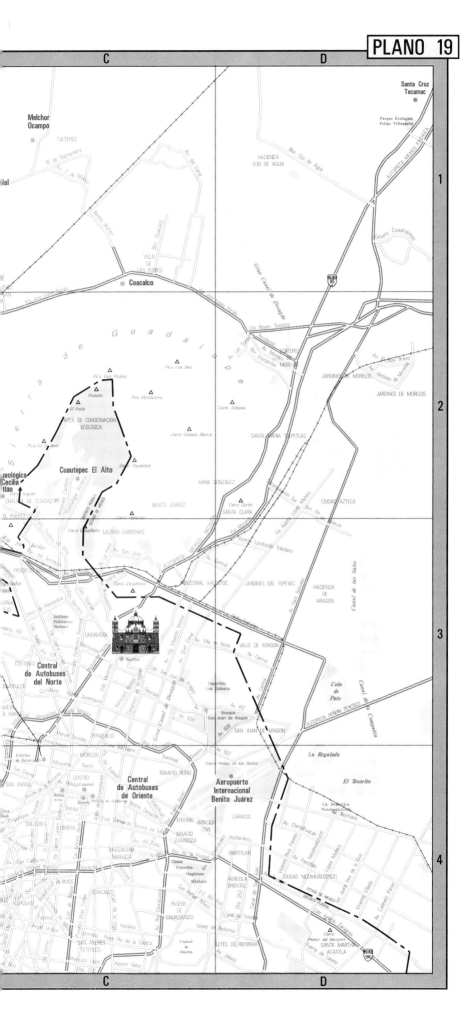

C

D

Santa Cruz
Tecamac

Melchor
Ocampo

Parque Ecológico
Felipe Villanueva

TULTEPEC

HACIENDA
OJO DE AGUA

Blvr Ojo de Agua

AUTOPISTA MEXICO PACHUCA

16 de Septiembre

Av 2 de Marzo

Av del Canal

1

Benito Juárez

Blvr Cuauhtémoc

Circuito Cuauhtémoc

VILLA
DE
LAS FLORES

Coacalco

Gran Canal de Desagüe

MEX 85

Los Reyes Texcoco

Nicolás Bravo

ECATEPEC

Av Morelos

MORELOS

Jardines de Morelos

Av Insurgentes

G u a d a l u p e

Pico Los Díaz

JARDINES DE MORELOS

JARDINES DE MORELOS

d e

Pico Tres Padres

Picacho

El Fraile

Pico Moctezuma

Cerro Tultepec

2

S i e r r a

ÁREA DE CONSERVACIÓN
ECOLÓGICA

Cerro Cabeza Blanca

SANTA MARIA TULPETLAC

Picacho La Jaya

Cerro Tlayacates

eológica
Cecilia
tlán

Cerro Arigüelo

Cuautepec El Alto

HANK GONZALEZ

CIUDAD AZTECA

CHALMA DE GUADALUPE

BENITO JUAREZ

Cerro Gordo

EL PUERTO

Cerro Hydaicatl

SANTA CLARA

Cerro Chiquihuite

LAZARO CARDENAS

Av Aztecas

Vicente Lombardo Toledano

Río San Javier

Av del Tenoalco

La Presa

Av San José

PROGRESO

AUTOPISTA MEXICO

Av Central

Cerro Zacatenco

HACIENDA
DE
ARAGON

Canal de las Sales

Instituto
Politécnico
Nacional

INDUSTRIAL XALOSTOC

JARDINES DEL TEPEYAC

LINDAVISTA

Basílica

3

COLTONGO

Central
de Autobuses
del Norte

Av Villa de Ayala

VALLE DE ARAGON

Av Central

Cola
de
Pato

Canal de la Compañía

Gran Canal de Desagüe

Deportivo
Los Galeana

AUTOPISTA PEÑON TEXCOCO

PERALVILLO

Av 412

Bosque
San Juan de Aragón

MORELOS

SAN JUAN DE ARAGON

Av 602

CENTRO

ROMERO RUBIO

Cerro Peñón de los Baños

La Regalada

SAN RAFAEL

Central
de Autobuses
de Oriente

Aeropuerto
Internacional
Benito Juárez

El Tesorito

Cd De Nezahualcóyotl
Xochiaca

DOCTORES

OBRERA

FEDERAL

AVIACION
CIVIL

CARACOL

Av Chimalhuacán

Av Nezahualcóyotl

IGNACIO
ZARAGOZA

Xochimilco

CIUDAD NEZAHUALCOYOTL

Av Pantitlán

Av López Mateos

MAGDALENA
MIXIUHCA

PANTITLAN

Ciudad
Deportiva
Magdalena
Mixihuca

AGRICOLA
ORIENTAL

Vicente Villada

Av Campestre Pasteur

IZTACALCO

FC Río Frío

Gral Ignacio Zaragoza

PASEOS
DE
CHURUBUSCO

ESTADO DE MEXICO

Leyes de Reforma

SAN ANDRES
TETEPILCO

LEYES DE REFORMA

Central
de
Abastos

Cerro
Peñón del Marqués

SANTA MARTHA
ACATITLA

Puerta de Loreto

4

MEX 190

C

D

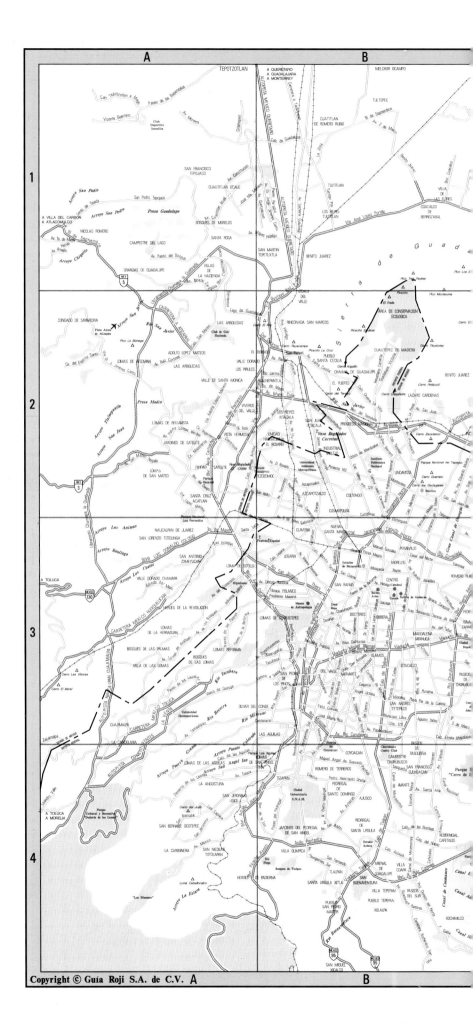

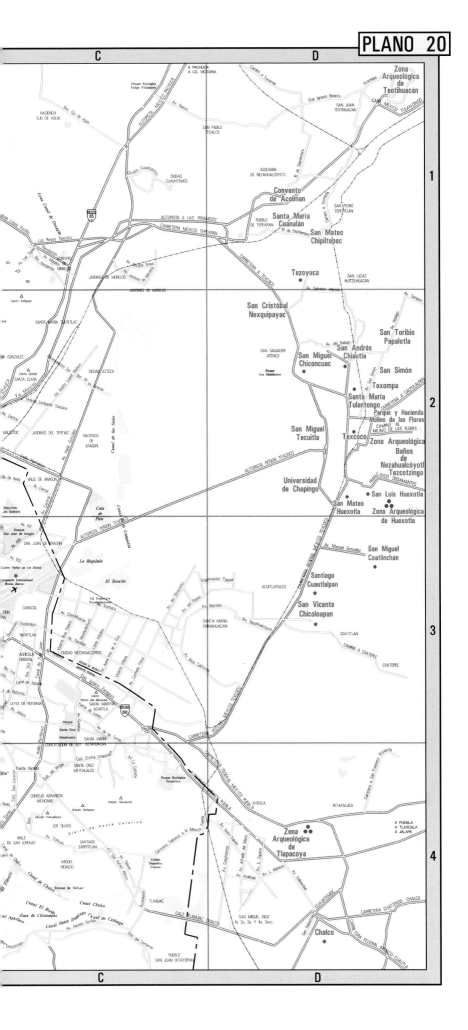

C · D

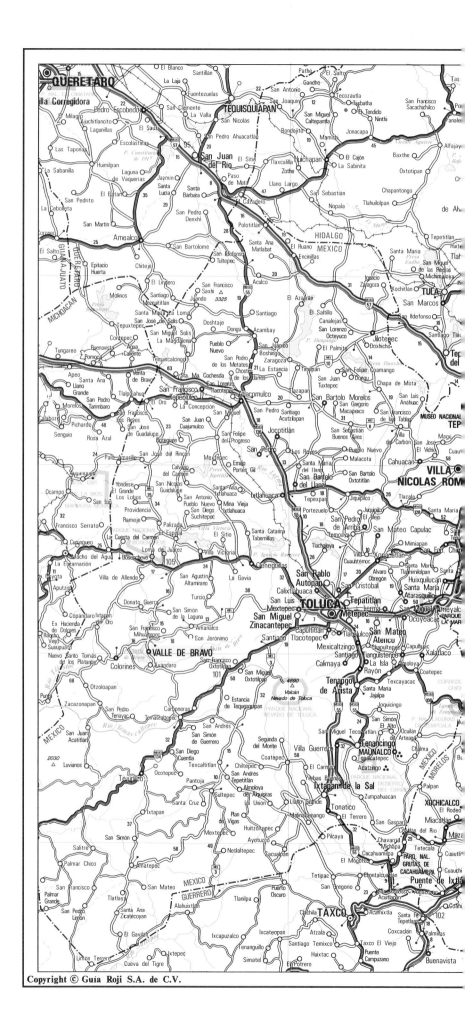

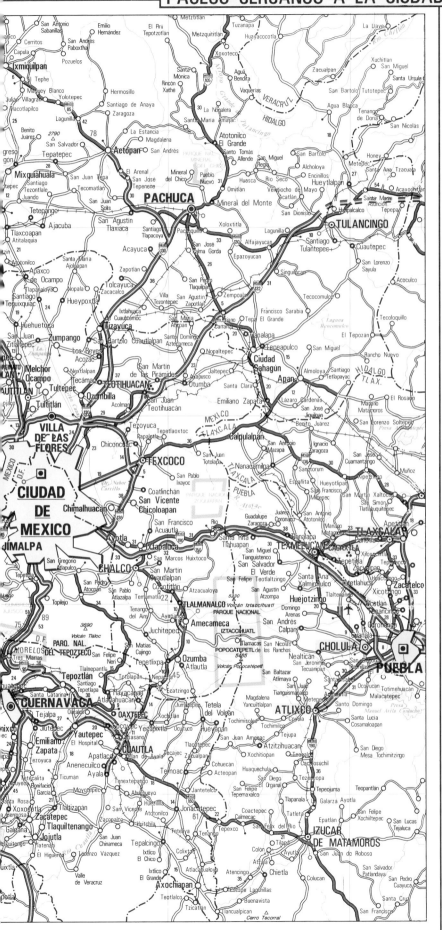

PRINCIPALES SEÑALES DE TRANSITO EN CALLES Y CARRETERAS

RESTRICTIVAS

 ALTO

  CEDA EL PASO

 INSPECCION

  VELOCIDAD

 VUELTA CONTINUA DERECHA

 NO PARAR

 ESTACIONAMIENTO PERMITIDO EN CORTO PERIODO DENTRO DE UN HORARIO

   PROHIBIDO ESTACIONARSE

 PROHIBIDA LA VUELTA A LA DERECHA

 PROHIBIDA LA VUELTA A LA IZQUIERDA

 CIRCULACION

  CIRCULACION

 SOLO VUELTA IZQUIERDA

 CONSERVE SU DERECHA

 DOBLE CIRCULACION

 PROHIBIDO EL RETORNO

 PROHIBIDO SEGUIR DE FRENTE

 PROHIBIDO EL PASO A BICICLETAS, VEHICULOS PESADOS Y MOTOCICLETAS

 PROHIBIDO EL PASO DE VEHICULOS DE TRACCION ANIMAL

 PROHIBIDO EL PASO DE MAQUINARIA AGRICOLA

   ALTURA LIBRE RESTRINGIDA

  ANCHURA LIBRE RESTRINGIDA

  PESO RESTRINGIDO

 PROHIBIDO REBASAR

 PARADA PROHIBIDA

 PROHIBIDO EL PASO A BICICLETAS

 PROHIBIDO EL PASO DE PEATONES

 PROHIBIDO EL PASO DE VEHICULOS PESADOS

 PROHIBIDO EL USO DE SEÑALES ACUSTICAS

PREVENTIVAS

 CURVA

 CODO

 CURVA INVERSA

 CODO INVERSO

 CAMINO SINUOSO

 ESTRECHAMIENTO SIMETRICO

 ESTRECHAMIENTO ASIMETRICO

 PUENTE MOVIL

 ENTRONQUE LATERAL OBLICUO

 ENTRONQUE EN Y

 GLORIETA

 INCORPORACION DE TRANSITO

  DOBLE CIRCULACION

 SALIDA

 VADO

  TERMINA PAVIMENTO

 ZONA DE DERRUMBES

 ALTO PROXIMO

 PEATONES

 ESCOLARES

  GANADO

 CRUCE DE FERROCARRIL

  MAQUINARIA AGRICOLA

 SEMAFORO

 PUENTE ANGOSTO

 CRUCE DE CAMINOS

 ENTRONQUE EN T

 ENTRONQUE EN DELTA

 SUPERFICIE DERRAPANTE

 PENDIENTE PELIGROSA

 GRAVA SUELTA

 CICLISTAS

  CAMINO DIVIDIDO

  CAMINO DIVIDIDO

 4.20 m ALTURA LIBRE

 3.20 m ANCHURA LIBRE

INFORMATIVAS

 AEROPUERTO

 ALBERGUE

 AREA RECREATIVA

 AUXILIO TURISTICO

 CAMPAMENTO

 TELEFONO

 DEPOSITO DE BASURA

 RESTAURANTE

 ESTACIONAMIENTO

 ESTACIONAMIENTO PARA CASAS RODANTES

ESTACION DE FERROCARRIL

GASOLINERIA

HELIPUERTO

HOTEL O MOTEL

INFORMACION

ARTESANIAS

 METRO

 MECANICO

 MEDICO

  GRUTA

  PARADA DE AUTOBUS

ACUEDUCTO

PARADA DE TROLEBUS

 MONUMENTO COLONIAL

 SANITARIOS

TAXI

BALNEARIO

CASCADA

PARQUE NACIONAL

LAGO - LAGUNA

ZONA ARQUEOLOGICA

PARADA DE TRANVIA

CHALANA

TRANSBORDADOR

TELEFERICO

PLAYA

MUELLE